# O DIA EM QUE GETÚLIO MATOU ALLENDE

E OUTRAS NOVELAS DO PODER

Flávio Tavares

# O DIA EM QUE GETÚLIO MATOU ALLENDE

## E OUTRAS NOVELAS DO PODER

5ª EDIÇÃO

EDITORA RECORD
RIO DE JANEIRO • SÃO PAULO
2004

CIP-Brasil. Catalogação-na-fonte
Sindicato Nacional dos Editores de Livros, RJ.

T23d Tavares, Flávio, 1934-
5ª ed. O dia em que Getúlio matou Allende e outras novelas do poder / Flávio Tavares. – 5ª ed. – Rio de Janeiro: Record, 2004.

ISBN 85-01-06949-3

1. História universal. 2. Poder (Ciências sociais). I. Título.

04-0405 CDD – 909
CDU – 930.85



Projeto gráfico de capa e caderno de fotos: Leonardo Iaccarino



Impresso no Brasil

ISBN 85-01-06949-3

PEDIDOS PELO REEMBOLSO POSTAL
Caixa Postal 23.052
Rio de Janeiro, RJ – 20922-970

EDITORA AFILIADA

*Para Malvina Hailliot Tavares,*
*católica e anarquista,*
*por quem encontrei o caminho profundo do amor,*
In Memoriam

*e para Décio Freitas,*
*que viveu a História como presente,*
*não como passado,*
In Memoriam

*"...os homens são incapazes de dizer quem são*
*se não puderem alegar que são outra coisa."*

José Saramago,
*História do cerco de Lisboa*

*"Uma das atrações da política é a representação teatral.*
*Os políticos estão sempre imitando alguém*
*de modo mais eficiente ou mais interessante*
*do que eles mesmos o são.*
*Ouvem dizer que são francos, sinceros,*
*honestos e se sentem obrigados a parecer assim."*

John Kenneth Galbraith,
*A Life in our Times*

# SUMÁRIO

# ADVERTÊNCIA

Nestas novelas do poder, nada é inventado e tudo em verdade ocorreu. Se, ao longo do relato, a trama se desenvolve como num romance em que as paixões se exteriorizam no amor e no ódio, na ilusão e no sonho, na vaidade e no embuste — ou se atritam entre si, como na ficção convencional —, tudo se deve a que, nas profundezas do seu íntimo, a realidade é assim: soa como ficção.

O título é uma metáfora ou alegoria. Mas, ao brotar de algo vivido, é uma alegoria que passa a ser real.

# INTRODUÇÃO

*"A horse! A horse! My kingdom for a horse!"*
*("Um cavalo! Um cavalo! Meu reino por um cavalo!")*

WILLIAM SHAKESPEARE,
*nos lábios de Ricardo III.*

Durante 40 anos de jornalismo acompanhei as peripécias e artimanhas do poder e andei pelos seus labirintos de espelhos como se caminhasse pelas ruas, sem perceber que poderia me perder e extraviar sem jamais regressar ao ponto de partida.

Sim, pois nesses longos anos de convivência com gente empoleirada no poder — presidentes de Repúblicas, primeiros-ministros, reis e generais-ditadores — aprendi que o poder político é quase tão-só um gigantesco espelho que nos reflete aquilo que nós queremos ver refletido, sem que isso, necessariamente, reproduza a realidade ou seja a sua cara fiel. A pompa ou as convenções humanas ou a História — chame-se como for — deram ao poder a chama e a luminosidade do deslumbramento, e, assim, ao ser lume e luz, nos deslumbra.

Não nos deslumbra, porém, no sentido de nos fazer mais luz, mas no sentido de nos ofuscar e nos cegar. Todo deslumbramento é um choque e todo deslumbramento enceguece pelo acúmulo e diversidade de luzes que contém. Pela sua intensidade.

Apalpei as dobras do poder muito jovem ainda, como dirigente estudantil no sul do Brasil, em momentos em que ser estudante e estudar tinha prestígio social e significava uma iniciação privilegiada para a vida em si. Naqueles anos de 1950, "estudante universitário" era um título — quase um título de nobreza — e, assim, nada mais natural que os políticos (fossem de esquerda, de direita ou de nada) se aproximassem de nós, talvez pelo mesmo interesse de expandir o poder com que nós nos acercávamos a eles. No Brasil, pelo menos, os dirigentes estudantis tinham acesso praticamente irrestrito aos gabinetes do poder. Não se batia à porta: entrava-se. Um polido "com licença", dito já da porta entreaberta, era apenas um corriqueiro sinal de educação, contra o qual ninguém se rebelava. Jamais se fechava a porta na cara de um dirigente estudantil.

Foi, no entanto, como jornalista político, anos depois, que vi ampliar-se o acesso aos gabinetes do poder e às suas intimidades. No sul do Brasil, primeiro, logo em Brasília, quando a cidade recém se assentava no seu novo leito de capital. Ou no Rio de Janeiro ou em São Paulo, até que — em plena ditadura militar — o jornalismo político tornou-se uma mentira ou uma fantasia, num país em que o terror e o medo haviam substituído as idéias políticas.

A participação na resistência levou-me à prisão, logo ao banimento do país, mas pouco a pouco, no exílio, as portas tornaram a se abrir para as confidências soltas no ar e que só o jornalista sabe captar. Paradoxalmente, em lugares diferentes, no México, na Argentina, em Portugal — ou nas andanças como enviado especial, mundo afora —, longe do Brasil descobri que as variantes e as variações ou as diferenças eram, no fundo, apenas formas distintas que conduziam às semelhanças. E, até mesmo, quando os regimes políticos eram outros ou quando o desenvolvimento e a tecnologia nos faziam supor um mundo diferente, superior e maior.

Sempre e sempre, a política era a luz de si mesma e só se iluminava a si própria. A partir daí, passei a perguntar-me se o que nos deslumbra não é exatamente o que nos engana na política.

Não conto aqui a História do poder, mas as histórias daquela gente empoleirada no poder que — como uma sucessão de novelas — desfilaram ante meus olhos. Às vezes, desnudas, com suas intimidades à mostra ou os personagens em cuecas. Literalmente em cuecas.

Ei-las...

# PRIMEIRA PARTE

*"O Brasil é um carro de boi. Mas um carro que, vexado de o ser, traz ensebados os eixos para não rechinar. (...) O mal não está em ser carro de boi. Está em o esconder."*

MONTEIRO LOBATO
*Mundo da Lua 1923.*

## Capítulo I

# ALLENDE

## O ESPELHO

### 1

Nunca consegui pronunciar direito o nome dessa avenida de Xangai que naquele setembro de 1954 estava repleta de bicicletas-táxi, nas quais um chinês de calças curtas bordeando as canelas pedalava sem cessar, com fôlego de tigre, puxando um carrinho para transportar passageiros — um de cada vez — de um lado a outro da cidade imensa. Há muito haviam sido abolidos os veículos de tração humana — símbolo urbano da velha China feudal — nos quais um homem corria em carreira, como um cavalo, para transportar outro homem puxando uma carrocinha. Agora, no quinto ano da revolução comunista, aqueles homens-mulas — os *coolies* — tinham desaparecido, e essa versão humanizada (ou bicicleteada) que substituía o antigo *rick-sha*, dava às ruas o aspecto de um imenso formigueiro movido a pedais.

Nessa Xangai, então a cidade mais populosa do mundo, as calçadas eram marés de gente ordenadamente indo e vindo às pressas, mas sem qualquer encontrão, sem que ninguém esbarrasse em ninguém, numa avalanche humana que nos desviava o interesse de todas as outras coisas e tornava difícil decorar nomes de ruas ou, até mesmo, observar aqueles edifícios altos construídos pelos ingleses no estilo dos arranha-céus de Nova York dos anos 30. Lembro-me, no entanto, até hoje, do borborinho e da cara de surpresa e susto que provoquei ao meu redor, na calçada atopetada de gente, quando gritei alto, duas ou três vezes seguidas:

— Senador! Ei, senador, senador!

Na China não se grita, muito menos numa língua estranha, e centenas ou milhares de pessoas viraram-se em minha direção indagando-me com o espanto do rosto. Era como se a China Popular inteira me encurralasse ali, apenas por eu ter pronunciado três palavras num idioma que eles não entendiam e com um som que eles não identificavam ou até jamais haviam ouvido. Aglomerados e misturados entre si, aqueles chineses pareciam iguais, saídos todos de um mesmo ventre, e, além disso, se vestiam da mesma forma: homens e mulheres de túnicas e calças compridas em brim azul-celeste, as cores das próprias nuvens caminhantes sobre a Porta da Paz Celestial que nós tínhamos conhecido em Pequim dias antes. Cada um era o espelho do outro e, ao serem centenas ou milhares, pareciam milhões.

Compreendi, então, que — frente àquele turbilhão informe — teria de gritar de novo até mesmo para me desvencilhar do próprio espanto ou para vencer a perplexa multidão na rua. Alonguei a frase e repeti ainda mais alto:

— Senador, senador do Chile!

Creio que a expressão "Chile" o fez despertar, porque, só então, o casal estancou o passo lá adiante na calçada e, surpreso ou inquieto no início, logo sorridente, o homem abriu os braços enquanto a mulher permanecia imóvel, petrificada pelo inesperado.

— *Compañero brasileño, qué sorpresa!* — gritou em resposta Salvador Allende, que naquele 1954 beirava os 46 anos de idade.

Dias antes, eu o havia conhecido na refeição da manhã no hotel em Pequim, naquela babel de idiomas estranhos — árabe, hindi, vietnamita, javanês, tcheco, alemão, russo, sueco ou inglês — em que ouvir espanhol ou francês já nos identificava como parentes próximos, quase irmãos. O idioma espanhol deu-nos uma intimidade imediata em meio àqueles sons extravagantes, desconhecidos ou distantes. E nos fez próximos.

Ser entendido e poder entender aproxima até mesmo na casa paterna, quanto mais na China da metade do século XX, onde a língua local nos condenava a um isolamento e a uma incompreensão que nem os gestos educados e o sorriso dos seus habitantes tinham condições de superar. Quando um chinês nos sorria era possível entendê-lo em profundidade, tal qual quando se escondia ou fugia de nós. Mas quando algum deles nos dizia qualquer coisa, não sabíamos se indagava ou afagava ou protestava. Os intérpretes (jovens chineses que falavam perfeitamente o francês e o inglês) eram impecáveis e salvavam sempre as situações, até mesmo as mais embaraçosas, mas falar através deles era uma forma distante e indireta de estabelecer contacto. Tudo virava postiço, a naturalidade se perdia e o diálogo deixava de existir, pois sem o dinamismo da pergunta e resposta, tudo se assemelhava a um monólogo a dois.

## 2

A mesma compreensão idiomática, que até hoje sela a amizade fácil dos turistas da mesma língua que se conhecem no estrangeiro e se fazem íntimos em dois minutos, abriu-nos as portas com Allende. Ele também estava isolado pelo idioma e nos necessitava tanto quanto nós o necessitávamos para sentir-se livre do educado jugo lingüístico dos intérpretes. Salvador Allende Gossens era o vice-presidente do

Senado do Chile e, ainda mais loquaz que sua mulher, dona Hortensia, já no primeiro encontro conversou muito e perguntou pouco. Afinal, ele era senador socialista, um político, há dois meses percorria a China, num programa destinado a autoridades, e pouco teria a ser informado por mim ou pelos outros fedelhos de apenas 20 anos de idade, como eu, que lá estávamos como estudantes, por sermos "líderes estudantis", convidados para as festas do 5° aniversário da Revolução Chinesa, a 1° de outubro, dali a uns dias.

Mais para ser gentil do que, de fato, por interessar-se, perguntou sobre o que havia ocorrido exatamente no Rio de Janeiro dias antes, no final de agosto, quando o Brasil estivera nas manchetes dos jornais pelos quatro cantos do mundo. Ele soubera apenas fragmentos difusos e, em verdade, nada havia entendido, pois estava no norte da China e os intérpretes lhe haviam lido jornais regionais, parcos em notícias da distante América Latina, que apenas mencionavam sobre "morte e conflito político no Brasil".

— O Presidente Getúlio Vargas suicidou-se com um tiro no coração, em pleno palácio, no fragor de uma crise política — expliquei, contando-lhe o pouco que sabia da tragédia daquela manhã de 24 de agosto no Rio, lido em Moscou no *Izvestia* e no *Pravda*, mas que era uma torrente comparado ao parcimonioso quase-nada divulgado nos jornais chineses. E lhe recheei o apetite falando sobre o governo de Getúlio, dando-lhe minha versão sobre quem era e como era.

Afinal, eu tinha saído do Rio de Janeiro a 19 de agosto, apenas cinco dias antes do suicídio, num clima de tensão em que boa parte da capital parecia insurgir-se contra o Presidente da República. Defendê-lo, ou até mesmo entendê-lo, tornara-se difícil inclusive para os getulistas (aquela gente simples e correta do povo, que o reverenciava e o amava), face à maré de denúncias que a hábil audácia do jornalista Carlos Lacerda, como porta-voz da direita liberal, jogava ao ar contra ele. "O Palácio do Catete é um mar de lama!", esbravejava

Lacerda pelo rádio, pela televisão e pelos jornais, parodiando o próprio Getúlio e empilhando adjetivos para esbofetear não só o Presidente mas, muito mais ainda, a sua guarda pessoal chefiada por Gregório Fortunato. Esse negro espadaúdo e alto, vindo lá das campinas fronteiriças do sul do Brasil, acompanhava Getúlio desde o final dos anos 30 e, com os ombros e a mirada, protegia o chefe, o amado chefe. Sim, pois Getúlio era amado por milhões e tão amado quanto odiado por outros milhões.

Em 1930, chefe duma revolução popular e antioligárquica, chegou ao Palácio do Catete de botas e farda de soldado da Brigada gaúcha, charuto entre os dedos. Depois foi Presidente e, mais tarde, ditador durante oito anos. Nesses tempos, os áulicos e aduladores o haviam cegado e era como se ele, o todo-poderoso "Chefe da Nação", houvesse passado aqueles anos ofuscado pelas luzes que o faziam o centro e núcleo de tudo. Agora, a partir de 1951, nesses anos de Presidente constitucional em plena democracia, "o Velho" despontava com vigor e concepções novas e, criticado pelos conservadores e pela esquerda, abocanhara idéias socializantes. Mas continuava sendo uma raposa e deve ter-se suicidado para tentar salvar-se, ao descobrir que estava rodeado pelo precipício.

Allende escutava. Agora, porém — acrescentei —, havia algo novo. O *Izvestia* que o intérprete russo leu em voz alta na Universidade de Moscou na manhã de 25 de agosto de 1954 estampava um curioso e surpreendente detalhe sobre o suicídio: Getúlio deixara uma carta-testamento na qual acusava o imperialismo de boicotar seu governo e se queixava da voracidade do capital internacional. De longe ou de perto, isso soava pouco verossímil. Então, Getúlio era antiimperialista e anticapitalista, e nós, os antiimperialistas e críticos do capitalismo, não o sabíamos?

Eu estava literalmente surpreso e desconfiava desses detalhes da carta de despedida, que soavam como "inflados" pelos soviéticos, e, adivinhando que Allende — como todo bom socialista — tivesse divergências com os comunistas, disse-lhe sem mais rodeios:

— Trata-se de uma informação de Montevidéu, da agência soviética Tass, e, assim, deve ser tomada com cuidado e cautela; não sei se é verdadeira!

— Sim, sim, entendo; mas não inventariam... — respondeu Allende, pensativo, deixando as reticências no ar.

## 3

Salvador Allende ouvia-me quase sem indagar nessa manhã em que nos conhecemos no hotel em Pequim. Era comum, naqueles anos, que os latino-americanos nada soubessem do Brasil nem se interessassem por saber. No entanto, eu não relatava ali apenas parte da História política do Brasil, mas um drama de poder e morte, tingido pelo sangue de quem fora o agente e o paciente da mesma ação, e, apesar do mutismo, os olhos do senador Allende brilhavam de atenção.

Getúlio se matara pelo jogo do poder e por tudo poder, num gesto político no exercício de sua inteireza de líder, acima inclusive do cidadão comum. Não era como aqueles milionários honestos mas decrépitos que se dão um tiro ao não poderem "honrar" uma duplicata num banco, muito menos como aqueles pobres-diabos que se enforcam enlouquecidos pelo ciúme no topo dos problemas conjugais, ou dos que se decapitam sob as rodas de um trem, arruinados pela queda da Bolsa.

Os fatos que desembocaram no suicídio de Getúlio pareciam urdidos numa trama shakespeareana do século XX, um golpe palaciano de novo tipo, com as intrigas e as traições cruzando-se pelas torres do castelo. O poder é que o matara.

— Mas por que Vargas não enfrentou os seus acusadores? — foi a única pergunta de Allende.

Não soube responder. Poderia ter-lhe dito que por estar cansado e idoso ou, enfadado do poder, por ter-se convencido da propaganda dos adversários e acabar sendo derrotado por ela, ao assimilar as verdades e as mentiras como uma cousa só. Poderia ter-lhe dito que, assim, na solidão do topo do poder passou a acreditar-se débil, ou percebeu que estava envolvido numa teia que só era forte porque o aprisionava mas que, em tudo o mais, era fraca, incapaz de o sustentar... Naqueles tempos, porém, eu pouco sabia do mundo interior que late dentro do bicho-gente que somos todos nós, era um mocinho quase imberbe e pouco conhecia da vida.

Dei-lhe uma "explicação político-ideológica", tão ao gosto da época e do pedantismo de um rapazote de 20 anos, dizendo-lhe que Getúlio dirigia o povo mas não confiava na capacidade do povo, pois não era um revolucionário nem pretendia uma revolução, "mas apenas tirar de cima um problema, ainda que com honra". Respondi bem ao gosto da política e o senador gostou. Tanto gostou que exclamou:

— *Muy bien! Como Balmaceda en Chile!*

Aprendi ali, no restaurante do hotel, que o Chile também tivera um Presidente-suicida, José Manuel Balmaceda, que — deposto e refugiado numa embaixada — matou-se no dia em que deveria concluir seu mandato, no distante final do século XIX. Mas Salvador Allende não parecia dar maior importância ao fato e só o citou rapidamente, numa pausa da minha conversação, que ele seguia atento, os olhos fitos nos meus gestos e palavras, interessando-se pelos detalhes ou me levando a esclarecer nomes e situações. Pensativo mas franco, confessou-me que estava descobrindo Getúlio Vargas naquele momento, nos intervalos entre o chá e as massas tipo *spaghetti* do desjejum pequinês. Pela morte de Vargas ele descobria a vida de Vargas.

Depois disso, encontramo-nos outras três ou quatro vezes, à hora do jantar, e ele indagava, sempre, se eu sabia algo mais *"del Presidente Vargas"*. Como vice-presidente do Senado do Chile, Allende era a mais alta personalidade latino-americana presente na China naqueles dias que antecediam a festa do 1° de Outubro. De fato, seu cargo de vice-presidente do Senado não era determinante nos destinos do Chile, mas ele era o líder do único partido socialista importante e de peso na América Latina e seu programa de visitas era diferente do nosso. Raras vezes íamos aos mesmos lugares. Ele desfrutava do programa oficial das "autoridades" e já fora recebido até pelo Primeiro-Ministro Chu En-lai, em audiência privada, e aguardava por Mao Tse-tung.

De minha parte, como presidente da União Estadual de Estudantes do Rio Grande do Sul, até então eu não tinha ido além do prefeito de Pequim, que nos contou do lixo secular que as tropas comunistas encontraram na cidade ao triunfar a revolução: "Lixo de 200 ou 300 anos, acumulado como montanhas que tapavam becos e ruas."

## 4

No dia em que saímos de Pequim não vi o casal Allende no chá matinal. Não me surpreenderia se os encontrasse, depois, nas montanhas ou nos lagos de Hang Chow, um povoado pequeno e tão aprazível que seus habitantes (desabituados dos rostos ocidentais) saíam das casas e nos olhavam boquiabertos e surpresos, indagando-se sobre o buraco da terra do qual teríamos surgido. Descobrir

Salvador Allende e dona Hortensia, porém, naquela avenida de Xangai, em meio a uma enchente humana entrecortada por milhares de bicicletas-táxi que iam e vinham, tinha o significado de uma aventura completa em que o inesperado funciona como destino.

Ao dar meia-volta na calçada e me reconhecer, ele abriu os braços enquanto eu corria em sua direção e assim ficou, imóvel. Allende era um cavalheiro na acepção total do termo e só se moveu para indicar-me com a palma aberta da mão que, primeiro, eu cumprimentasse dona Hortensia, ou Tencha, como a chamava. Logo, abraçamo-nos, contamos uns aos outros sobre o que fazíamos, na conversa típica de turistas assombrados com o que viam naquela terra que era um planeta à parte.

Continuamos a caminhar e passamos diante das cozinhas de rua em que centenas e centenas de pessoas, acocoradas, educadamente devoravam potes de arroz, um após o outro, como se quisessem compensar numa única refeição o que os seus pais, avós e bisavós jamais haviam comido antes, durante séculos. Aquilo era um outro mundo e toda a nossa atenção se desviava para aquele mundo. Mesmo vestidos à ocidental, de fatiota e gravata, não sentíamos sequer o calor brutal do verão de Xangai: nossos olhos, nossa mente, tudo em nossa percepção se concentrava nesses refeitórios a céu aberto, no espetáculo da fome saciada naqueles intermináveis potes de arroz com palitos, à beira da calçada.

Mas eis que num momento, com um puxão no casaco, o senador Allende me toca para dizer-me baixinho:

— *Me impresionó lo del suicidio.* Não me sai da cabeça a história de Vargas!

O mês de setembro de 1954 esgotou-se rapidamente e, na volta a Pequim, a festa nacional chinesa do 1° de Outubro nos separou:

Allende ficou no palanque destinado às "autoridades" e nós no outro lado, entre os "convidados", em ótimo lugar, mas distanciados.

Daí em diante, não nos vimos mais.

## 5

Exatos 19 anos mais tarde, a distância era outra e imensa mas, paradoxalmente, nos fazia mais próximos naquela manhã de 11 de setembro de 1973 em que os aviões e os tanques bombardeavam o Palácio de la Moneda, em Santiago, e ele — Presidente do Chile, em traje civil e capacete militar à cabeça — disparava a metralhadora para resistir ao ultraje. Na Cidade do México, no hemisfério norte, a milhares de quilômetros, pelos teletipos do jornal acompanhei todos os passos do golpe militar no Chile, se é que se pode seguir à distância um fato perturbador que nos dilacera a alma. (Além disso, eu era um brasileiro exilado político no México, e tudo me sensibilizava ainda mais.)

Naquele dia, cheguei ao *Excelsior* às 6 da manhã para preparar a página internacional da edição vespertina do jornal e me deparei com o golpe em pleno andamento. No Chile eram duas horas a mais e, assim, tudo corria com uma rapidez inalcançável. Ao sair para almoçar, o golpe já estava consumado e as notícias sobre Allende eram confusas: dizia-se que ele saíra do Chile num avião preparado pelos golpistas exclusivamente para evacuá-lo do país. Seu paradeiro era incerto. "Virá ao México", pensamos todos. (O Presidente mexicano Luis Echeverría nada tinha de socialista mas se tornara um amigo leal e correto de Allende, e o socorrera várias vezes em momentos difíceis para o Chile. E agora, no infortúnio, se dispunha a recebê-lo.)

Voltei ao jornal no meio da tarde e encontrei Salvador Allende numa radiofoto transmitida de Santiago do Chile, metralhadora em punho no palácio presidencial, encaminhando-se às janelas para responder aos ataques. O capacete militar à cabeça dava-lhe um aspecto diferente mas, de imediato, reconheci aqueles olhos: tinham o mesmo brilho inquieto e extravagante dos olhos com que ele me fitou, 19 anos antes, no hotel de Pequim, quando eu lhe contei do suicídio de Getúlio Vargas. Um brilho profundo de retina entreaberta, como buscando decifrar o mundo com a mirada, dizendo com o olhar que estava vivo. Um brilho que permanecia na radiofoto transmitida pelos ares e não se esvaía sequer na imprecisão do papel fotográfico.

Estávamos em setembro de 1973, mas aqueles olhos eu conhecia de setembro de 1954. E, com aqueles olhos na consciência do inconsciente, li os despachos das agências internacionais de notícias informando que Allende tinha se suicidado no sofá da ante-sala do seu gabinete, disparando-se com a metralhadora que lhe presenteou Fidel Castro, ao perceber que a resistência havia chegado ao fim. Fui um dos três redatores que prepararam a edição do *Excelsior* do dia seguinte sobre o golpe no Chile, com um título ao largo de oito colunas, na primeira página, informando sobre o suicídio de Allende.

Nunca pus em dúvida a versão oficial do suicídio, difundida pelos golpistas. Mesmo quando, anos mais tarde, começou a tomar força a possibilidade do assassinato, foi-me impossível admitir que Allende se expusesse a ser morto pelo capitãozinho que comandou a invasão do palácio presidencial. Ser varado pelas balas de um militar de terceira, que recebera a ordem de assaltar a sede do poder, seria humilhante, não estava à altura de Allende. Alguém como ele não se deixaria matar pelo invasor, que lhe usurpava o poder unicamente por ser mais afeito às armas e ter pontaria mais precisa. Um romântico como ele jamais se entregaria. Nem jamais reconheceria, em vida, que fora derrotado. Só o suicídio poderia salvá-lo. Só o suicídio, no bojo da resistência, o fazia vitorioso no topo da derrota.

Anos mais tarde, ouvi a gravação do derradeiro discurso de Allende, transmitido pelo rádio já quando as bombas caíam sobre o palácio, e ali estava a chave de tudo: ele se despedia e proclamava que não o encontrariam vivo. Sem o dizer, anunciava o suicídio ou que, armas na mão, resistiria até o fim, até que o exterminassem.

Mais do que tudo, porém, aquele brilho nos olhos na manhã de setembro de 1954 no hotel em Pequim, quando o suicídio de Getúlio Vargas deu-lhe o sentido de que só o sacrifício eterniza o poder, é o que — até hoje — me dá a certeza interior de que Salvador Allende disparou contra si mesmo. Na manhã de 11 de setembro de 1973, seus olhos tinham o mesmo brilho de expectativa e de volúpia pelo desafio. O desafio de que cada qual desenha e executa o próprio destino.

Mas que o espelho do destino está à nossa frente.

Capítulo II

# GETÚLIO

## RIO, MAR E LAMA

### 1

Esbelto e longilíneo, correndo entre o mar e a montanha e por eles apertado na correria, o Rio de Janeiro naqueles tempos de 1951-1952 era não só a capital da República (ou o *Dischtrito* Federal, como gloriosamente o diziam os cariocas) mas, também, a cidade dos nossos sonhos. Em suas ruas e avenidas, no sorriso e modo de vestir de sua gente, no mar e no ar, nada fazia vislumbrar qualquer sinal de decadência.

Tudo era diferente naqueles anos. São Paulo, por exemplo, era uma cidade pulcra, limpa e organizada com seus novos e elegantes bondes elétricos avermelhados que iam e vinham pela Avenida São João, embevecendo a todos nós — os que vinham do Sul, como eu, ou os que chegavam do Norte — com suas portas a ar comprimido, que se abriam ou cerravam com o simples girar de uma manivela. Em São Paulo, corria-se para tudo: para ir ao trabalho ou para sentar-se na poltrona dos cinemas. Corria-se sempre. São Paulo era "a locomotiva" que puxava os outros 21 vagões que formavam o resto do país, mas a rapidez e a velocidade eram, no fundo, apenas uma forma ou um jeito de amealhar mais fácil o dinheiro para desfrutar o Rio de Janeiro e dourar-se em Copacabana. Ou namorar semidesnudo nas águas calmas da praia do Flamengo ou de Botafogo. Não se conhecia sequer a palavra "poluição", e até em Ramos, lá dentro da Baía de Guanabara, entrava-se n'água sem medo do petróleo nem dos esgotos, muito menos dos assaltos.

O pessoal dos subúrbios orgulhava-se da praia de Ramos, que estava ali, fácil e à mão, numa época em que os túneis ainda não tinham furado as montanhas, encurtando os caminhos na cidade, como agora. Talvez por esse orgulho, para lá me levaram, na distante zona norte do Rio, naquele 1952, num sábado de julho, mês em que a gauchada fugia do rigor do inverno sulino para estrear o mar carioca. Já ao descer do ônibus, notamos um tom estridente nas conversas, entre gritinhos emocionados ou exclamações nervosas nas mulheres e comentários secos entre os homens.

— Sim, é ele, sim! Sim, sim, é ele mesmo!

As mocinhas tapavam-se o *maillot* com o que estivesse à mão e corriam num único rumo, em direção a um grupo de pessoas junto a um carro estacionado defronte à praia. O grupo caminhava estendendo as mãos a um homem baixinho, centro visível das atenções. De fatiota e gravata, o homem caminhava lentamente, levando o grupo a mexer-se na mesma direção. Na praia, todos vestiam apressadamente as roupas deixadas na areia, até mesmo os que não ousavam aproximar-se dele.

— Não fico pelado na frente dele, tenho vergonha! — comentou à minha frente um mulato miúdo, com cara de porteiro de ministério.

Que vergonha se, na segunda-feira, **ele** entrasse ministério adentro e deparasse com o porteiro uniformizado que vira quase nu no fim de semana na praia!!

Algumas vezes Getúlio Vargas fizera isso — entrar nos ministérios sem aviso antecipado nem recepção especial — nos tempos em que era ditador, antes de 1945, para surpreender o pessoal e marcar a autoridade da sua presença. Era improvável que repetisse isso agora, que era presidente constitucional numa democracia, mas a dúvida não gera confiança e era melhor prevenir-se. Sim, pois era **ele** em carne e osso que caminhava pela praia.

Há muitos anos, bastava dizer-se "ele" com uma entonação mais grave ou respeitosa (ou de desdém entre os opositores) e já se sabia de quem se tratava. A propaganda do Estado Novo criara a figura do "ele disse", "ele fez", e **ele** era só ele mesmo, como nesse momento em Ramos. E ele caminhou sorrindo, sem gesticular. Logo, disse alguma coisa ao grupinho de gente que o cercava, todos se arredaram tomando lugar ao lado ou atrás, e ele ficou imóvel, longos minutos em silêncio, de frente para o mar, fitando a imensidão da Baía de Guanabara. Em seguida, andou uns passos, agachou-se, agarrou um punhado de areia, apertou-a nas mãos como para sentir-lhe o tato desvencilhando-se dela.

Logo, despediu-se de cada um e voltou ao automóvel. Todos na praia, crianças inclusive, despiram-se outra vez da roupa que haviam vestido às pressas logo que **ele** chegou. Em poucos minutos, a presença de Getúlio tinha mudado tudo. Ou a presença do poder havia mudado tudo, levando homens e mulheres, adolescentes e crianças a vestirem-se rápido, pondo-se a roupa sobre o traje de banho pegajoso de areia ou tão molhado que marcava o corpo.

## 2

Getúlio não costumava sair. O povo sentia-se íntimo dele, mas nunca o via. A intimidade (até mesmo a ira ou o ódio íntimo dos adversários) vinha pelos retratos, pelos noticiários cinematográficos. A televisão recém-surgia e pouco peso tinha então, mas todos eram íntimos da sua palavra e voz transmitidos pelo rádio. Por isso, talvez, nas raras vezes em que saía pela cidade, sua presença tinha a força do poder. E o poder inibe.

Só uns poucos ousavam comentar que ele fora visto, várias vezes, entrando num edifício na Rua República do Peru, em Copacabana, num endereço tão frugal e desconhecido que só poderia sugerir um encontro amoroso. Outros sussurravam sobre seu romance com Virgínia Lane, a bela *vedette* das pernas longas e roliças, e arriscavam um gracejo irônico, perguntando-se como os dois se arranjariam na cama — ela, esguia e mais alta, elegante e jovem; ele, baixinho e velhote, com um início de barriga que o fazia ainda menor. Nem os mais rígidos opositores, porém, ocupavam-se da vida íntima de Getúlio, nem isso tinha maior significado. A época estava ainda cheia de preconceitos, mas os amores ou as amantes não eram explorados no dia-a-dia da política nem sequer por aqueles que do rancor chegavam ao ódio. Além do mais, o único fato concreto sobre suas amoranças com Virgínia Lane é que, numa noite, o Presidente da República deixara o palácio para aplaudi-la em público no Teatro Recreio. Mas, por acaso, ele não tinha feito o mesmo, também, com a zombeteira Dercy Gonçalves, que no palco do Copacabana Palace imitava os seus trejeitos?

Ele era assim mesmo. Fazia tudo por imagens. Chegava, deixava uma impressão, a impressão de fazer alguma coisa, mas talvez em verdade fosse só a imagem de fazer alguma coisa. O interlocutor é que se convencia de que ele fizera algo com o seu poder onisciente.

Ou, mais exatamente, não será o poder em si que é assim?

(Há muitos anos, Virgínia Lane costuma admitir ou insinuar que teve "um caso amoroso" com Getúlio. Quase meio século depois, no entanto, agora ao escrever este livro, ouvi de José Gomes Talarico, testemunha do dia-a-dia de Getúlio nos seus derradeiros anos no Rio, outra versão do episódio, pela qual se conclui que o *affaire* teria sido pura fantasia da *vedette*: o Presidente foi ao Teatro Recreio para ver o ator Pedro Vieira, que o imitava com perfeição numa "revista musical", e, ao final do espetáculo, ao cumprimentar os artistas, foi beijado e abraçado com tanto ímpeto e efusão por Virgínia Lane que a cena pareceu evidenciar ou demonstrar intimidades que nunca existiram.)

Sim, mas — muitos anos antes — o que fazia Getúlio na casa do cônego Olympio de Mello, no Rio, naquelas visitas quase semanais, ao fim da tarde? O cônego era honesto e usava batina, mas não era casto, e muitos se perguntavam se as intimidades ou os amores do Presidente não podiam ser facilmente protegidos ou disfarçados ali naquela casa, pela dupla situação do anfitrião, que era prefeito do Distrito Federal, além de prelado da Igreja Católica? (E prefeito nomeado por Getúlio!)

As "paroquianas" do cônego-prefeito eram moças corretas, capazes de recitar todos os cinco mistérios gozosos ou dolorosos do Santo Rosário, mas pouco afeitas às beatitudes evangélicas, diziam alguns. Chegavam, sempre, para o chá da tarde, antes de que lá dessem as caras não só o Presidente da República, mas também alguns de seus amigos, como o industrial João Daudt de Oliveira, organizador do Sesi. Mas isso era por volta de 1940, quando o poder que se atribuía a Getúlio era tão amplo que ele conseguia estar até mesmo onde não estivesse e tudo o que dele se imaginasse acabava ocorrendo, mesmo que não houvesse acontecido.

# 3

A cena na Praia de Ramos marcou a quarta vez que eu o vi. Na ocasião anterior (quando ele iniciou a campanha eleitoral, em 1950, desfilando em carro aberto pela Rua da Praia, no centro de Porto Alegre) tudo me parecera sem importância. Olhei-o da calçada, de relance apenas, misturando hostilidade e simpatia, enquanto o automóvel passava lento à minha frente, entre os aplausos da multidão. Em minha adolescente juventude, mesmo sem ter ainda idade para votar, eu era adepto do brigadeiro Eduardo Gomes, seu opositor, mas naquela tarde deixei de ir à aula para ver Getúlio.

Ou para olhá-lo. Apenas olhá-lo, pois em verdade eu nada queria ver naquele homem que tinha fama de enfeitiçar e dominar pelo sorriso: de pé no automóvel, Getúlio chamava a atenção pelo moreno da pele, o rosto tostado de sol dos quatro anos de auto-exílio no pampa rio-grandense, e me pareceu um boiadeiro enfatiotado acenando para a multidão. Dele só vislumbrei a pele, e só retive a cor da pele, porque nele não queria ver nada mais.

As primeiras duas vezes que o vi tinham sido muito antes, também em Porto Alegre: primeiro na rua e, logo, num baile — sim, num baile —, por volta de 1939-40, ele ditador e eu criança ainda. Meu pai, Aristides Hailliot Tavares, prefeito de um município do interior rio-grandense — nomeado durante o Estado Novo, com todo o poder que isso conferia ao cargo —, participava na capital da inauguração de algo importante (creio que a nova Avenida Farrapos), e minha mãe ergueu-me nos braços e me fez gritar "Viva o Getúlio Vargas!" quando ele subiu no carro aberto. Ao seu lado, o governador-interventor Osvaldo Cordeiro de Farias (também nomeado por ele) sorriu ainda mais do que ele, e ambos acenaram, sem saber de quem nem de onde viera o "viva". Era o suficiente, no entanto, para que a minha fantasia de criança me convencesse de que eu havia sido identificado por eles e que, dali em diante, eles iriam lembrar-se de mim.

E, assim, espalhei meu triunfo aos quatro ventos, contando minha proeza aos primos, conhecidos ou desconhecidos da capital. Tão excitado fiquei com o episódio que, à noite, estava exausto quando, já tarde, Getúlio entrou no baile de semigala no *Açoreano*, e eu, com roupa de veludo preto e calça curta, dormitava caído sobre o colo da minha mãe. Fui despertado para que o visse e olhasse ou, pelo menos, para que me sentasse corretamente à cadeira da mesa e abandonasse o colo materno por alguns instantes. O *Açoreano* era um navio imenso, de madeira, construído no seco em pleno Parque da Redenção, fincado na terra e que não navegava. Fora construído anos antes para a Exposição do Centenário Farroupilha, em 1935, como uma réplica disforme do barco em que os primeiros povoadores da cidade vieram dos Açores. Com seu Estado Novo centralista, em 1937 Getúlio tinha terminado com todos os símbolos da Revolução Farroupilha de que se orgulhavam seus conterrâneos sulinos, a começar pela bandeira rio-grandense, mas o *Açoreano* sobreviveu como o auditório da cidade, em condições de albergar um baile daquela monta em homenagem a quem jamais ia a um baile. (Com ironia, meu pai o chamou de Arca de Noé, não tanto pela rampa larga em que se subia da terra ao convés — como nas ilustrações bíblicas —, mas por recolher em seu bojo, naquela noite, todos os bichos que mandavam na bicharada que povoava a província.)

— O Getúlio dançou com alguém aquela noite? — perguntei à minha mãe muitos anos depois, já adulto, ao folhear o álbum de família com a nossa foto no *Açoreano*. Ela pensou por alguns segundos e, logo, entre sorrisos, explodiu numa reminiscência:

— Ah! Tu achas que o Getúlio iria se expor a dançar com alguém em público?

## 4

Esse homem que durante 20 anos governou o Brasil nunca se expunha. Na vida pública da política ou na vida pessoal da intimidade, fazia tudo em surdina. A travessura era a sua característica, mas entre quatro paredes. Ele mudou o rosto do país, mas a sua própria face continuou imperturbável. Suicidou-se no austero quarto em que morava sozinho no Palácio do Catete, sede do governo, e até o tiro foi certeiro mas discreto, como tudo em sua vida.

Nenhum dos seus achegados percebeu que ele iria matar-se. Getúlio não escrevia à máquina e deu ao secretário particular e à datilógrafa da Presidência da República as anotações manuscritas da carta-testamento de despedida, que modificou e emendou mais de uma vez, mas nenhum deles — que várias vezes o indagaram pelas emendas — jamais percebeu que se tratava do "adeus" para a viagem ao absoluto. Nem a filha Alzira, que pensava tudo saber sobre ele, vislumbrou no pai qualquer nesga de suicídio ao beijá-lo com um "até logo" na madrugada de 24 de agosto, horas antes do tiro final. De nada suspeitou tampouco seu recente ministro da Justiça, Tancredo Neves, quando, no final da última reunião ministerial, o Presidente entregou-lhe a caneta de ouro com que firmava leis e decretos: "Guarde-a como lembrança destes dias difíceis." Nem o jovem João Goulart, a quem ele fizera seu herdeiro político ao dar-lhe, naquela mesma madrugada, o original da carta, em envelope fechado, com a recomendação expressa de abrir "somente se me acontecer alguma cousa".

Ninguém. Nem mesmo os mordomos do palácio, habituados a prestar atenção às necessidades e desejos não revelados mas evidentes. Talvez só Gregório Fortunato fosse capaz de intuir-lhe antecipadamente o gesto final. Mas o negro Gregório estava preso exatamente porque, indo além da própria intuição, tinha levado a sério as palavras dos "grandes e instruídos" — ministros, generais, parlamentares e áulicos a granel — que rodeavam "*o chefe*" e exclamavam pelos corredores do Palácio: "O cretino do Lacerda, só matando!"

Sim, ele não se expunha nem se exibia, sequer se mostrava. Com o tiro, no entanto, ele tinha se exposto de alto a baixo. A foto do Instituto Médico-Legal mostrou-o de pijama, deitado na cama, o sangue escorrendo pela mama esquerda. No caixão, um lenço branco, enrolado do queixo à cabeça, cerrava-lhe a boca, aberta pelo impacto brusco do disparo e da morte. A carta-testamento (escrita quando a sua autoridade já definhava) denunciava coisas e situações que nem sequer no auge do poder ele tivera a coragem ou a oportunidade de revelar tão diretamente. O inesperado e surpreendente do gesto final mostrou que ele fora levado a esconder-se pela vida inteira, e que — no fundo — o poder só lhe havia servido para ocultar-se de si próprio e do que o rodeava.

Só se expôs com o tiro.

## 5

O Getúlio da Praia de Ramos tinha a tez clara esbranquiçada de quem não se expunha ao sol e um sorriso tranqüilo, muito diferente dos cartazes com a sua fotografia que, meses antes, cobriam os muros de Porto Alegre na sua visita como Presidente da República. Mais do que o rosto colorido, neles sobressaíam as mãos, das quais jorrava petróleo formando uma frase: "Ninguém tirará das minhas mãos a bandeira do petróleo." Também nisso (ou especialmente nisso) ele era desconcertante.

Falar em petróleo era "coisa de comunista" e, como tal, malvista e perigosa. Desde o governo Dutra[1] a polícia dissolvia a bordoadas as reuniões de debate a favor da exploração do petróleo e encarcerava os seus participantes. Todos sabiam que o Partido Comunista era o motor dinâmico do movimento, mas a idéia de soberania nacional estava tão arraigada desde a II Guerra Mundial, nos tempos de Getúlio, que a repressão só alastrou as teses de "o petróleo é nosso", que acabaram chegando às Forças Armadas como uma espécie de invasão intelectual penetrando na impermeabilidade da obediência cega e irrestrita dos militares. Nos quartéis, a oficialidade debatia e tomava posição a favor ou contra, como o povo na rua. O Clube Militar, no Rio, era o núcleo central da discussão que o *Jornal de Debates* e a *Revista do Clube Militar* difundiam pelo país, tanto quanto a *Tribuna Popular* ou os demais periódicos da imprensa comunista. Na capital da República ou nos estados, porém, a polícia continuava a desancar o porrete, como nos tempos de Dutra, sempre que ouvia a expressão subversiva, comunistóide e diabólica "o petróleo é nosso".

Getúlio vence as eleições presidenciais de 1950, toma posse a 31 de janeiro de 1951 e, tempos depois, envia ao Congresso um projeto de lei criando a Petrobras, que não institui o monopólio estatal de forma direta e, até, deixa aberta a possibilidade de participação privada na exploração petrolífera.[2] Os liberais da União Democrática Nacional (UDN),

---

[1]Ministro da Guerra de Getúlio no Estado Novo (tido, então, como "germanófilo"), o general Eurico Dutra acabou como seu candidato a Presidente da República nas eleições de dezembro de 1945, que marcaram a redemocratização. Empossado em 31 de janeiro de 1946, Dutra "queimou" em seu governo as multimilionárias reservas em libras esterlinas e dólares acumuladas ao longo da II Guerra Mundial e fez uma política interna atrabiliária. Em 31 de janeiro de 1951, entregou o governo a Getúlio, o vitorioso candidato da oposição trabalhista.

[2]O economista Jesus Soares Pereira, assessor econômico de Getúlio, foi o principal redator do projeto da Petrobras e, depois, das modificações introduzidas pelo Congresso. Criada a empresa, nela nunca teve cargos e, para aumentar a parca remuneração de assessor presidencial, foi escrever uma coluna na dadivosa *Última Hora*.

que dizem "não" a tudo que ele diga "sim" e vice-versa, são antigetulistas tão empedernidos e desconfiam tanto dele que acabam por somar-se à iniciativa do deputado *trabalhista* Euzébio Rocha, de modificar o projeto original. A bancada governista recebe ordens de "fazer-se de boba" e não se opor às emendas dos *udenistas* Gabriel Passos, Bilac Pinto e Hamilton Nogueira, que levam à instituição plena do monopólio do Estado através da Petrobras. E assim, "o petróleo é nosso" institucionalizou-se finalmente em 1953. Sob o espanto dos Estados Unidos e da *Standard Oil* ou congêneres. Mas como o desejava Getúlio e como o queriam aqueles "perigosos comunistas" que a polícia getulista punha na cadeia!

Sorrateiro? Calculista? Estratego? Ou apenas um jeito de praticar o quotidiano político com a visão das artes marciais chinesas, que utilizam a força do adversário para derrotá-lo?

## 6

Nos tempos em que eu acudia ao Rio, de dois em dois meses, para as reuniões do Conselho da UNE, nos anos de 1953-1954, das janelas do meu quarto no Hotel Novo Mundo descobri outro Getúlio Vargas. Não era preciso sequer fantasiá-lo com os ingredientes da imaginação, pois ele estava ali, à minha vista, de manhãzinha, bem cedo, e ao entardecer, a caminhar solitário pelos jardins do Palácio do Catete, num ir-e-vir contínuo, a passos lentos. Nessas horas, podia vê-lo também, da calçada da Praia do Flamengo, olhando pelo buraquinho do portão, pelos fundos do palácio. Não havia o aterro de agora, o mar estava a 40 metros e, com maré cheia, batia na amurada da rua. Na madrugada, as ondas se ouviam na sede da UNE, ali adiante, na Praia do Flamengo, 132, na antiga Sociedade Germânia que os estudantes (na maioria antigetulistas) tinham ocupado no mesmo dia de agosto de 1942 em que o Brasil, governado por Vargas, declarou "guerra" à Alemanha nazista.

Meu itinerário entre o hotel e a UNE obrigava-me a passar pelos fundos do palácio, mas não gostava de me enganchar ao portão para observá-lo, à tardinha. Nunca tinha visto ninguém fazer isso e me envergonhava por tê-lo espiado assim uma ou duas vezes, através das folhas de lata preta que tapavam os gradis da cerca. Já sabia que o encontraria a partir das 6:30 da tarde, ainda claro no verão mas já escuro no inverno carioca, e, se nos atrasávamos na UNE, saía em passo rápido para chegar em poucos minutos ao hotel e, da janela do meu quarto, acompanhá-lo com os olhos na caminhada.

Algumas tardes o vi com um charuto entre os dedos, como se fosse a única companhia admitida naqueles momentos. Nenhum gesto, porém, de levá-lo à boca, nenhuma baforada. Pela manhã ou ao entardecer, sempre de casaco e gravata, passos longos, a cabeça meditativa e baixa, olhando o chão, como a tirar da terra a solução do que buscava e no que pensava. De quando em quando, fitava o céu, diminuindo o passo até parar e permanecer estático por longos segundos. Sim, fitava o céu de quando em quando, nunca porém a linha do horizonte, pois aí enxergaria o palácio. E era dele que Getúlio queria safar-se naqueles minutos de caminhada. Naqueles únicos minutos em que podia ser solitário sozinho, sem ter ninguém ao lado. Nas horas do palácio, nas reuniões do ministério, nos despachos, audiências, visitas ou recepções ele continuava solitário, só que acompanhado.

E, algo ainda mais duro na solidão do poder, estava acompanhado da corte, lisonjeado por aqueles eunucos políticos que concordavam com tudo o que ele dizia quando, em verdade, ele quiçá preferisse uma discordância inteligente em vez daquelas categóricas vulgaridades que ouvia dos que o buscavam.

# 7

Em ocasiões e cidades diferentes, seus filhos Luthero e Maneco — também muito diferentes um do outro — contaram-me o mesmo sobre o pai nos últimos anos de governo: Getúlio "estava cercado de puxa-sacos", ministros, assessores, diplomatas, militares e parlamentares que o irritavam sem que ele, porém, pudesse fazer algo concreto para terminar com a adulação. Talvez, raciocino eu agora, porque os longos anos no governo tivessem tornado impossível desvencilhar-se dos aduladores.

Getúlio subiu ao poder em 1930 como chefe político de uma revolução popular-militar. Mais do que Presidente, ele era "o chefe". Em 1932, suportou o golpe da rebelião paulista, que reivindicava a reconstitucionalização do país e o estabelecimento das liberdades públicas, que haviam sido a meta perdida da Revolução de 30.[1] Venceu, mas também foi vencido e, mais tarde em 1934, houve eleições indiretas nas quais o eleito foi ele. Como Presidente constitucional, conviveu com a crítica, mas os críticos eram benévolos. Logo, em novembro de 1935, a romântica e aventureira rebelião comunista no Exército fracassa, mas os mortos pesam e os comunistas são presos e seus líderes torturados. A polícia política cresce. E pouco a pouco, à medida que o prestígio dos antigos "tenentes" se esgota junto aos seus projetos de reforma social e soberania nacional, o Exército ocupa as franjas do poder como corporação (como exército mesmo), já não como núcleo do "tenentismo".

Em 30 de setembro de 1937 (quase dois anos após a malograda aventura do *putsch* militar comunista), no Ministério da Guerra, no Rio, um grupo de oficiais *integralistas* forja um falso plano sobre uma "conspiração vermelha" que espalharia o terror pelo país. O capitão

[1]Os protestos que geram a revolução de 1932, em São Paulo, começam quando o governo estabelece que só a União poderá determinar o câmbio da libra esterlina e moedas estrangeiras. Os grandes exportadores de café, todos paulistas, sentiam-se prejudicados.

Olympio Mourão Filho sentou-se à máquina e datilografou o plano, com as idéias de todo o grupo. "Depois, rabisquei uma assinatura com letras ao acaso. O Serviço Secreto do Exército encarregou-se do resto", contou-me Mourão Filho, 30 anos mais tarde, quando já era general mas não tinha perdido a mania de conspirar (e conspirara tão bem que iniciou o movimento golpista de 1964). O rabisco da "assinatura" foi interpretado como "Cohen", um nome judaico que vinha a calhar naquele momento em que anticomunismo e anti-semitismo concentravam o horror da direita.

Só alguém assim, que fosse comunista e judeu ao mesmo tempo e que, portanto, tivesse esses dois diabos no corpo de uma só vez, podia ser o autor de um plano de terror brutal e perfeito. E o "Plano Cohen" é o pretexto para o golpe de novembro de 1937: o Exército dita as ordens e Getúlio dissolve o Congresso e intervém nos estados, terminando com a federação — um pouco porque lhe convém, outro pouco porque ele é, em parte, um prisioneiro político das armas. Surge o Estado Novo, mantendo Getúlio na chefia do governo com poderes totais, mas vigiado pelo Exército. Dissolvem-se os partidos e agrupações políticas, entre elas a Ação Integralista Brasileira que, desde a fracassada rebelião militar comunista de 1935, cada vez mais se aproximava dele e do poder em si.

Agora, porém, esses nacionalistas de ultradireita, uniformizados em verde, semimilitarizados e que, num arremedo dos grupos nazistas alemães, em vez da suástica, usam o sigma como emblema, sentem-se "traídos". Já não são aliados do Chefe da Nação — têm um ideólogo e comandante próprio, Plínio Salgado, a quem chamam respeitosamente de "chefe nacional" — e querem o poder total. Por volta da meia-noite de 10 de março de 1938, assaltam o Palácio Guanabara, residência do Presidente, com a cumplicidade do chefe da guarda, um tenente *integralista*, que abre o portão e se soma aos assaltantes.

Getúlio resiste de armas na mão, em pijama, com a mulher, dona Darcy e a filha Alzirinha, que com ele moram no palácio. Os integralistas logram silenciar os poucos soldados fiéis da guarda palaciana mas, diante do fogo cerrado do Presidente e dos serviçais domésticos, acabam fugindo e debandando pelas matas dos fundos do palácio, escapando pelo campo do Fluminense ou diretamente pelo morro que leva ao Corcovado. (O episódio passa à História como "a revolução dos covardes".)

A partir de então, são presos os antigos aliados *integralistas* que, no Rio, Recife e Natal, haviam ajudado a polícia a prender os comunistas em 1935, dois anos e meio antes. Plínio Salgado, que seis meses antes havia elogiado a nova Constituição do Estado Novo levando milhares de "camisas-verdes" a desfilar ante Getúlio no Palácio Guanabara, é enviado ao exílio em Portugal, onde o Primeiro-Ministro Oliveira Salazar é seu parente ideológico, com um fascismo envergonhado e primitivo. O golpe fracassado da direita civil acaba libertando Getúlio do controle do Exército, ao qual — em verdade — estava submetido desde a instauração do Estado Novo. Contraditoriamente, a direita *integralista* o tinha libertado da tutela militar.

Forma-se então, como que naturalmente, uma torrente de adulação em torno do Chefe da Nação, que o governo alimenta, retroalimenta e multiplica através do DIP, o Departamento de Imprensa e Propaganda: o DIP opina na imprensa (depois chega à censura), inunda as escolas de fotos, livros e folhetos sobre o benfeitor da nação e do seu povo. Nos lares humildes, a fotografia do homem que instituiu a jornada de oito horas de trabalho e a legislação social está na sala de visitas, no lugar de honra da casa, do sul ao norte do país. Olavo Bilac, redivivo, passa à condição de poeta nacional, recitado em todos os lugares: *"Criança! jamais verás um país como este!/ Olha que mar, que luz, que céu, que floresta/ a natureza, permanentemente em festa..."*.

Para os que estão fora do poder, o processo adulatório faz de Getúlio um super-homem. Aproximar-se dele é o desejo de todos e de qualquer um, mas ninguém se encoraja a acercar-se sequer do pedestal desse monumento em carne e osso que, de tão forte e inexpugnável, mais parece de mármore ou de bronze.

Começa aí a solidão?

## 8

Na rua, conta-se de Getúlio que seu riso é irresistível, seu sorriso contagioso, sua gargalhada fulminante. Mas pouco se sabe do que ele pensa. Contam-se anedotas (lembro-me ainda de algumas ouvidas na infância, em que o pai ou os irmãos são alvo do sarcasmo, mais do que ele mesmo) ou todos se riem da *Hora do Brasil*, transmitida pelo rádio ao final da tarde. Riem-se ao ouvirem o locutor pedir atenção para o "Aviso aos navegantes" e, em seguida, com a voz empostada (como naquela noite não haverá mudanças nos faróis, bóias ou sinais marítimos) acrescentar burocraticamente: "Não há aviso aos navegantes."

Todos, porém, estão pegados ao rádio, ouvem o programa e o comentam, mesmo naquelas noites em que o infatigável locutor oficial lê apenas cansativos decretos-leis com números e números.

A bajulação nos tempos de ditador terá feito dele um solitário? Um solitário de uma solidão tão ampla e abrumadora que permaneceu dentro dele como uma marca e ao seu redor como uma sombra, mesmo quando ele volta ao poder "nos braços do povo" em janeiro de 1951, eleito por uma maioria avassaladora?

O poder o premiava e o condenava àquele estar só. A solidão do poder era visível da janela do meu quarto de hotel, nesse 1953-54. O homem mais poderoso do Brasil, amado por muitos milhões e odiado por outros milhões — e, por isso, mais poderoso ainda, pois foi capaz de se apoderar do amor e do rancor dos demais —, mora sozinho num cômodo escuro e desconfortável, a um canto do casarão onde despacha e de onde governa o país. Seu quarto austero, junto à galeria que sai do corpo principal do palácio, de fato fora pensado para albergar o mordomo, o chefe da criadagem dessa mansão levantada como residência particular de um ricaço do século XIX, depois transformada em sede do governo.

Ali ele faz tudo: trabalha, dorme, vive, come, descome. E morre também ali. No antigo quarto dos criados.

## 9

De perto mesmo, *vis-à-vis*, só estive com Getúlio duas vezes, em duas tardes, uma em seguida à outra, em junho de 1954 no Palácio do Catete.[1] Em verdade eu era apenas um rapazote (naqueles dias havia feito 20 anos) recém-eleito presidente da União Estadual de Estudantes do Rio Grande do Sul. Não simpatizava politicamente com o Presidente e, por isso, sentia-me na obrigação de "exigir-lhe provas concretas" sobre as definições do governo no setor universitário, como dizíamos com o pedantismo e a arrogância da idade e o furor crítico da época. Fui fazer-lhe reivindicações. A "reforma universitária", principal "ponto teórico" da nossa gestão como dirigente da UEE, tinha sido — dois anos antes, em 1952 — o motivo de uma greve de três meses dos alunos da Universidade Federal do Rio Grande do Sul, e isso continuava a nos servir como uma espécie de gazua para entrar nos gabinetes e ser ouvidos pelos que decidiam.

[1]Na época, o *Diário de Notícias*, do Rio de Janeiro, e o *Correio do Povo*, de Porto Alegre, estamparam fotografias do encontro.

Já estava cansado, porém, de ser engambelado pelo ministro da Educação, que tudo prometia mas deixava tudo para mais tarde, e viajei ao Rio decidido a expor diretamente ao Presidente da República todas "as nossas reivindicações", até mesmo porque era difícil a relação com o Ministério da Educação. No movimento estudantil, eu pertencia ao setor "independente" (que, além dos independentes, concentrava todos os matizes da esquerda, dos nacionalistas aos comunistas, socialistas e católicos progressistas) e não ao bloco dos "ministerialistas", que reunia a direita conservadora e tinha vínculos estreitos com o setor de segurança do Ministério da Educação, chefiado por um carioca de família gaúcha, Amado Menna Barreto, que se eternizara nos gabinetes dos sucessivos ministros desde o governo do general Dutra. Afável e cínico, sempre de gravata-borboleta, Menna Barreto comandava uma política de corrupção pessoal dos dirigentes estudantis baseada em viagens, grandes hotéis e pequenos favores. Personagem lúgubre, quase tétrico, em qualquer idéia ou reivindicação via "o perigo do comunismo", contra o qual, às vezes, acionava até a polícia do Distrito Federal, infestada ainda de antigos espancadores da época do Estado Novo e do governo Dutra. Mas para chegar ao ministro, sendo estudante, o único caminho era ele. E só ele, por muitos e muitos anos e durante diferentes governos ainda longo tempo depois.

Fui bater, assim, às portas do Catete. Lá eu tinha estado várias vezes, sem jamais tentar sequer ver o Presidente da República, sempre resolvendo pequenos problemas com João Goulart, que já não era mais ministro do Trabalho nem tinha qualquer outro cargo no governo, mas despachava todas as tardes numa casinha na lateral dos terrenos do palácio, na condição de presidente nacional do PTB. Anos antes, no Sul, quando secretário do governo estadual, Jango havia me levado a uma ceia opípara numa *boîte* famosa na época, numa tentativa de que — nas delícias da noite — eu dissipasse ou esquecesse as queixas, denúncias ou reivindicações que lhe fizera no final da tarde como dirigente estudantil. Agora, porém, eu queria algo mais que as cartas de recomendação de João Goulart.

Para chegar ao Presidente da República, a via mais direta era o chefe da Casa Civil, Lourival Fontes, tido como erudito e que, por haver montado e dirigido nos tempos do Estado Novo o Departamento de Imprensa e Propaganda (DIP), era visto como um mítico Goebbels tupiniquim. Rosto adusto, cabeleira vasta e grisácea, esse alagoano vesgo — com uma das vistas baixa, sempre olhando ao chão — era de poucas palavras mas de ação prática. Não exteriorizava prestígio nem se jactava do livre acesso ao Presidente. A ironia dos antigetulistas, porém, pousava sempre nele para vingar-se de Vargas.

Nos anos da ditadura, de 1937 a 1945, contava-se nos cochichos dos corredores que a mulher do intocável diretor do DIP, Adalgisa Nery, era apaixonada por Getúlio e ele por ela mais ainda, e que, há muito, tinham "um longo e profundo caso amoroso". O boato circulou com tanta insistência pelo triângulo Rio-São Paulo-Belo Horizonte, que seu irmão Benjamin Vargas, o caçula da família, freqüentador de cassinos, cabarés e clubes noturnos, contou-lhe do que se dizia.

— Cada vez se espalha mais que estás apaixonado pela Adalgisa e que ela é tua amante! Toma cuidado, isso é perigoso! — disse-lhe de chofre.

— Bobagem! Isso é gabolice do Lourival. Ele é que espalha para se gabar! — respondeu Getúlio, encerrando o assunto.

O diálogo talvez não tenha ocorrido e pode pertencer mais ao anedotário piadístico do que à história real, mas define o perfil de Vargas aos olhos dos seus opositores e adversários. Mas essa era, também, uma das visões dos seus próprios admiradores e seguidores fanáticos.

Gabolice soava como tolice. Gabar-se em torno dele, fosse do que fosse, para Getúlio só podia ser ação de um tolo para aparentar prestígio.

## 10

Com o novo Getúlio redemocratizado, Lourival Fontes havia abandonado o passado de propagandista totalitário. Estava separado de Adalgisa Nery, que — quase tão bela quanto na juventude e ainda mais audaz — agora escrevia um artigo diário na *Última Hora*, sempre crítico, polêmico e analítico, às vezes arrogante até. Pouco a pouco, ela se transformava na musa do nacionalismo. Samuel Wainer era sabichão e, sem dúvida baseado nas versões sobre as intimidades de Getúlio e Adalgisa, promoveu-a a articulista do seu jornal. Ela tinha um estilo mais solto que o do ex-marido, só que o de Lourival era escorreito, sem erros nem redundâncias, apesar de monótono. (Tão monótono quanto alguns discursos lidos por Vargas, o que facilitava adivinhar quem os escrevera.) E o dela, direto, retumbante. Mas antes de baixarem à oficina, os originais passavam no jornal pelas mãos de Moacyr Werneck de Castro, que substituía adjetivos, amenizava palavrões ou retocava frases inteiras, mesmo sem jamais tocar no conteúdo.

E o conteúdo levava a tomar posição. Adalgisa era crítica da política e dos políticos, da ação do governo, dos costumes e, principalmente, dos Estados Unidos num jornal que apoiava Getúlio e cujo dono era amigo pessoal do Presidente. As grandes ações do governo Vargas — a criação da Petrobras, das primeiras grandes hidrelétricas ou do BNDE; os planos de eletrificação, os incentivos à industrialização ou à agricultura, tudo enfim — passavam pelo crivo nada indulgente de Adalgisa.

Seria ela que se "gabava", agora, por haver sido a paixão encantada do Presidente? Teria a "gabolice" trocado de lado e de sinal, e agora ela se jactava e tomava liberdades por ter sido o que foi (ou o que dela se dizia que havia sido), como no trânsito em que o mesmo semáforo marca verde ou vermelho?

Ou seria tudo um plano articulado pelo matreiro e perspicaz Getúlio, no qual — como meras engrenagens — Samuel Wainer e Adalgisa criticavam aquilo que o governo anunciava fazer para que, no fim, Getúlio acabasse fazendo do jeito que a crítica dizia que devia ser feito, quando — em verdade — ele queria era fazer assim mesmo como acabava por fazer?

Esse jeito labiríntico de fazer as coisas, preferindo a linha indireta à direta, foi pelo menos a idéia que ficou do estilo político de Getúlio. O seu "populismo" consistia nisso: fazer o que o povo queria e pedia. Mas, antes, induzir o povo a querer (e pedir) o que ele, Getúlio, pensava e queria. Talvez esse fosse o dom supremo da sua sensibilidade social, popular e nacional, e que fez dele um líder.

Seu defeito ou sua virtude?

## 11

Decidido a falar com Vargas, expus meu problema a Lourival Fontes, que me incluiu na audiência coletiva da tarde. No salão principal do Catete, no piso superior, umas 50 pessoas heterogêneas e díspares: deputados e senadores misturavam-se a comissões de municípios do interior, empresários, trabalhadores, professores. Quando, às 15 horas em ponto, os passos de Getúlio ecoaram pelo deslumbrante piso de *parquet*, o vozerio das conversas transformou-se em silêncio e, mecanicamente, sem que ninguém interviesse, todos recuaram um passo e se postaram em grupos, um ao lado do outro, em ferradura. Getúlio passava de um em um, dava a mão, ouvia, respondia ou mandava seu secretário anotar. Fiquei no final, ao lado de Pedro Calmon, da Academia de Letras e reitor da Universidade do Brasil, que lhe entregou, sorridente, um maço de papéis e combinou uma audiência privada.

— E o senhor? — perguntou-me em seguida, ao me estender a mão com uma voz cálida e tão paternal que me desnorteou.

Afinal, eu não tinha nenhuma afeição pelo seu governo e o via como um homem politicamente distante. Nos meus recentes 20 anos, porém, meu aspecto de menino talvez o tivesse sensibilizado: ele cruzou as mãos à frente do corpo e prestou atenção à minha exposição pedindo verbas federais para construir uma "casa da estudante feminina" e um ambulatório universitário, além de um avião para transportar a delegação gaúcha ao Congresso Nacional de Estudantes, no Rio. Entreguei-lhe os três ofícios e lhe mostrei outro mais, de umas dez folhas, explicando-lhe entre sorrisos — e num tom de auto-ironia — que era "nada mais, nada menos" que um ambicioso anteprojeto de reforma universitária elaborado pelo Congresso Estadual de Estudantes do Rio Grande do Sul. Ele abriu um sorriso:

— Isto eu quero ler com calma. O assunto me interessa. E muito. Guarde-o e me entregue amanhã aqui — respondeu e fez um sinal chamando o brigadeiro Nero Moura, ministro da Aeronáutica, que havia entrado no salão. Ali mesmo, ordenou-lhe polidamente que providenciasse a cessão de um avião. (Ah, por que não estava também ali o ministro da Educação?) Emocionei-me: Nero Moura fora um dos heróis da minha meninice e, dez anos antes, eu havia acompanhado todos os seus feitos como comandante do Grupo de Aviação de Caça na Itália, combatendo os nazistas durante a II Guerra Mundial.

Na tarde seguinte não havia audiência pública e fui levado diretamente ao gabinete do Presidente, não ao salão de recepções. Sentado à escrivaninha, Getúlio lia papéis, e assim continuou quando entrei. Sem levantar-se, estendeu a mão mandando-me sentar numa poltrona que o ajudante-de-ordens acomodou à sua frente e, enquanto eu tirava da pasta meu polpudo ofício, informou-me que encaminharia os pedidos de verba "para constarem do próximo orçamento do Ministério da Educação". Deixou a um lado os papéis e, me encarando, acrescentou:

— Fala-se muito em reforma universitária e quero saber o que pensam os estudantes, mas nunca recebi nada objetivo, ouço apenas frases. O que os estudantes lá do Rio Grande têm a propor?

(Referia-se ao seu estado natal como algo distante — "lá do Rio Grande", dizia —, como se fosse o Amazonas ou qualquer outro lugar. De fato, ele já pouco conhecia da terra natal: depois de 15 anos no Rio, ao ser deposto em 1945 reinstalou-se em São Borja, o torrão natal, mas isolou-se na sua estância e ali permaneceu quatro anos num auto-exílio, sem ir sequer à sede do município. E, se percorresse a cidadezinha, perceberia que continuava praticamente igual a 1930, quando ele subiu ao poder. Nesses anos, em São Borja não se levantou nenhuma grande obra pública, nem das úteis nem das inúteis que os governantes — e mais ainda os ditadores — costumam fazer em autoglorificação no lugar onde nasceram. Getúlio, ao contrário, tratava espartanamente a terra natal, talvez para mostrar-se imparcial. Ou para convencer-se disso.)

Recitei-lhe as idéias centrais da nossa receita de "reforma universitária" (o finca-pé era a abolição da "cátedra vitalícia" e a instituição de um ensino mais experimental, com laboratórios substituindo as aulas discursivas) e entreguei-lhe o "ambicioso anteprojeto", que ele leu ali mesmo, às vezes dando volta à página para não perder a seqüência. Mostrava-se interessado, mesmo que aquilo fossem apenas idéias gerais que eu havia, exageradamente, promovido à condição de anteprojeto de lei.[1]

E tão interessado e, ao mesmo tempo, tão silencioso, que parecia pouco saber do assunto, ou desconhecê-lo totalmente. Era a imagem típica da impenetrabilidade do poder. Em 1952, a greve de três meses dos alunos da Universidade do Rio Grande do Sul, reivindicando a reforma universitária, tinha se transformado em escândalo nacional e o ministro da Educação recebeu várias vezes os dirigentes da UEE e os representantes diretos dos grevistas, concordando com as reivindicações: o reitor foi substituído e se aumentaram as verbas da Universidade. Mas, em verdade, o ministro não havia levado ao Presidente a essência do movimento de paralisação. Nada se fez em torno da "reforma", nem sequer uma tentativa virtual de estudar o assunto formando uma daquelas tão famosas "comissões", integradas por "grandes nomes", expediente inócuo ao qual apelam todos os governos no jogo de aparentar realizar para nada concretizar.

Na reverência do poder, Getúlio era quase como um presidente-rei e os ministros nada mais do que seus simples delegados. O prestígio provinha dele não só pelas prerrogativas do presidencialismo mas, também, porque ele tinha atrás de si as manhas dos 15 anos anteriores de governo. No entanto, o ministro da Educação simplesmente havia sonegado ao Presidente a informação sobre os motivos fundamentais do protesto. Nos demais ministérios ocorreria o mesmo, cada um deles transformado num pequeno feudo burocrático do ministro ocupante. Ou da estável burocracia dos velhos funcionários perma-

---

[1]As idéias do "anteprojeto" de reforma universitária provinham de José Carlos M. Wellausen, estudante de engenharia, com a participação de seu colega Jorge Abrahão e de Tuiskon Dick, já formado em Química e aluno de Medicina, todos do Rio Grande do Sul. Eu apenas compilei e redigi a versão final como documento.

nentes que, ao zelarem pelos arquivos para complicar a aplicação das leis, davam continuidade ao poder daqueles intermináveis "pareceres" e carimbos que, por sua vez, entronizavam um poder de faz-de-conta. Um poder de papel.

Na redoma palaciana, o poder era impenetrável e se perdia entre os auxiliares. Nos anteriores 15 anos consecutivos de governo e, agora, nestes outros três e meio do retorno, Getúlio tinha que ter conhecido tudo dos labirintos do poder, mas o poder é tão labiríntico que ele podia ser enganado por um ministro adventício.

Logo, Getúlio se levanta, leva-me a um sofá e ambos nos sentamos. Pensativo, faz-me perguntas lacônicas mas diretas sobre "a posição" dos estudantes, dos "acadêmicos" como se chamava na época aos universitários. Aproveitei a deixa para queixar-me do Ministério da Educação e atribuir parte da desconfiança ou oposição estudantil face ao governo à ação "do pessoal do Menna Barreto". Cuidei das palavras mas arrematei com a franqueza dos moços: "Aqui no Rio eles chegam a ser policialescos!"

— "Policialescos" em que sentido? — indagou com polidez.

Relatei-lhe, então, sucintamente, alguns episódios com ameaças e cassetete "contra os comunistas", ocorridos meses antes, e ele tomou um bloquinho timbrado da Presidência da República e escreveu alguma coisa. Talvez "Menna Barreto", talvez "policialescos". Ou talvez "comunista".

Ao agarrar o lápis, impressionou-me a pelugem escura e o tamanho da mão direita. Tão enorme que, instintivamente, olhei a esquerda, que segurava o bloco: igualmente imensa e peluda, ambas desproporcionalmente grandes naquele corpo pequeno.

Atarracado e baixo, o seu poder está na proporção inversa do seu tamanho. Chamam-no de "baixinho", com ternura. Mas ele não é só isso: é minúsculo. Antes, ao vê-lo caminhar pelos jardins do palácio, pensei que o contraste com as palmeiras altas é que o fazia diminuto. Mas não! Nesses segundos em que ele se levantou e eu me levantei e, lado a lado, caminhamos até o sofá, percebi que ele não só era muito menor do que na aparência das fotografias, mas tão pequeno de estatura que eu, como um autômato, quis sentar-me rápido para não o ofender. De perto era ainda mais baixo. E, no corpo minúsculo, as mãos peludas e imensas sobressaíam ainda mais.

No entanto, esse "baixinho", fisicamente um homúnculo, tinha mudado o país.

## 12

Hoje, passados quase 50 anos, o episódio parece-me insólito e até estranho: um Presidente da República como Getúlio, todo-poderoso líder de massas, dando meia hora do seu tempo, numa audiência privada, a um inexperiente rapazote quase imberbe! Em idade, eu tinha quase o mesmo número de anos que ele na chefia do governo, mas essa distância eu só fui perceber muito mais tarde, talvez só agora quando a memória me revive um paradoxo antes imperceptível. Naquele junho de 1954, Getúlio já vivia sob o fogo da pressão da UDN e das oposições, na imprensa e no Congresso, numa época em que o Congresso ainda atuava como Parlamento, com debates sérios e profundos. Naqueles tempos do Rio de Janeiro capital da República, cada discurso era ouvido com atenção e cada palavra tinha um significado e uma significação, muito diferente de hoje, neste século XXI, em que os deputados conversam e riem entre si, contando piadas ou aventuras pessoais, de costas uns para os outros, ou correm de um lado a outro, sem ouvir sequer as vozes gritadas em forma desconexa nos microfones do plenário.

*(A nossa Câmara dos Deputados, em Brasília, é a única no planeta cujos integrantes não se sentam no plenário a debater ou discutir, analisar ou ponderar, expor e replicar. Ao contrário, os poucos deputados presentes parecem estar a passeio ou de passagem rápida, sempre de pé pelo corredor, num tumulto permanente que leva a perguntar: é possível legislar ou pensar sobre os destinos do país num ambiente assim? Não se parlamenta: se conversa ou se grita. Não há "parlamento", mas simples aglomeração. Nenhum outro parlamento do mundo é assim. De onde vem essa prática insólita e absurda? Será outro legado dos tempos da ditadura implantada em 1964, dessa* sui generis *ditadura com deputados e senadores, em que o Congresso era apenas uma formalidade no jogo de faz-de-conta para simular democracia?)*

Aqueles pequenos casos de "escândalo" — que nos pareciam imensos em meados de 1950 e que, nos anos seguintes, tornaram-se um nada diminuto em face do que veio depois — já estavam sob o comando da oposição e eram "a crise" em andamento, que dois meses adiante desembocaria na tragédia. Mesmo assim, esse homem havia tomado a iniciativa de tentar saber o que era a tal "reforma" que os universitários bradavam nas escolas e que ninguém lhe explicara ainda. Concretamente, esse homem impenetrável — do qual todos temiam aproximar-se — tinha perdido o seu tempo para ouvir um estudante ditar-lhe cátedra sobre a abolição da cátedra vitalícia.

Naqueles anos o governo ainda não era visto somente como algo do qual todos se aproximam "para aproveitar-se" e tirar algum tipo de vantagem, mas essa concepção já começava a deitar raízes. Não se vivia como nos tempos que vieram depois (e persistem, multiplicados, hoje em dia) em que todos buscavam o governo somente para "mamar nas tetas do poder", como diz o povo.

Por isso, talvez, o empréstimo do Banco do Brasil para a implantação do jornal *Última Hora* transformou-se no escândalo que terminou servindo de pretexto para a mais feroz investida política contra Getúlio, que redundou no suicídio. Ou que foi abortada pelo suicídio. No entanto, toda a "grande imprensa" estava pendurada no Banco do Brasil ou na Caixa Econômica Federal, a começar pelos *Diários Associados*, o conglomerado de uma centena de jornais e emissoras de rádio que Assis Chateaubriand havia espalhado pelo país inteiro e que, além dos débitos diretos, não costumava pagar ao Estado sequer as contribuições da Previdência Social descontadas aos funcionários.

Até mesmo a *Tribuna da Imprensa*, de Carlos Lacerda, de pequena circulação mas enorme influência política como porta-voz da oposição, tinha recorrido ao banco oficial. Também *O Globo*, para adquirir as novas rotativas. Mais ainda: o inatacável *O Estado de S. Paulo*, talvez o único jornal que jamais mendigou favores ou regalias oficiais ou privadas (e que, por sua independência, chegou a ser confiscado pelo governo paulista durante o "Estado Novo"), recebera um empréstimo da Caixa Econômica Federal para construir a nova sede na Rua Major Quedinho, hoje ocupada por outro diário.

Afinal de contas, a função dos bancos é emprestar e o devedor bancário é apenas um cliente, não um delinqüente. Mas, no "caso *Última Hora*", tudo se reuniu para apontar e disparar contra Getúlio. Todos os jornais — absolutamente todos, a começar pelos comunistas — seguiram a linha acusatória da *Tribuna da Imprensa*, transformando pequenos deslizes (como atrasos em prestações ou facilidades em redescontos) em grandes escândalos. Tudo o que a habilidade cruel de Lacerda punha em letra de fôrma era aproveitado ou reaproveitado pelo resto da imprensa e difundido como uma avalanche em que ninguém queria ser superado por ter uma versão discordante ou oposta.

Os *Diários Associados* sentiam-se ameaçados pela *Última Hora*, esse novo jornal que, em menos de três anos, lhes "roubara" a maioria dos leitores no Rio e São Paulo e despontava como uma nova rede de imprensa e rádio: "Chatô" ficou contra Getúlio para opor-se a Samuel Wainer, seu ex-repórter predileto e, agora, competidor. No fundo, na sua irreverente mitomania de poder, Chateaubriand queria a queda e a derrota total de Samuel para tomar seu lugar não só junto aos leitores mas, principalmente, junto a Getúlio.

Com a *Última Hora*, Getúlio entronizava-se na linha "popular e nacionalista antiimperialista". Com "Chatô", entraria no reles "populismo" sem outros qualificativos, escorado, porém, num império que, além de jornais, revistas e rádios de norte a sul do país, tinha as únicas emissoras de TV do Rio e São Paulo. Outros, como *O Estado de S. Paulo* ou *O Globo*, definidamente antigetulistas, atiraram-se contra Samuel para disparar contra o Presidente. Foi o que ocorreu, também, com a chamada "imprensa popular", os sete ou oito jornais comunistas espalhados pelo país que, mesmo com tiragens reduzidas, chegavam a um público cativo e influente nos sindicatos e círculos intelectuais. (Esses jornais, sem anúncios e altamente deficitários, mantinham-se à base de campanhas de arrecadação de fundos entre os militantes comunistas ou simpatizantes, e "mordiam" até algumas grandes empresas, mas foram os únicos a jamais recorrerem a um banco, oficial ou privado.)

Em verdade, Samuel Wainer não era um capitalista e não tinha um centavo do próprio bolso quando, a 12 de junho de 1951, lançou a *Última Hora* carioca. Mas já era um veterano jornalista (não apenas um grande repórter de grandes entrevistas) e havia dirigido nos anos 40 a revista *Diretrizes*, que em pleno Estado Novo reuniu o que de melhor havia do pensamento independente de esquerda no eixo São Paulo—Rio.

"Por que um jornalista não pode ter um jornal?", deve ter-se perguntado Getúlio naquele seu jeito esfíngico de falar pouco e tudo dizer com o silêncio, quando Samuel o abordou diretamente em São Borja, no Natal de 1950, no interregno entre a eleição, em outubro, e a posse, a 31 de janeiro de 1951. Pouco antes, a 19 de dezembro, Samuel completara 38 anos e Getúlio queria premiar esse "judeuzinho do Brás" (como "Chatô" o chamava, então com o carinho de chefe, mais tarde com desdém, como agressão), que o havia tirado do ostracismo político e o tinha relançado ao cenário nacional com a famosa entrevista de março de 1949, publicada nos *Diários Associados*. E, como prêmio, já tinha pensado e decidido, daria o que de melhor poderia oferecer-lhe numa bandeja de ouro: uma embaixada.

Assim, num grupo em São Borja, quando Samuel indagou-lhe se já tinha os nomes do ministério, Getúlio respondeu com sinceridade:

— Ainda não. Só tenho o nome do futuro embaixador no Estado de Israel! — e seus olhos fitaram os olhos azuis-cinza do "judeuzinho do Brás", que ele já começava a chamar de "o Profeta".

Samuel entendeu a alusão e, publicamente, na frente do grupo, atalhou também com sinceridade:

— Obrigado, mas, desculpe-me, eu não busco e não quero nenhum cargo de nenhum tipo. Quero continuar jornalista!

Em seguida, Samuel começou a preparar o terreno para a semeadura. Expôs a idéia a Manuel Antônio, o Maneco, filho caçula de Getúlio, um jovem engenheiro agrônomo que vivia às voltas com experiências genéticas e entendia de sementes e colheitas, e a Jango Goulart, o taciturno bacharel em Direito e deputado estadual, dono da fazenda lindeira e sempre ao lado de Getúlio. Logo, "o Profeta" abordou o profetizado:

— Por que não pode existir um jornal que siga o ideário popular e nacionalista da maioria que elegeu o Presidente da República?

Getúlio respondeu com um menear de cabeça. Ou seja, concordava com a idéia. E muito. Mas não se comprometia.

## 13

Naqueles dias, Ricardo Jafet multiplicou suas viagens de São Paulo a São Borja num avião fretado, o mesmo no qual — em 1949, muito antes das eleições de 50 — havia trazido uma pequena geladeira a querosene, de presente, além de caixas de frutas e espremedores de laranja. Getúlio tinha se irritado no início, tomando a geladeira como um suborno extravagante de um milionário ao qual não dera nenhuma intimidade, mas depois deslumbrou-se pouco a pouco com aquela comodidade de ter água fresca a qualquer hora e, ainda, poder fazer sorvete e saboreá-lo antes de deitar-se.

A fazenda de Santos Reis não tinha eletricidade. Um rústico cata-vento proporcionava uma débil luz elétrica durante duas ou três horas à noite, tão-só o suficiente para escutar os noticiários de rádio do anoitecer. Jafet tinha quebrado os rotineiros hábitos de pobreza monástica em que Getúlio vivia solitário na fazenda, nas Missões, a região de mais tórrido calor do verão do Rio Grande do Sul. Depois, na campanha eleitoral, "o turco Jafet" abriu-lhe as portas com muitos daqueles burgueses endinheirados de São Paulo, que — sem nenhuma outra meta a não ser os cifrões — haviam enriquecido, ou se expandido, apoiados em pequenos favores dos tempos de bonança financeira do Estado Novo. Para aplacar as iras da Revolução Paulista de 1932, Getúlio tinha dado a São Paulo o que não dera a nenhum outro estado, favorecendo o nascimento de uma nova burguesia até mesmo para consolidá-la na economia ou nas finanças e, assim, tentar substituir, no poder, a tradicional aristocracia oriunda da bonança do café, que se tinha insurgido contra ele.

O empresário e milionário Jafet tinha se filiado ao PTB e, em São Paulo, financiava o partido no qual votavam os trabalhadores. De fato, um sagaz oportunista. Mas, também, o homem ideal para ser ministro da Fazenda, sempre que submetido à autoridade maior, e Getúlio o convidou formalmente antes ainda de ser diplomado pela Justiça Eleitoral, enquanto "os bacharéis da UDN" tentavam impugnar os resultados com a tese da necessidade de maioria absoluta. A Constituição vigente não falava nisso e tudo se resumiu a uma extensa mobilização de opinião pública contra Vargas, como se ele estivesse a roubar o posto para o qual fora eleito por avassaladora maioria.

Jafet, no entanto, não chegou a ministro. Um mês antes da posse de 31 de janeiro de 1951, Getúlio selou um acordo com o conservador PSD (majoritário no Congresso e que oficialmente tinha ficado contra a sua candidatura presidencial mas que, em verdade, nele havia votado), dando-lhe o Ministério da Fazenda. Getúlio reservou-se o direito de escolher o nome do ministro e convidou Horácio Lafer, paulista e milionário também, mas do PSD. Como consolo, Jafet foi nomeado presidente do Banco do Brasil, instituição poderosíssima na época e que exercia muitas das atuais funções do Banco Central. E passou a ser quase tão poderoso quanto o ministro da Fazenda.

Veio diretamente de Jafet a ordem para os financiamentos do Banco do Brasil ao novo jornal de Samuel Wainer e, três anos depois, isso foi habilmente utilizado por Lacerda, "Chatô" e outros mais para tachar a operação de "irregular". Tão irregular — argumentavam — que só pôde concretizar-se porque o presidente do banco interveio pessoalmente. O argumento era uma falácia em si mesmo: o regulamento bancário exigia a aprovação expressa da diretoria para os financiamentos vultosos, como os da *Última Hora*, cujos terrenos, prédios e rotativas — ou seja, todo o capital investido —, por outra parte, tinham sido dados em garantia da operação.

No máximo, existira um "favorecimento": o repórter Samuel Wainer fora mais aquinhoado — naquele momento — que os velhos empresários de jornal. Mas tanto a política quanto a própria atividade bancária são um exercício de "favores", outorgados em função de interesses que, por sua vez, podem ser tanto o chamado bem público ou tão-só o lucro numa transação. O "escândalo *Última Hora*" foi apenas isso. Jamais o jornal foi sequer um inadimplente e saldava suas dívidas pontualmente.

Não foram, porém, só as contas que geraram o "escândalo", mas a ira provocada em boa parte da grande imprensa por esse jornal de novo estilo, que pela primeira vez dava *status* e dignidade à profissão de jornalista (que, até então, era quase só um "bico" escorado num emprego público), que pesquisava a situação dos trabalhadores ou do empresariado e indagava entre o povo, que contava dos dramas quotidianos mas também do humor das ruas, cujos repórteres escreviam em forma direta e concisa (sem o anódino "nariz-de-cera" dos redatores tradicionais e convencionais) e iam às origens dos fatos, fosse uma nova lei, um crime, um evento desportivo, uma inundação ou um acidente aéreo. E tudo isso, em cores, num momento em que não existiam ainda as técnicas da policromia de hoje e jornal nenhum ia além da tinta preta.

Getúlio Dornelles Vargas, que nos oito anos em que foi ditador (de 1937 a 1945) tinha controlado a imprensa com uma mordaça saltitante que apertava às vezes de um lado para afrouxar em outro, ou vice-versa, agora nestes três anos e sete meses de Presidente constitucional via-se acurralado por haver tentado ampliar o conceito prático da liberdade de imprensa. Em verdade, a transformação do repórter Samuel Wainer em proprietário de jornal era ou não uma ampliação da liberdade de informação e de imprensa?

Numa noite, no aceso da crise, quando a CPI da Câmara dos Deputados sobre "o escândalo *Última Hora*" passou a ser dominada pela oposicionista UDN, Getúlio queixou-se ao seu filho Luthero:

— Quis ampliar o leque da imprensa e ajudei "o Profeta" como ajudei a muitos outros, a todos os jornais, mas não fui entendido.

Luthero deu-lhe corda e ele se queixou de "Chatô" e dos outros jornais, especialmente os do Rio, aos quais "nunca tinha deixado de dar o que pediam" e que, agora, se atiravam contra ele por ter dado à *Última Hora* o mesmo que dera aos demais.

— Por que um jornalista não pode ser dono de um jornal? —, deve ter-se indagado Getúlio, parodiando o que Samuel lhe havia perguntado anos antes em São Borja.

## 14

No fundo, o "escândalo *Última Hora*" era ínfimo e diminuto como escândalo, mas exatamente por isso teve os desdobramentos que chegou a ter. Por ser algo pequeno, "uma cousa boba", todos culpavam Carlos Lacerda pela dimensão estrepitosa de "desonestidade" que tudo havia tomado. Roberto Marinho lhe havia cedido a *Rádio Globo* e "Chatô", a *TV Tupi*, e a palavra flamejante de Lacerda adquiriu uma veemência que superava os artigos no seu jornal e se multiplicava em progressão geométrica. Quando Lacerda forçou a instalação de uma CPI na Câmara dos Deputados, a avalanche cresceu e desdobrou-se. As CPIs não eram usuais na época e só se constituíam em situações extremas. O ponto de partida para o inquérito parlamentar — ou seja, para transformar o "caso" em "escândalo" — tinha sido um "furo" do jornal de Lacerda informando sobre "a intervenção do Banco do Brasil na *Última Hora*", e dando até o nome do interventor nomeado. Isso significava a comprovação concreta de bandalheira ou irregularidade por parte do mais importante órgão financeiro do país. (Nos tempos atuais, equivaleria às costumeiras intervenções do Banco Central com significado de "extrema-unção".)

No entanto, o "furo" não era um "furo", mas sim uma "barriga", como se chama na gíria jornalística a uma notícia falsa, simplesmente inventada, que a *Tribuna da Imprensa* difundiu com estardalhaço. Quando a *Última Hora* reagiu e demonstrou que se tratava de uma mentira, já se haviam passado dois dias, e a "barriga" fora transcrita ou reproduzida pelo país inteiro como uma verdade inquestionável. A tese do Dr. Goebbels — "uma mentira repetida cem vezes transforma-se numa verdade absoluta" — tinha sido exposta e posta em prática.

A partir daí, para não retroceder, tudo passou a ser permitido sempre que "o judeuzinho Wainer" ou o seu jornal fossem os alvos ou estivessem em questão. Na CPI da Câmara dos Deputados, teoricamente o governo tinha maioria, mas na prática isto acabou por diluir-se. Cada detalhe de cada depoimento era multiplicado por mil na veemência oral de Lacerda e os estilhaços alcançavam os quatro pontos cardeais: a televisão de "Chatô" se circunscrevia ao Rio e São Paulo, mas a *Rádio Globo* transmitia as palavras de Lacerda em cadeia com a *Tupi* e a *Tamoio*, as emissoras cariocas dos *Associados*, ouvidas em ondas curtas no país inteiro. Em 1954, os tempos não eram como os de agora, em que as ofertas de lazer são tantas e tão contínuas ou ruidosas que vulgarizaram tudo, despojando os fatos de hierarquia e nivelando tudo pela vacuidade e a *desimportância*. Naquela época de lazer austero, tudo o que o rádio e os jornais dissessem era levado a sério e passava a ser assunto da conversação doméstica, tão presente como o café com leite ao levantar-se.

As acusações contra Getúlio penetravam na intimidade doméstica, aproveitando a deixa das novelas radiofônicas da *Tupi*, do Rio, que boa parte das famílias, reunidas à frente do aparelho de rádio, acompanhavam, Brasil afora, por ondas curtas.

Em noites de chuva e relâmpago, com um chiado incômodo em que a voz metálica de Carlos Lacerda queimava nos ouvidos.

## 15

Veemente e ágil, direto, sem importar-se com a veracidade concreta do que dizia, mas dando às palavras a contundência que só a verdade costuma ter, o jornalista Carlos Frederico Werneck de Lacerda fez-se o porta-voz do antigetulismo em nome da moralidade pública. O "caso *Última Hora*", algo ínfimo ou pequeno (um favorecimento, é verdade, feito porém dentro das normas da lei), só se transformou em "escândalo" pela audácia desse homem.

Sua palavra cortava em forma perfeita, afiada como uma faca, mas seus escrúpulos não alcançavam a mesma perfeição. Sua exatidão, tampouco, tal qual seu compromisso com a verdade. A um soldado no campo de batalha não se pode exigir compromisso algum, a não ser com a destruição do adversário. Vai-se à guerra para matar. A razão não existe como tal: na guerra a razão está com aquele que consegue matar e destruir mais. Essa razão da sem-razão, essa razão do irracional e do absurdo, dirige também as batalhas políticas e, mais ainda, as que se fazem por interesses econômicos. Não era este o caso de Lacerda, que em termos financeiros era honradamente honesto e combatia só pelo poder político, pelo prazer do poder. Nunca pelo apetite do dinheiro. Unicamente pela volúpia da política e do seu combate.

Se a palavra de Lacerda era inescrupulosa, por que não seria igualmente inescrupulosa e ardente a reação verbal contra ele?

— Este cretino do Lacerda, só matando! — sentenciava pelas antesalas do Palácio do Catete o general Ângelo Mendes de Moraes, que fora prefeito do Distrito Federal, fazendo caretas e gestos. Mas não só ele, também o industrial Euvaldo Lodi, presidente do Sesi e da Federação das Indústrias do Rio de Janeiro, ou o deputado Danton Coelho e até "Bejo" Vargas, irmão do Presidente. Ou muitos outros, e todos os ouvintes acrescentavam alguma interjeição similar:

— Alguém tinha que dar um sumiço nesse sujeitinho mentiroso! — dizia um.

— Não tem jeito: erva ruim só arrancando pela raiz! — exclamava outro.

Na frente de Gregório, as exclamações se acentuavam e tomavam o tom desafiante da bravata, como se ele fosse o responsável por continuarem as agressões daquela "erva daninha feito gente". Uma tarde, o general Ângelo Mendes de Moraes (que ia ao Palácio sempre à paisana) topou-se com ele e lhe exclamou, como num desafio:

— Você, se quiser, acaba fácil, fácil com essas mentiras do Lacerda!

Nunca, no entanto, ninguém no círculo palaciano animou-se a conversar com o Presidente sobre as ofensas e investidas de Lacerda. Pelo respeito do recato, evitava-se o assunto na frente do Presidente. O que ele tivesse a dizer e indicar, haveria de dizê-lo a Gustavo Capanema, líder da maioria na Câmara dos Deputados, ao ministro do Interior e Justiça Tancredo Neves, a Lourival Fontes, chefe da Casa Civil, ou a José Maciel Filho, seu secretário particular, para as "providências cabíveis". Antes, na certa, haveria de consultar a filha Alzirinha, talvez Luthero, talvez Jango, talvez o filho Maneco, mas até mesmo esses quatro, que privavam da intimidade, esperavam sempre que ele tomasse a iniciativa dos temas e assuntos para, depois, opinar.

Mas pelos corredores o assunto era Lacerda. Os corredores, porém, têm eco estreito, que se expande mas não perpassa as paredes.

*(Nada das verdades dos corredores chega aos gabinetes dos que mandam, menos ainda ao gabinete presidencial. O isolamento típico dos governantes talvez fosse quebrado se as ante-salas e os corredores tivessem janelas que funcionassem como os sistemas de vasos comunicantes, em que a água de um lado passa ao outro. As ante-salas do poder são como as salas de espera dos hospitais públicos, onde os pacientes — naquela ansiedade de aguardar e aguardar — expõem seus sintomas muito melhor e com mais detalhes aos outros doentes, enquanto esperam, do que ao próprio médico, ao serem atendidos.)*

Nos corredores do palácio só se falava de Lacerda, como na sala de espera dos hospitais cada qual conta exaustivamente aos demais sobre a sua doença. A enfermidade tinha um nome comum e todos almejavam safar-se dela.

Gregório Fortunato não perambulava pelo palácio e a guarda pessoal que ele chefiava não era visível em nenhum lugar. Nem mesmo no portão de entrada, onde não se exigia a ninguém a parafernália documental de hoje em dia em Brasília para entrar a qualquer ministério. O "tenente" Gregório tinha uma salinha quase ao lado do gabinete presidencial, ao qual porém só entrava quando era chamado.

Os "grandes" do Rio, especialistas em aproximar-se do trono, transitavam por essa salinha como atalho para tentar chegar ao Presidente. E aí, enquanto aguardavam alguma oportunidade a esmo, falavam da doença que se transformava em peste e repetiam os sintomas e o remédio da cura até à exaustão:

— Esse mentiroso e cretino do Lacerda, só matando!

Pouco a pouco, na memória primitiva de Gregório Fortunato tudo aquilo gravou-se como uma ordem. Uma inapelável ordem, tomada como um dever de honra. Se todos "os de cima" diziam que a solução era "só matando", por que não dar um tiro nesse homem que é como erva daninha que está no mundo para ser arrancada? Se todos aqueles "grandes da capital", "aqueles cariocas que sabiam de tudo" queriam, na certa também o Presidente iria querer e gostar!

E decidiu. Sozinho, pois sua cabeça de peão do campo que sabia obedecer, cumprir e ser fiel já estava povoada de ordens diretas, vindas daqueles "graúdos" que, há dias, lhe assopravam eliminar Lacerda. Agora, todos perceberiam que ele não era um negro covarde, e que era muito mais valente e decidido do que esses brancos grã-finos e "graudões" que se faziam os importantes e iam ao palácio pedir favores. Agora ele mostraria quem era valente e decidido!

E resolveu dar ordens para terminar com esse sujeito que "só matando" podia deixar de incomodar. Tempos antes, tinha mandado Climério de Almeida observar "a erva daninha" no dia-a-dia e já sabia o suficiente para decidir. Desceu ao subsolo do palácio, onde ficava o pessoal da guarda do Presidente, chamou Climério e José Antônio Soares "para uma conversa particular", e ali mesmo, de improviso, naquela tarde de 4 de agosto de 1954, mandou que localizassem Alcino do Nascimento, cuja pistola nunca falhava, e lhe encarregassem "um serviço". Deu-lhes "um dinheiro", mandou que alugassem um carro de praça e seguissem Lacerda por onde fosse, até mesmo pelos lados do seu apartamento na Rua Toneleros, 180, em Copacabana, "esta noite mesmo".

Fixou o olhar em Climério, seu compadre, e limitou-se a dizer:

— Tu comanda e vigia. E, se der, o Alcino que se encarregue do homem!

## 16

Ao voltar à sua salinha, Gregório encontrou-se com Luthero Vargas, que o notou apressado e ansioso, o que, porém, não era novidade naquele "anjo negro" que, às vezes, parecia ter asas. (Nas grandes concentrações e comícios, ao suspeitar dos gestos de algum rosto desconhecido, em algumas ocasiões Gregório chegou a voar sobre Getúlio para tapá-lo e esconder o alvo.) Trocaram as breves palavras das saudações convencionais e não foram além disso.

Esse encontro casual e fugaz, que Gregório relatou logo ao ser preso, deu pretexto a que Lacerda acusasse Luthero de "mandante do crime", um dos tantos disparates que — logo após o atentado em que morreu o major Vaz — circularam como tonitruante "verdade" durante alguns dias, agitando ainda mais o ambiente fomentado pelos boatos, o ódio, as invenções, as mentiras, as meias-verdades e as verdades inteiras.

Ou quando se estava longe disso ou não havia nada disso, o arroubo ou a veemência da emoção dirigiam tudo. Eu próprio fui marcado por essa situação. No início de agosto de 1954, como presidente da União Estadual de Estudantes do Rio Grande do Sul promovi um comício-relâmpago em Porto Alegre, em plena Rua da Praia, na época núcleo da elegância feminina e fervedouro político masculino da cidade: improvisamos um palanque, ao final da tarde, na hora de maior movimento de pedestres, e abri a manifestação com um discurso rápido e contundente, pedindo nada menos que a sumária responsabilização do Presidente da República...

Estávamos a 1.300 quilômetros do centro dos acontecimentos, numa época em que os telefones eram precários e as comunicações difíceis (no Sul nem havia televisão), mas o eco destrutivo do verbo de Carlos Lacerda tinha chegado até nós e nos penetrava: não éramos *lacerdistas*, mas estávamos submetidos ao brilho da sua palavra. E tudo se ampliava e se multiplicava no nosso inocente ardor juvenil.

## 17

Naquela época a palavra tinha prestígio, arrebatava ou decepcionava, e a audácia verbal de Lacerda era como o poder de um relâmpago: a força do clarão atemorizava com a sua luz poderosa de frações de segundo, e quase todos se convenciam de que clareava tudo, mesmo que, de fato, não iluminasse terreno algum. Por isso, ao seu redor cresciam rancor e ódio, amor e paixão. Exatamente como ocorria com Getúlio, só que em Getúlio a origem de tudo era outra e diferente: a paixão ou o ódio não se desencadeavam pela afiada palavra acusatória, mas pelo exercício do sorriso do poder.

As gerações de hoje talvez tenham dificuldade em entender como o país inteiro apaixonou-se pela discussão política, meio século atrás, e como, no debate de ontem, a palavra tinha tanto poder. Hoje, as idéias políticas foram substituídas pelas imagens criadas pelas agências de publicidade, o debate político desapareceu e tudo é encenado, artificialmente recitado. Ou induzido através do subterfúgio da imagem colorida, preparada e gravada em estúdios de propaganda. Assoprado, enfim. Hoje, na televisão, no rádio ou nos jornais, quem aparece dizendo o que diz, de fato, nada diz porque apenas lê o que outros escreveram. Agora, vendem-se hábitos de consumo e é igual "vender" o hábito de consumir um detergente ou um partido político ou um candidato.

O debate político é, hoje, quase tão-só uma simulação ou um simulacro da palavra, diferente de 1954, ou até dos seguintes anos 60, quando o peso das decisões residia no argumento ou na dialética exposta sem encenação. Agora, nem se sabe o que é dialética, e o termo soa distante, perdido nos dicionários...

Naqueles dias de 1954, porém, o cortante verbo acusatório de Lacerda também havia gerado reações e não tinha ficado impune: algumas de suas palestras-comícios pelo Estado do Rio de Janeiro eram interrompidas por protestos, como ocorreu em Nova Iguaçu e Barra Mansa. Na Ilha de Paquetá, à sua chegada, explodiu no cais uma bomba caseira, mais de efeito moral do que destrutivo, porém o suficiente para aparecer com estardalhaço na imprensa e fazer com que um grupo de oficiais da Aeronáutica, adeptos da UDN, decidisse servir como seus guarda-costas, dali em diante. Lacerda dispensou a proteção de policiais à paisana (que lhe tinha dado o próprio governo de Getúlio) e, por onde fosse, de um lado a outro, andava escoltado por um oficial da Força Aérea.

Na noite fria de 4 de agosto, após uma palestra num colégio de freiras na Tijuca, ele voltou para casa com o filho Sérgio, de 16 anos, no automóvel do major Rubens Florentino Vaz. Despediram-se e, ao tentar entrar no edifício, apalpando os bolsos, percebeu que se esquecera da chave. Em vez de parar junto ao portão iluminado, encaminhou-se à garagem e, aí, um homem atravessou a rua e começou a disparar.

Lacerda correu e, ao mesmo tempo, revidou, disparando com o seu revólver calibre 38, descarregando toda a arma, mesmo ferido por um tiro no pé. O pistoleiro fugiu. Atingido por três tiros, dois no peito e um nas costas, o major Vaz morreu ali mesmo, na calçada.

(Vieram do mesmo revólver os três tiros? Ao disparar contra Lacerda, o pistoleiro terá dado voltas ao redor do major para atingi-lo nas costas e no peito? Nunca se soube. Lacerda negou-se a entregar seu revólver à perícia policial, até mesmo porque — ao ser ele o alvo evidente do atentado — não podia dar pretexto para transformar-se de vítima potencial em suspeito de co-autoria acidental do crime.)

Em depoimento prestado logo após o atentado, ainda no Hospital Miguel Couto (e estampado em *O Globo* de 5 de agosto de 1954), Lacerda narrou: "Ao ver um homem pardo e gordo abrir o paletó e começar a atirar, agarrei meu filho, saquei do meu revólver e atirei, procurando abrigar meu filho e correndo em direção à garagem. (...) Levei-o para a escada e corri novamente para fora, a tempo de ver o homem fugir. Atirei contra ele, e ele atirou contra mim. Descarreguei todas as balas de minha arma. (...) Com Sérgio subi, pedindo que avisasse a amigos, e mais uma vez desci à rua, já pelo elevador social. Ele (o major Vaz) estava caído na calçada."

Desde então, tudo girou em torno do atentado, que se torna o desencadeante de tudo, da crise militar e da tragédia maior.

Getúlio foi o primeiro a alarmar-se com o ocorrido e antever que aquilo podia desencadear uma crise militar mais avassaladora que todas as que havia suportado, contornado ou vencido desde que voltara ao poder. Na manhã seguinte ao atentado, cedo ainda, ordenou que a polícia "investigasse tudo, até chegar aos criminosos", e, ao comunicar essa decisão ao líder do governo na Câmara dos Deputados, Gustavo Capanema, escreveu-lhe uma carta para formalizar sua idéia e proteger-se da investida que já vislumbrava: "Até então, meu inimigo número 1 era Carlos Lacerda. Agora, passou a ser o homem que atentou contra a sua vida e assassinou esse jovem oficial da Aeronáutica."

Nas horas seguintes, no entanto, Getúlio viu-se invadido pela interrogação e a suspeita nascidas da intuição ou da experiência. Aqueles homens, recrutados pelo "negro Gregório" lá na fronteira com a Argentina, tinham sido criados no "tiro" e eram filhos ou parentes de gente que, a vida inteira, se dedicara a tirar a vida de outra gente, inclusive de um ou outro desafeto ou inimigo dos Dornelles ou dos Vargas. Não era só no Norte ou Nordeste do Brasil que havia capangas que, mesmo ao deixarem de ser pistoleiros, continuavam pistoleiros. Por isso, Getúlio mandou que Lourival Fontes indagasse de Gregório se alguém da guarda pessoal podia estar envolvido no episódio. O "tenente" Gregório disse que "não". A sua gente não faria aquela bobagem!

O Presidente quis, no entanto, ele próprio, ouvir a resposta e, pouco depois, mandou chamá-lo e o interrogou.

— Os meus homens não têm nada a ver com isso, Excelência!

— Nada mesmo, Gregório? — insistiu.

— Nada, Excelência, nada mesmo, Excelência!

Getúlio se satisfez com a explicação, mas o exagerado tom subserviente lhe pareceu insólito ou estranho: o "tenente" parecia imitar os políticos, diplomatas e empresários que, quando queriam agradá-lo para pedir algo absurdo, acentuavam o servilismo e repetiam "excelência", "excelência" atrás de cada palavra.

## 18

Na Rua Toneleros, em Copacabana, um guarda-noturno que, no outro lado da calçada, escutou o tiroteio, viu quando um homem correu e entrou num automóvel, que arrancou em disparada. O vigilante atirou no carro e anotou a placa 5-60-21. Nunca o guarda-noturno

Sálvio Romero dera importância à política. Votava sempre em Getúlio e nos *trabalhistas* porque era pobre e os pobres não votavam naquela outra gente que nem nas eleições se importava com eles. De política, só sabia que Getúlio era "o pai dos pobres" e, por isso, gostava dele. Fora disso, sabia confusamente que no outro lado da rua "morava um jornalista importante", mas nada entendia da sua briga com outro jornalista e com o Presidente da República.

O guarda-noturno Romero, alheio a tudo, foi, no entanto, quem estabeleceu o eixo condutor da trama.

Com o número da placa do veículo, já nas horas seguintes a polícia chegou ao fio inicial da meada: era um carro de praça que fazia "ponto" defronte ao Palácio do Catete, no lado oposto da rua. O próprio chofer apresentou-se para depor (no pára-lama havia um impacto de bala), mas disse desconhecer os seus passageiros. Interrogado pela polícia, pouco a pouco admitiu que conhecia os homens que o contrataram aquela noite e acabou contando quem eram. De fato, eram velhos fregueses, já amigos. O pessoal da "guarda do Catete" e seus conhecidos sempre tomavam aqueles automóveis ao voltar para casa. E o motorista Nelson Raimundo de Souza sabia, inclusive, onde moravam todos eles, até mesmo porque os levou para casa aquela noite, depois dos tiros.

Alcino, que não pertencia à guarda, foi preso pouco depois pela polícia. Climério era compadre de Gregório Fortunato e se escondeu como o chefe mandou que fizesse. Foi preso alguns dias mais tarde, numa choupana da zona rural do Estado do Rio, por uma patrulha formada por oficiais da Aeronáutica, que haviam passado a comandar uma investigação paralela. Muito antes ainda da prisão, ao saber-se que Climério estava envolvido na trama, Getúlio dissolveu a guarda pessoal do Presidente da República e destituiu todos os seus membros dos respectivos cargos e funções, a começar pelo "tenente"

Gregório. O decreto formal da dissolução foi gesto fácil e rápido para Getúlio, mas a constatação de que fora enganado levou-o a uma depressão profunda.

Se o peão serviçal que trouxera de São Borja o enganava e lhe mentia, quantos mais ao seu redor o enganariam e lhe mentiriam? E na máquina do governo, naquela engrenagem aparatosa de cargos e hierarquias, que poder tirânico e autônomo teriam a mentira e o engano?

O círculo do poder surgia aos seus olhos como os círculos do inferno de Dante.

Não foi só por isso, no entanto, que ele percebeu que a iniciativa dos acontecimentos já não estava no palácio presidencial. Sob a justificativa (ou o pretexto) legal de que a arma usada no atentado era de calibre 45, "privativo das Forças Armadas", o Estado-Maior da Aeronáutica instaurou um "inquérito policial-militar" (IPM), com sede na Base Aérea do Galeão, no Rio, que passou a monopolizar a investigação.

O IPM mudou o núcleo da investigação e, muito mais ainda, alterou a própria vida política do país. Jamais, em toda a História brasileira, um grupo reduzido de pessoas concentrou tanto poder e se transformou abertamente e às claras numa espécie de poder paralelo — infenso ao Judiciário ou ao Legislativo e sem nenhuma obediência a qualquer hierarquia do Executivo. Nenhuma regra ou norma legal pôde controlar o inquérito, que se tornou um ente autônomo nascido da audácia e apoiado pelas armas. Literalmente, pelas armas das tropas e dos aviões da Base Aérea do Galeão. Ou da Aeronáutica em geral.

A denominação "República do Galeão", como tudo ficou conhecido, surgiu como um depreciativo, mas definia uma situação concreta e efetiva. O IPM funcionava como "república paralela", não obedecia nem prestava contas a nenhuma das autoridades estabelecidas e não se cingia a lei alguma, transformando-se, ele próprio, na única autoridade e na única lei. O brigadeiro Nero Moura, mesmo sendo o mais notório herói da FAB durante a II Guerra Mundial, teve de renunciar ao Ministério da Aeronáutica a 13 de agosto, nove dias após a morte do major Vaz, ao constatar que já não mandava na oficialidade e em nada. O poder real interno na FAB estava nas mãos do brigadeiro Eduardo Gomes, ou mais exatamente da UDN, a oposicionista União Democrática Nacional, pelo qual ele tinha sido duas vezes candidato à Presidência da República. Em 1945, perdera para o general Eurico Dutra, eleito pelos votos de Getúlio, e em 1950 para o próprio Getúlio.

Só a paixão política guiava a "República do Galeão": a paixão do antigetulismo. Em função dela, o comandante do IPM, coronel Adil Oliveira, subchefe do Estado Maior da Aeronáutica, atribuiu-se poderes absolutos que outro coronel, Adhemar Scaffa Falcão, subcomandante da base e prefeito militar da Ponta do Galeão, se encarregava de executar operacionalmente, fazendo e desfazendo. De fato, a Aeronáutica tomou conta do Rio sob o argumento de que a polícia não tinha autoridade para investigar o crime da Rua Toneleros. No aceso da paixão, porém, tudo valia e o mais notório torturador da polícia carioca, Cecil Borer, tornou-se o principal interrogador na "República do Galeão". Não importava que, meses antes, Lacerda o chamasse de "escória do Estado Novo" e o acusasse de espancamentos e mortes.

Tudo valia porque "o objetivo era político", disse dezenas de anos depois o coronel Scaffa, explicando que o grupo *lacerdista* da Aeronáutica "estava desejando um atentado". E isso, explicou ele, "porque as providências para que se desse realce político ao atentado foram muitas, como a missa de corpo presente e o velório (do major Vaz) no Clube da Aeronáutica, o transporte a pé do cadáver até o cemitério, a aglomeração lá dentro, a faixa que o brigadeiro Eduardo Gomes conduzia na frente do cortejo, que dizia que esse crime não ficaria impune. E, assim, acredito que esse era o objetivo".[1]

A paixão tinha sido amainada pelos anos, por longos 30 anos, ou pelo impacto do suicídio de Getúlio, e o coronel Scaffa podia, assim, fazer um desabafo sobre o sentido do inquérito que deu nome à "República do Galeão".

— O objetivo não era bem apurar a morte do major Vaz, e sim transformar o atentado em motivo para uma modificação política, e assim foi feito — disse, literalmente, em depoimento ao historiador Hélio Silva.

## 19

Esse objetivo, no entanto, não teria sido sequer delineado pelos militares da direita liberal sem a coordenação concreta dos civis da UDN ou seus simpatizantes. Na Câmara Federal, a impetuosidade do líder da bancada *udenista*, Afonso Arinos, alimentava o assessoramento pessoal que Lacerda e os deputados Adaucto Lúcio Cardoso e Bilac Pinto prestavam ao inquérito da FAB, do qual foram o dínamo.

O cérebro e mentor principal dessa nova e insólita "república", no entanto, não foi nenhum político profissional, mas o jornalista Pompeo de Souza. Respeitado, correto e moderado, Pompeo era católico e filiado ao Partido Socialista, uma simbiose extravagante e contraditória naquela época. Formado na luta contra o Estado Novo, seu quotidiano estava impregnado de antigetulismo. Além disso, Lacerda

---

[1]Depoimento do coronel Scaffa a Hélio Silva, em *1954 — Um tiro no coração*, Civilização Brasileira, 1978, pág. 233.

era não só o colega que admirava mas o amigo íntimo, tão íntimo que Pompeo era chamado, até mesmo, para resolver suas desavenças conjugais com a esposa, dona Letícia. Como chefe de redação do *Diário Carioca*, Pompeo o modernizou para equipará-lo ao jornal de Samuel Wainer e tentar ser seu rival fazendo oposição aberta a Getúlio. Por outro lado, era amigo de muitos anos de Café Filho, o Vice-Presidente, o que lhe abria outras portas naquela conspiração que ele fazia aparecer como um movimento de opinião pública, no qual o inquérito do Galeão atuava, apenas, como uma espécie de justiceiro.

O seu talento e habilidade é que deram forma política e penetração ou prestígio popular àquele inquérito truculento que, no lado interno, recorreu à tortura e, no externo, extravasou seus poderes e, durante duas semanas, autoconstituiu-se como o único poder na capital da República, ou até mesmo no país, naquele agosto de 1954. A sua candura o fez acreditar na imparcialidade do inquérito para chegar aos mandantes do atentado: ele passava boa parte do dia na Base Aérea do Galeão, montando o esqueleto dos futuros interrogatórios e organizando a divulgação na imprensa e rádio, mas seu gabinete ficava num hangar distante ao do coronel Adil. Nunca presenciou qualquer interrogatório mas, mesmo assim, pôde perceber como o torturador e espancador Cecil Borer se transformava, rapidamente, em mestre dos oficiais aviadores da "República do Galeão".

Na manhã de 24 de agosto de 1954, a honestidade de Pompeo o fez chorar de raiva contra si próprio: barbeava-se em seu apartamento carioca quando ouviu pelo rádio a notícia do suicídio.

— Fiquei paralisado e me senti um assassino. E chorei muito, convulsivamente. Desde então, nunca mais pude sentir raiva do Getúlio! — contou-me ele dez anos mais tarde, em 1964, quando partilhávamos as tarefas de organização da Faculdade de Comunicação de Massas da Universidade de Brasília, que ele ideou e dirigia.

Ele não tinha inventado os depoimentos nem participado dos interrogatórios da "República do Galeão", mas o arcabouço de toda a denúncia e a articulação na imprensa ou na Câmara dos Deputados tinham partido dele. Milímetro a milímetro, tudo o que se dizia além das quatro paredes das salas da Base Aérea do Galeão passava pelo crivo do Pompeo e, só depois, chegava à imprensa. E à noite, no *Diário Carioca*, dava o retoque final às notas que o seu jornal publicaria no dia seguinte e que, por sua vez, comandavam o noticiário anti-Getúlio.

Ele sabia que seria absurdo convocar o Presidente da República a depor na Base Aérea, e que nem a lei nem o bom senso nem a própria hierarquia militar o permitiam. A idéia era tão esdrúxula que — ao ouvi-la do coronel Adil — chegou a espantá-la num gesto com a mão, como se faz com a mosca que, à mesa, dá voltas ao nosso prato.

— Isso é idiota, e não se pode e nunca se vai fazer!— disse, cortante. O coronel Adil e todos os demais se calaram, talvez buscando argumentos para replicar.

E o próprio Pompeo acrescentou:

— Não se deve, não se pode e não se fará. Mas, exatamente por isto, vamos soltar o boato de que vai ser feito!

O primarismo do atentado demonstrava em si mesmo que aquela improvisação era obra de pistoleiros do sertão ou "matadores" da fronteira. Só por isso já era evidente que o meticuloso Getúlio não tivera participação na trama. Alguém cuidadoso como ele não permitiria que os pistoleiros alugassem um táxi na "praça" junto ao Palácio do Catete e, depois, seguissem Lacerda quase pela cidade inteira, da Tijuca a Copacabana, para escolher o melhor lugar para tocaiá-lo. Getúlio era o móvel dos acontecimentos, talvez o ponto de partida. Até mesmo tinha responsabilidade política em tudo, mas só isso. E, por ser o "responsável político", só podia ser responsabilizado de acordo ao rito político. Jamais poderia ser chamado, convocado ou citado a depor na Base Aérea perante oficiais dos quais ele próprio era o comandante formal. A hierarquia desapareceria como lixo numa vassourada e o poder anárquico substituiria o próprio poder. Seria a catástrofe, o caos político.

Impossível. "Getúlio jamais poderá ser convocado!", repetiu Pompeo.

— Por isso, vamos espalhar o rumor e a idéia de que vai ser convocado a depor! — repetiu.

A enlouquecida truculência do promotor João Cordeiro Guerra, que o coronel Adil adorava exteriorizar publicamente como própria, dava ao boato o foro e a forma de verdade absoluta e de decisão já acertada.

*(Durante anos, insisti com Pompeo para que escrevesse sobre o episódio. Quando nos conhecemos em 1962 no Palácio do Planalto, com o getulista João Goulart na Presidência — eu era o colunista político da* Última Hora *e ele o coordenador político do também getulista Primeiro-Ministro Francisco Brochado da Rocha —, ou mais tarde, quando nos fizemos amigos na Universidade de Brasília, ou depois, quando a intimidade cresceu, em 1965, ao sermos expulsos da UnB, ambos, pela ditadura militar, em todos os momentos repeti a Pompeo que só ele poderia preencher a lacuna informativa sobre a conspiração de agosto de 1954. Tudo, no entanto, estava demasiado próximo, algumas feridas ainda à mostra, outras em dolorida cicatrização — como a dele próprio —, e seria difícil chegar-se a um relato isento ou que não tivesse os vestígios da paixão ou do rancor daqueles tempos. Mais tarde, quando voltei do exílio em 1980, tornei a insistir em que ele escrevesse o testemunho que me havia relatado tantas vezes e apelei, inclusive, à sua mulher, Otília, para tê-la como aliada na minha "exigência".*

*Só ele e mais ninguém poderia repor a verdade que havia sido ocultada e escamoteada nas meias-verdades das notícias de jornal, exacerbadas na paixão de quem escrevia e de quem as lia naqueles dias. Só ele poderia escrever e descrever, pois já se havia despojado da paixão: nele, o antigetulismo já se diluíra ou já se desfizera e a figura que ele combatera e "matara" fisicamente já havia ressuscitado para ele e dentro dele, que fora o "matador".*

*Um outro Getúlio tinha despontado ou surgido dentro de Pompeo a partir do instante do suicídio, daquele momento em que, defronte ao espelho, ele sentiu, na lâmina com que se barbeava, uma friagem quase cadavérica, talvez similar àquela que começava a expandir-se pelo corpo inerte do Presidente no Palácio do Catete. Naquele instante, descobriu que Getúlio não era "o covarde" que ele e Lacerda entendiam que fosse.*

*Em 1986, eleito senador pelo Distrito Federal pelos votos das mesmas forças políticas que 32 anos antes, em 1954, eram comandadas por Getúlio, ele acabou dedicando-se com tanta seriedade e tão por inteiro ao Parlamento, que não houve tempo para o passado. Nem sequer para reabilitá-lo, quanto mais para resgatá-lo com uma condenação ou reprimenda. E Roberto Pompeo de Souza Brasil — seu nome completo — morreu sem nos descrever as minúcias da conspiração político-militar-jornalística que, num típico golpe de mão sobre a opinião pública, desembocou no suicídio de 24 de agosto de 1954. Dela, ficaram-me os vestígios, as sobras das longas conversas, vertidas aqui como migalhas recolhidas da mesa do banquete.)*

## 20

Nas ruas do Rio e na imprensa do país inteiro, a Aeronáutica exibia uma força e um poder superior ao que detinha de fato ou por lei. Numa época em que não era comum ver patrulhas armadas pelas cidades, nem sequer da polícia, a FAB passou a revistar automóveis e cidadãos nas ruas, sem rudeza e sem gritos, é verdade, mas com um jeito imperativo e forte, fuzis à mostra, para deixar a marca ou a impressão de que mandava e desmandava.

Passei alguns dias no Rio naquele mês de agosto e, já ao chegar do Sul, surpreendi-me com os soldados e oficiais da Aeronáutica, carabinas a tiracolo, caminhando entre os passageiros no Aeroporto Santos Dumont. Na manhã de 19 de agosto de 1954, ao embarcar para a Europa, a surpresa multiplicou-se quando cheguei ao Galeão, que então funcionava unicamente como aeroporto internacional: o porta-malas do táxi foi revistado em minúcias, nossas maletas abertas e nos exigiram mostrar as passagens, algo insólito naqueles tempos em que não se pedia sequer a exibição da carteira de identidade em lugar algum. Climério havia sido localizado e preso, Gregório se encontrava detido, a guarda pessoal fora dissolvida e o Presidente estava outra vez sob a proteção exclusiva do Exército.

Dias antes, Getúlio tinha saído do palácio pela primeira vez após o atentado da Rua Toneleros: foi a Belo Horizonte inaugurar a siderúrgica Mannesmann e, agora, as revistas expostas no aeroporto mostravam os soldados de capacete branco da Polícia do Exército flanqueando o Presidente, como o início de um novo tempo. Olhei a fotografia — ele caminhando em direção ao alto-forno, ao lado de um empertigado soldadinho de luvas brancas — e tive a sensação de ver um preso a ser levado respeitosamente ao cadafalso. Foi a última publicação que li no Brasil, e suas imagens gravaram-se solitárias na memória durante os três meses seguintes vividos no estrangeiro. (Foi, também, a última vez que Getúlio saiu do palácio.)

A "notícia" de que o Presidente poderia ser convocado a depor começou a espalhar-se lentamente. E cresceu ou ganhou força quando Gregório foi preso pela Aeronáutica e, entre os documentos achados nas suas gavetas no Catete, apareceu um recibo firmado por Maneco — o filho caçula do Presidente —, que lhe vendera uma pequena fazenda da família Vargas no Rio Grande do Sul, com uma procuração dada por Getúlio. (A compra foi feita com um empréstimo obtido por Gregório no Banco do Brasil e, com o dinheiro da venda, Getúlio pagou o restante das dívidas da campanha eleitoral de 1950.)

Um detalhe fortuito, porém, complicou tudo ainda mais: desde julho, Maneco estava em viagem de lua-de-mel pela Europa, com a sua mulher Vera Tavares, pulando de cidade em cidade, sem ser encontrado em lugar algum. Essa situação típica do recém-casado que se esconde do mundo fazia as delícias da "República do Galeão", pois abria espaço para a idéia ou a especulação de que ele "estava fugido", com isso alimentando um noticiário faminto de interrogações, ilações, fantasias e conjeturas. Nas frestas, a mentira e a verdade disputavam o pequeno espaço sobrante.

Nos anos 1950, a visão da "inferioridade do negro" e da sua condição intrínseca de "classe baixa e desprezível" dominava ainda a sociedade brasileira como a sua principal cicatriz de atraso. Até mesmo nos desportos, onde parecia existir igualdade, havia ainda alguns clubes de futebol de capitais estaduais que não permitiam negros na sua equipe principal. (A crônica desportiva, inclusive, escrevia "*colored*" quando queria distinguir algum jogador negro. E os próprios negros se autodenominavam "morenos". Ou "escurinhos", quando a menção envolvia um gesto carinhoso.) Todo o Brasil tinha orgulho de não imitar os Estados Unidos na discriminação brutal e violenta contra os negros, na época, mas boa parte dos brasileiros brancos — ricos ou pobres — envergonhava-se de mostrar em público seus eventuais amigos negros.

Neste quadro, aquela fotografia de Gregório Fortunato penteando Getúlio espalhou-se naqueles dias pelo país inteiro como "uma prova".

Prova de quê? De que o Presidente da República dava intimidades a um negro. Ou de que tinha um escravo negro investido da autoridade de ter poder até sobre os brancos.

Getúlio gostava daquele negro que lhe era submisso por fidelidade, não por outro interesse. A submissão por lealdade o fazia sentir-se como tendo um escravo sem escravizá-lo: a sensação de poder ganhava novo contorno, próximo e doméstico, e a solidão se dispersava. Mesmo assim, aquele instantâneo fotográfico espalhado pelo país inteiro, em que Gregório penteia o cabelo de Getúlio, retratou apenas um fugaz momento. Foi talvez a única vez, mas Getúlio sentiu-se feliz e poderoso. No automóvel conversível, ao ar livre, o vento esvoaçando os tênues fios da cabeleira que já desaparecia, e Gregório ali — prestimoso e rápido —, arrumando-lhe os cabelos, dando-lhe a elegância que um Chefe de Estado merecia e necessitava para desfilar em carro aberto pelas ruas da cidade. Sim, mas a fotografia deu ao público a idéia de uma vaidade que ele não tinha. Ou que até poderia ter, mas que nunca aparentava ou não deixava transparecer — a da aparência física —, ainda que na verdade a cultivasse e a tivesse escondida, como escondia tudo de que gostava.

Ninguém falava, porém, da vaidade que ele escondia, mas do negro que mostrava.

Tinha sido só aquela vez. Ou apenas uma ou outra mais, ao acaso. O suficiente, porém, para que — num tom irônico e depreciativo — milhões de escandalizados homens e mulheres exclamassem que "o negro Gregório" penteava os cabelos do Presidente da República, como um abominável macaco feito *vallet de chambre* em plena rua.

## 21

Os adversários de Getúlio não eram adversários, mas inimigos implacáveis que nele viam um homem implacável. Eram impiedosos no ataque, talvez com medo de que ele os destroçasse antecipadamente, até mesmo sem fazer nada, só pelo desprezo, como já tinha feito com tantos. Os discursos de Afonso Arinos, líder da oposicionista UDN na Câmara dos Deputados, exigindo "a renúncia", tinham essa força da impiedade maciça, numa violência absoluta e infinita, iluminada pela concatenação brilhante das frases e dirigida a estraçalhar o Presidente. Mais do que para o Parlamento, Arinos falava para os quartéis, diretamente para as Forças Armadas, e suas palavras davam a pauta do que apareceria nas horas seguintes no rádio, na televisão ou nos jornais. Ou nos atos e bravatas da "República do Galeão" ou nos artigos e palestras radiofônicas de Lacerda. E, logo, na boca do povo.

Assim, primeiro surgiu o "Manifesto dos Brigadeiros", com a assinatura de 27 oficiais-generais da Aeronáutica. Logo, em cadência, o "dos Almirantes", com 51 adesões, misturando gente da ativa e da reserva para dar volume à onda e fazê-la ainda maior, como se fosse um maremoto envolvendo todos os oceanos, ou o Almirantado inteiro. (O próprio ministro da Marinha, almirante Renato Guilhobel, deixou-se enganar com a sensação de "unanimidade plena".) Por último, no dia 21 de agosto, surgiram notícias de um "Manifesto dos Generais", delicadamente perigoso por envolver o Exército de terra, e que teria 32 assinaturas. Das que se propalavam, nenhuma delas era dos comandantes das grandes unidades sediadas no Rio, que tinham tropas e tanques, mas isso era omitido. (De fato, só 13 generais o haviam assinado.) Os três manifestos eram divulgados aos pedaços, como algo oriundo do "ouvir dizer", para evitar sanções disciplinares.

Se de nenhum deles conhecia-se a íntegra, apenas idéias esparsas, sabia-se porém que eram unânimes num ponto: pediam "a renúncia do Presidente da República". Só não era um *ultimatum* formal porque os três ministros militares e os comandantes principais e de peso no Exército nada haviam subscrito. Por isso, talvez, Getúlio não se sentia obrigado a nada, muito menos a tomar a iniciativa de aceitar uma imposição de baixo para cima sem resistência. Afinal, ele ainda era o comandante supremo das Forças Armadas. A crise militar, no entanto, estava na imprensa e, com o poder que a palavra escrita tinha na época, inundava as ruas. O dia 22 de agosto foi conturbado, com reuniões de política-militar e de militares-políticos, em que cada lado inventava intrigas para mostrar poder no próprio campo e lançar estilhaços no território alheio, num combate a campo aberto em que se admitiam todas as armas, mas não se disparava um tiro.

Tal qual na guerra convencional, quem atacava de surpresa levava vantagem. As ruas só prestavam atenção aos atacantes e Getúlio mandou que seu filho Maneco fosse, pessoalmente, levar a Samuel Wainer uma declaração para o jornal:

— Só morto sairei do Catete!

Essas cinco palavras, enxutas e diretas, eram o sinal de que ele resistiria, de que não aceitava a imposição da renúncia e de que também atacaria. Na manhã de 23 de agosto, a frase é a manchete da edição matutina da *Última Hora* carioca e paulista, repetida na edição vespertina, horas depois, já com as fotos dos sacos de areia protegendo as entradas do palácio, como barricadas.

A tensão do ambiente indica uma "saída militar", falta apenas saber para que lado, e a guerra se faz pelo telefone. E Alzirinha é a mais ativa nisso. Desde os dias iniciais da crise, a filha do Presidente funciona como uma espécie de assessor militar. Foi ela quem forçou a nomeação do brigadeiro Epaminondas dos Santos como ministro da Aeronáutica, só para desfeitear Eduardo Gomes, seu inimigo de farda. O gesto de pirraça custou caro: a lealdade de Epaminondas pouco serve, pois todos os postos-chave da Força Aérea estão nas mãos do seu adversário. Por isso talvez, quando ela assegura que o general Paquet, comandante da Vila Militar (a maior guarnição do Rio), se dispõe "a botar as tropas na rua" em defesa do Presidente, Getúlio se retrai: a lealdade de Alzirinha é a do amor filial, que pode enganar-se pela emoção. Além disso, a idade já o cansou para repetir 1930 e se expor a um confronto pelas armas, principalmente agora, quando já não sabe com exatidão as armas que tem.

Agora, as assíduas visitas dos generais leais mostravam, apenas, que alguns já preparavam a retirada (como o próprio ministro da Guerra, Zenóbio da Costa) e ele quis ouvir a opinião do ministério em pleno. Um velho hábito que vinha ainda de 1930 e que continuou nos anos em que tinha sido ditador durante o Estado Novo, e que agora, em democracia, devia pesar ainda mais. Com esse hábito de ouvir, ele costumava falar. A sua palavra tivera força, anos a fio, porque era a síntese e expressão do que diziam os demais. A sua própria decisão já estava tomada, mas ele queria ouvir o ministério e que cada um dissesse o que pensava.

A noite de 23 de agosto foi longa e varou a madrugada seguinte com encontros, telefonemas, rumores que fervilhavam, mensageiros que iam e vinham, ministros, generais e coronéis que entravam e saíam, intrigas que se espalhavam, lealdades que se dispersavam, até que por volta das 2:30 iniciou-se a reunião do ministério, concluída quase às 4 da manhã. O Presidente fez um intróito direto e rápido, lembrando que a investigação sobre o atentado se desenvolvia livremente e que o governo não tinha oposto nenhuma restrição ou limitação a que prosseguisse em forma normal:

— Nada, porém, pode sobrepor-se à Constituição e às leis, nem essa investigação nem qualquer outro ato. Não sairei da Constituição um milímetro sequer!

O Presidente insistiu em que opinassem, mas os ministros não ousaram sugerir nenhum caminho novo fora daqueles que a oposição havia semeado. O general Zenóbio da Costa disse que se dispunha "a resistir", se o Presidente ordenasse:

— Mas vai correr sangue, muito sangue! — e se esmerou em apontar dificuldades internas no Exército, quase todas inventadas na "República do Galeão" ou por ele próprio e seus conselheiros, que já haviam passado para o outro lado.

— Alguns exaltados sugerem, até, invadir o palácio e prender Vossa Excelência! — disse, relatando um detalhe de insubordinação gravíssima como se fosse uma corriqueira banalidade.

O general dava ao "Vossa Excelência" uma inflexão tão exageradamente servil que ele vislumbrou que aquilo não era lealdade. Era apenas um biombo para disfarçar outra coisa. Um biombo como aqueles dos prostíbulos de Porto Alegre ou do Rio, onde seus três filhos homens se haviam iniciado em "ser machos", e atrás do qual a prostituta se desnudava e se lavava numa bacia, por pudor (porque nada tinha a ver com aquele homem, fora o dinheiro!) ou para ocultar a barriga protuberante ou as varizes, antes de chegar à cama.

O ministro da Marinha, almirante Renato Guilhobel, deu uma alfinetada no ministro da Guerra, mas as suas palavras, ao recordarem a deposição de 1945, tinham, também, um tom melancólico de confissão:

— A sina do Presidente é ser traído pelos chefes militares!

O ministro da Fazenda, Osvaldo Aranha, que o acompanhava ainda desde antes de 1930, ofereceu-se para resistir "dentro deste palácio" se preciso. E o da Justiça e Interior, o jovem Tancredo Neves, pronunciou palavras similares. Como um todo, porém, os ministros nada sugeriram e se limitaram a aceitar o cerco das palavras de ordem da oposição. Por volta das 4 da madrugada, Getúlio encerrou a reunião e, num tom amortecido e absorto, lentamente disse:

— Já que os senhores ministros nada decidem, eu decidirei. Como se trata de uma crise nas Forças Armadas, determino aos ministros militares que mantenham a ordem e o respeito à Constituição. Respeitada a ordem, solicitarei uma licença até que sejam apuradas todas as responsabilidades. Não quero lutas nem derramamento de sangue, mas não sou um covarde: se os insubordinados optarem por impor a violência e tentarem chegar até o Catete, levarão apenas o meu cadáver.

Ele próprio tinha contornado a idéia da "renúncia" e pediria apenas uma "licença", até a conclusão do inquérito na "República do Galeão". Exausto e tristonho, foi dormir.

Já estava de pijama quando seu irmão Benjamin, bisbilhoteiro contumaz, entrou no quarto para contar-lhe da última novidade, que recolhera aquela noite mesmo, nas suas andanças habituais por *boîtes* e bares elegantes freqüentados por políticos, jornalistas, militares e empresários que bebiam *whisky*, conversavam e riam vendo os outros dançarem naquele Rio de Janeiro de vida noturna intensa.

— Um setor do Exército apóia a idéia da Aeronáutica de que a licença seja indefinida, e tu não voltarás à Presidência. O general Zenóbio já aceitou ser ministro do Café Filho! — disse de chofre, sentado à beira da cama do irmão.

E contou que recebera uma intimação para depor no Galeão "daqui a umas horas, esta tarde".

— E dizem que tu serás o próximo, logo que estiveres licenciado!

Cansado, Getúlio pediu que o deixasse dormir. E repetiu o mesmo, segundos depois, a Tancredo Neves, quando o ministro da Justiça quis mostrar-lhe o texto da nota sobre a reunião do ministério, informando da "licença do Presidente da República".

— Agora eu só quero dormir!

## 22

Benjamin, o "Bejo", e Tancredo saíram e Getúlio deitou-se. E o passado misturou-se como turbilhão em sua memória, nesses momentos em que o cansaço e a exaustão impediam o sono e ele passava a recordar como se sonhasse desperto.

Como uma esfinge egípcia em pedra, Gregório não lhe saía da cabeça. Nem na Revolução de 1930, quando percorreu de Porto Alegre ao Rio em trem, ele tinha tido uma guarda pessoal. Feito Presidente da República, a sua proteção estava nas mãos do Exército, até que em 1938, já no Estado Novo, o assalto dos integralistas ao palácio, em plena noite, fez com que todos se convencessem e o convencessem de que ele não poderia confiar nas Forças Armadas a esmo: o tenente chefe da guarda abriu o portão aos assaltantes e logo se transformou num deles. A partir daí, formou-se uma "guarda pessoal" com gente de confiança chefiada por Gregório, esse negro que tinha lutado com tanta audácia e coragem na Brigada Militar do Rio Grande do Sul, durante a rebelião paulista de 1932, que recebera a graduação honorífica de "tenente". No fundo — pensou Getúlio com ironia —, os integralistas tinham a culpa de tudo: devido a essa gente exótica que arremedava Hitler é que Gregório fora levado de São Borja para o Rio. Desde então, a sua segurança passava da não confiável guarda do Exército para os confiabilíssimos homens do negro Gregório.

Confiabilíssimo? E por que não? De olhos fechados, mas desperto, Getúlio recordou os segredos que Gregório guardava. Um deles tinha passado, até, à história da espionagem na II Guerra Mundial: a trama da alemã Ingeborg, a espiã nazista, apanhada em flagrante por Gregório em 1942, nos jardins do palácio, quando se comunicava com seus contactos. Essa loira jovem e bela era a nora do Presidente da República, mulher do seu filho Luthero, que dela se enamorou quando se especializava em medicina na Alemanha, mas, mesmo assim, tudo se fez público num pequeno círculo.

A espionagem, no entanto, era uma mentira e o único verdadeiro na trama é que Ingeborg era alemã e casada com Luthero, que era apaixonado por ela.

E ela? Ela nem tanto. Tinham uma filhinha, mas naqueles dias a bela Inge apaixonou-se por uma norte-americana que morava no Rio. E Luthero encontrou as amantes lésbicas em pleno caso de amor. Não "juntas na cama", como diziam alguns na invenção do exagero, mas numa intimidade suficiente para imediatamente romper o matrimônio e expulsá-la de casa. Mas a casa da nora estrangeira do Presidente era o Brasil, e ela saiu do país.

Não retornou à Alemanha, porém, e foi morar em Nova York, tranqüilamente. Os Estados Unidos (já em guerra contra Hitler) não admitiriam uma "espiã nazista", mas esse detalhe foi abafado pela versão tonitruante do "desmascaramento". Enquadrá-la numa situação política resumia um caso de Estado que soava menos destrutivo que a verdade íntima de um caso de amor com outra mulher. Naqueles momentos de um mundo envolvido em tramas bélicas e confabulações, preferia-se uma espiã a uma lésbica. Ser espiã era uma nódoa pública explicável. Ser lésbica, uma desonra familiar execrável e sem explicação.

O poder só admite ofensas ao poder de Estado. Nunca a galhofa pessoal ofensiva. O que diriam todos, nos idos de 1940, se soubessem que o filho do Presidente da República, casado com uma estrangeira, era "corno de uma mulher"? Não, nisso ele não tinha culpa! Pior teria sido o deboche ou o gracejo, mais destrutivos que a mais dura seriedade da tragédia.

Em frações de segundos, na escuridão do quarto, todo o passado de culpas ia e vinha pela memória de Getúlio, como uma ininterrupta fita de cinema. Até mesmo as culpas que não eram suas, mas que também eram suas. E, de permeio, Gregório — com seu corpanzil atlético — indo e vindo como um *piá de recados*, como aqueles meninos que, no Sul, servem de correio oral entre os vizinhos nas fazendas: por volta de 1940, em pleno Estado Novo, quando lhe disseram que o regime de prisão de Luís Carlos Prestes havia piorado e que o líder comunista corria o risco de "definhar", mandou Gregório indagar pessoalmente dos carcereiros, no presídio da Central de Polícia, sobre a saúde do detento e as ordens recebidas dos superiores. Podia ter perguntado ao major Felinto Müller, mas sabia que o chefe de Polícia — detentor do poder dos prontuários, dos interrogatórios e dos instrumentos de tortura — poderia enganá-lo e mentir, como lhe havia mentido antes, ao sonegar as informações sobre a gravidez de Olga Benario, mulher de Prestes, deportada para a Alemanha nazista por ser alemã. E, sete anos depois, morta por lá num campo de concentração, por ser comunista e judia.

Culpas? Sim, muitas, mas ele não se sentia "culpado" por essas culpas. Apenas responsável por elas. Isso, porém, já era muito, demasiado até, para quem não era um "super-homem", não o de Nietzsche, mas aquele das histórias em quadrinhos lidas pela meninada, mais simples e mais poderoso, pois tinha até o poder de voar.

Como saber, por exemplo, que o "avô Alcides", casado com a "avó Ilma", o incorruptível Alcides Almeida, lá de Bagé, preso na Casa de Correção em Porto Alegre só por ser comunista, fora metido numa barrica com água até as canelas, horas a fio, durante dias e noites, em 1940, numa silenciosa tortura sem marcas que lhe esfacelou os rins e, mais tarde, o matou de câncer? Dele, como lembrança, ficou apenas a aliança de casamento, posta hoje noutros dedos. (Ninguém lhe contou sobre isso naqueles anos e os que depois relataram tudo, ainda não haviam nascido neste amanhecer de 24 de agosto de 1954 em que ele quer dormir, mas só consegue pensar e recordar. E sentir-se culpado.)

## 23

O dia 28 de janeiro é sempre data de sol e luz no desabrochar pleno do verão, mas — na distância e na penumbra — Getúlio agora o recorda com dúvida. Nesse dia, em 1943, ele se reuniu com Franklin Delano Roosevelt, em Natal, e apostou tudo numa audaz jogada externa que fez o Brasil encontrar-se com o futuro: o Presidente dos Estados Unidos consolidou o compromisso de instalar uma grande usina siderúrgica em Volta Redonda, em retribuição à licença de manter bases militares norte-americanas no nordeste brasileiro durante a II Guerra Mundial. *(Sem elas, as tropas dos EUA e da Inglaterra nunca teriam podido desembarcar na África — e cortar o suprimento de petróleo dos nazistas — para de lá chegar à Itália. Sem uma grande siderurgia estatal, o Brasil jamais poderia participar da revolução industrial e o ferro do solo continuaria aço estrangeiro.)*

Conversam em francês, sem intérpretes, e Getúlio pede *deux ans*, dois anos, para a instalação total da siderúrgica. Roosevelt responde que "é impossível": toda a indústria dos EUA trabalha unicamente para a guerra.

O poder militar brasileiro está no território, mais do que nos soldados. E o poder de negociação também. Paciente, ele retruca que, no Brasil, o "esforço de guerra" custava a vida de milhares de seringueiros na Amazônia. Pelo menos 6 mil já haviam morrido de malária na selva inóspita e doentia, em um ano, só para enviar borracha para os EUA, e outros fatalmente morrerão nos tempos seguintes. A menção suaviza Roosevelt, que cede e se compromete a entregar tudo "em três anos, no máximo". A lembrança da morte emociona até na guerra. E, já nos dias seguintes, a fabricação da siderúrgica brasileira é a única atividade de paz desenvolvida pela indústria pesada dos EUA, naqueles anos em que Detroit não produziu nenhum automóvel, só tanques, pois a guerra era a única meta.

Ele sabe que essa vitória irá perdurar durante séculos, mas o inesquecível 28 de janeiro de sol e luz reaparece agora queimando como fogo, tingido de culpa, e a memória insone descobre como são irônicos os círculos da vida:

Ao chegar a Natal, Roosevelt saiu do imenso hidroavião carregado nos braços, como um boneco, ao qual sentaram com polidez num jipe militar, como uma criança. O homem mais poderoso das Américas é paralítico, não caminha. Salvou-se de morrer de poliomielite e ficou com a seqüela, mas é o estadista lúcido de um terrível mundo em guerra. Para estar com Roosevelt em Natal, Getúlio abandonou no Rio o filho de 24 anos doente de poliomielite, com febre de 41 graus, em coma inconsciente. Os médicos tinham advertido que Getulinho não sobreviveria. Ele não sabia, porém, enquanto viajava, que Getulinho iria recuperar a consciência e perguntar pelo pai, numa indagação interminável de longas horas, à qual só a ausência dava resposta.

Ninguém sabia onde ele estava. Nem sequer a sua mulher, dona Darcy, à beira do leito do filho. Nessa viagem duplamente secreta (Roosevelt vinha da África em guerra e ninguém o podia saber), só o embaixador dos EUA e o ministro da Guerra conheciam para onde ele ia e com quem iria encontrar-se. Ninguém mais? Sim, Gregório Fortunato também sabia, mas a lealdade pela lealdade o fazia incapaz de penetrar nos labirintos dos segredos de Estado: ao saber, nada sabia.

Getulinho, no entanto, naquelas horas finais de consciência plena antes da morte, procurou em vão pelo pai ausente. Ao voltar, o filho estava em coma profundo e já não pôde reconhecer o pai. E morreu no dia seguinte, já quando o paralítico Roosevelt, sobrevivente da doença, havia retornado a Washington.

Como pensar no triunfo do encontro de Natal, se a morte do filho o derrotara?

Como, porém, deixar de pensar nos Estados Unidos? Ao voltar ao governo em 1951, tudo estava preparado dentro do Exército para enviar um contingente de tropas para lutar ao lado dos norte-americanos na guerra da Coréia. Desde o final do governo Dutra, no início da "guerra fria", tinham começado a preparar oficiais e sargentos de dois batalhões com a doutrina do "perigo amarelo", ao qual se juntava o "perigo comunista" dos norte-coreanos e chineses. O general Estillac Leal teve de desmontar tudo isso, rápido e pacientemente, de uma só vez. Não íamos imitar a Colômbia, que mandou alguns batalhões e não voltou ninguém da Coréia. Já na Itália, na II Guerra Mundial, os EUA maltrataram os soldados brasileiros e usaram uma causa justa para um tratamento injusto.

Ele sempre desconfiou, e agora a certeza era absoluta: a Embaixada dos EUA tinha sido o núcleo das intrigas para tirar do Ministério da Guerra o general Estillac que, além de tudo, defendia o monopólio estatal do petróleo. O embaixador Herschel Johnson parecia homem correto, mas, quando o governo taxou a remessa dos lucros das empresas estrangeiras, pediu uma audiência sob o pretexto de mostrar a maquete da nova embaixada, toda em mármore branco, no centro do Rio, e se esqueceu da beleza do edifício e só se queixou e protestou. Ante o imperturbável silêncio de Getúlio, irritou-se e saiu da sala sem dar a mão ao Presidente.

Ele também se irritou. Sabia que no dia seguinte a imprensa contaria de tudo sem saber de nada. O jornal comunista ia dizer que "o entreguista Vargas" recebera ordens do embaixador e todos os outros falariam do encontro "longo, cordial e amistoso". Mesmo assim, conseguiu dissimular e sorrir.

Ao vê-lo, porém, ao anoitecer, Gregório perguntou se não queria um chá de laranjeira: era o único que havia notado a sua tensão e nervosismo.

## 24

Agora, ele já não quer saber de Herschel ou dos norte-americanos nem de Gregório ou de mais ninguém. Já sabe em que pensar e o que fazer. Antes, porém, na penumbra do quarto, quer descansar e dormir.

Usufruir daquele último prazer da vida, o dormir que nos libera de tudo, da angústia ou da culpa, da vaidade ou do sentir-se inferior. Quando entregou a carta a Jango, ou quando presenteou a caneta de ouro a Tancredo, já tinha decidido pelo suicídio. (Dias antes, havia perguntado a Luthero, que é médico, e soube o lugar exato do coração: dois dedos abaixo do mamilo esquerdo.) Se algo ainda faltava, a conclusão da reunião ministerial (sem conclusões, pois foi ele quem concluiu) solidificou-lhe a idéia, concretizou-lhe no íntimo o que ele já havia arquitetado ao longo dos últimos dias. Ou ao longo dos anos!

Quantas vezes pensou em suicídio! Todas as vezes em que se decidiu a lutar e, ao lutar, vislumbrou a possibilidade da derrota: em 1930, em 1932 ou até em 1937, quando terminou ditador. Chegou a desabafar tudo isso, e outros segredos mais, naquele "diário" manuscrito a lápis, que já nem sabe onde está, nem se o guardou ou se o perdeu.

Quando beijou-lhe o rosto a Alzirinha ou despediu-se de Luthero e Maneco, ou (tantos "ou" existiram naqueles rápidos-longos momentos) quando ouviu as bisbilhotices novidadeiras do irmão "Bejo" contadas ao pé da cama, Getúlio já tinha decidido. Não precisou de nada disso para disparar o revólver.

Antes de tudo, no entanto, quis descansar. Dormir. Não sairia acuado da Presidência. Muito menos sairia acuado da vida, enxotado como um cão cansado que se espanta do quintal. "Não sou covarde", tinha dito na reunião ministerial.

Mais importante do que demonstrar à nação ou aos outros, era provar a si mesmo que não era covarde. Por isso, quis dormir. Descansar, dormir e levantar-se e, aí sim, "sair da vida para entrar na História".

Mas ele é que iria dispor o momento e determinar a hora, descansadamente. Depois de dormir.

Às 8:25 da manhã ouviu-se o disparo. Era 24 de agosto de 1954.

## Capítulo III

# LOTT

## A MARCHA DA MANOBRA

### 1

O charuto exalava aquele perfume másculo e doce do melhor tabaco cubano mas a baforada era incômoda, ou até fétida para quem não fosse fumante. O comandante Fidel Castro, porém, não percebeu nada disso ou sequer se deu conta de que ali, naquele salão repleto, a baforada recorria o ar como uma nuvem, e, assim, continuou levando o charuto aos lábios nas pausas contínuas da conversa em que falava e falava sem jamais deixar de falar. Atento, o general Henrique Teixeira Lott ouvia e só o interrompia para uma nova pergunta, enquanto passava a mão de um lado a outro no ar, frente ao nariz, para espantar a fumaça.

Primeiro a esquerda, logo a direita e vice-versa, as mãos de Lott transformavam-se em leque naquela tarde de maio de 1959 em que ele, o todo-poderoso ministro da Guerra do governo brasileiro, recebia em seu gabinete, no Rio de Janeiro, o Primeiro-Ministro e comandante-em-chefe das Forças Armadas Revolucionárias de Cuba.

Cinco meses antes, no primeiro dia do ano novo, os guerrilheiros de Fidel tinham derrubado a mais tirânica ditadura do Caribe — onde os tubarões costumam infestar o mar e os ditadores o poder — e, agora, ele visitava a capital do Brasil. Por onde passasse, todos — mas todos mesmo — o recebiam como herói, símbolo vivo da luta pela liberdade. Qualquer lugar-comum que elogiasse seu passado recente e seu presente tinha sentido naquele momento em que as barbas dos guerrilheiros vitoriosos significavam muito mais que os compêndios de política ou de estratégia militar. Ele tinha estado em Washington, onde foi festejado e aplaudido pelos parlamentares norte-americanos no Capitólio e entrevistado ao vivo na TV, e, depois de assistir a uma conferência econômica interamericana em Buenos Aires, passava por São Paulo e o Rio.

E na capital do Brasil, no Palácio da Guerra, quartel-general do Exército, preocupado apenas consigo próprio, Fidel gesticula com o charuto na mão, sem saber nem perceber que a perfumada fumaça azul do melhor tabaco do mundo tem, para o seu anfitrião, o poder destrutivo daqueles furacões que devastam o Caribe. Lott nunca fumou, seu olfato é perceptivo e tão forte como ele próprio, que, desde o suicídio do Presidente Vargas em 1954, é a figura mais forte em poder em todas as esferas do poder no país. Mais poderoso do que o próprio Presidente Juscelino Kubitschek, nada usufrui do poder nem o exerce além dos limites estritos da sua função militar. "Nem sequer fuma", dizem dele, retratando sua austeridade.

Esses dois homens em uniforme verde-oliva são militares e dialogam sobre exércitos, mas a conversa é oblíqua, pois eles trilharam caminhos diferentes. Pelas armas, Lott chegou à política. Fidel, pela política, chegou às armas. Mas eles têm em comum o compromisso de terem usado as armas para assegurar a liberdade, cada qual no seu país e cada qual a seu modo — Lott no Brasil em novembro de 1955; Fidel em Cuba em janeiro de 1959. Assim, podem conversar à solta.

Lott pergunta laconicamente. Fidel responde em detalhes, como se abrisse uma enciclopédia sobre a revolução. Interessado no ensino, o ministro da Guerra, chefe do Exército do Brasil, indaga sobre as escolas militares em Cuba.

— Abolimos! Não há mais escolas militares em Cuba. Foram fechadas. Por que deixá-las abertas se nós derrotamos os que cursaram as academias militares? Eles perderam a guerra, o que demonstra que essas escolas não serviam para formar um exército nem para a guerra!

Charuto entre os dedos, Fidel faz uma pausa:

— *La mejor escuela militar es la acción*, a ação com o povo — arremata, enquanto Lott abana, aflito, a fumaça azul e perfumada.

Nessa mesma noite, esse homem que detesta fumaça de tabaco, general de um exército convencional, educado e instruído numa escola militar, diz à filha e confidente Edna que o encontro com Fidel "foi decepcionante":

— Ele é um falastrão orgulhoso e mal-educado!

## 2

Não foram só a baforada do charuto e a tese sobre a inutilidade das academias militares que irritaram Lott. Antes disso ele já tinha criticado os fuzilamentos em Cuba dos funcionários públicos corruptos e policiais torturadores, que tornaram "*el paredón*" um símbolo da própria revolução. Afinal, em 1955 ele havia chefiado um movimento militar não só para assegurar as liberdades e a democracia mas, talvez mais do que tudo, "para evitar derramamento de sangue e uma guerra civil no Brasil", como ele próprio gostava de sublinhar.

Que não lhe viessem falar em sangue, portanto, e muito menos aí nesse mesmo gabinete onde ele e o general Odílio Denys planejaram e decidiram no início daquela madrugada de 11 de novembro de 1955 o movimento que, em poucas horas, num golpe de surpresa, depôs o Presidente da República interino, que havia ocupado o poder exatamente para deflagrar um golpe de Estado.

E toda aquela gente, que antes urdia o golpe e tramava uma intervenção militar para impedir a posse do Presidente e do Vice-Presidente eleitos, travestia-se agora de democrata, falava em liberdades públicas e babava-se em homenagens a Fidel Castro. Lott não tinha como esquecer que o jornalista e deputado Carlos Lacerda, que em 1955 fora o principal oráculo civil do golpe de Estado no Brasil, agora abraçava o Primeiro-Ministro cubano e escrevia no seu jornal que "o herói de Sierra Maestra deu nova dimensão à história da luta pela liberdade nas Américas".

O *society* carioca, que idolatrava Lacerda e havia alimentado o golpe branco, também tinha corrido atrás de Fidel, a quem o advogado José Nabuco e sua mulher Maria do Carmo Mello Franco serviram caviar e lagosta num jantar íntimo que reuniu os seletos ricaços da UDN lacerdista. Toda essa gente da direita liberal que tinha sugerido uma ditadura no Brasil, talvez branda mas ditadura enfim, deleitava-se com Fidel, que havia derrubado a ditadura em Cuba.

O deleite durou menos de dois anos (até que Fidel proclamasse a "Cuba socialista", em abril de 1961), mas o general Lott não podia prever isso. Adivinho ele tinha sido anos antes, naqueles dias de outubro de 1955, em pleno governo do Presidente Café Filho, ao confirmar-se o resultado da eleição presidencial dando a vitória a Juscelino Kubitschek e João Goulart, candidatos da coligação getulista PSD-PTB, com apoio do Partido Comunista, proscrito e ilegal, mas atuante e decisivo. Num pleito com quatro candidatos (dos quais três eram de peso e disputavam arduamente o triunfo), Juscelino obteve 3.077.411 votos, ou 33,8% do total.[1] Como Vice-Presidente, Jango recebeu quase 600.000 votos a mais (votava-se separadamente), mas tampouco chegou à maioria absoluta, alcançando 39,5%.

Nem a Constituição vigente (de 1946) nem a legislação eleitoral exigiam a maioria absoluta, ou sequer a mencionavam, mas — como o fizera em 1950, na eleição de Getúlio — a UDN levantou a tese da ilegitimidade da vitória e foi além, começando a conspirar abertamente com o setor militar a ela vinculado para impedir a posse dos eleitos. O fantasma do getulismo e do autoritarismo do Estado Novo perseguia os udenistas, e, morto Getúlio, parecia-lhes incongruente e inadmissível que ele voltasse a governar, mesmo sendo um cadáver.

Ou quanto mais por ser um cadáver. E, agora, ainda com o agravante de ter o apoio eleitoral dos comunistas, proscritos e ilegais desde 1947.

## 3

É difícil saber quem começou a conspirar primeiro: se os militares pró-UDN ou se a UDN pró-militar. O certo, porém, é que, enquanto tudo se resumia à imprensa e ao Congresso (que naqueles anos tinha peso e era respeitado), tratava-se apenas do debate de uma tese que, mesmo destinada a arregimentar a opinião pública, não rompia a normalidade institucional: em último caso, o Supremo Tribunal de-

[1]O general Juarez Távora, da governista UDN e apoiado pelos socialistas e o PDC, obteve 28,7%, com 2.610.000 votos. Adhemar de Barros, ex-governador de São Paulo, um populista símbolo da corrupção e "dono" do PSP, teve 2.222.000 votos, 24,4%. À direita, Plínio Salgado, chefe da antiga Ação Integralista, com 714.000 votos, 7,9%. Houve 472.000 votos em branco (5,2%) e, anulados, 1.457.000 — quase a metade da votação de Juscelino —, por conterem, na cédula, o nome de Getúlio ou críticas aos políticos. A abstenção chegou a 39,7%.

cidiria. Se a discussão, no entanto, entrasse aos quartéis e sensibilizasse os comandos das Forças Armadas, deixava de ser uma tese e se transformava num golpe de Estado.

Naquela época, uma situação contraditória definia a ação das Forças Armadas: por um lado, os ministros militares eram os fiadores do processo democrático; por outro, os oficiais tomavam abertas posições políticas ou partidárias.

A legitimidade do poder assentava-se no poder militar que garantia a legalidade das instituições civis, mas a oficialidade era ideologicamente heterogênea, com claros antagonismos políticos. De um lado, a ampla franja dos nacionalistas, que incluía desde os pró-getulistas aos pró-comunistas. De outro, os liberais pró-UDN, gestados no combate ao Estado Novo getulista ou admiradores da política norte-americana e que, pouco a pouco, assumiram posturas de direita, em função da "guerra fria". Uma faixa neutra e menor, a dos *troupiers*, preocupados apenas com o quartel, ficava no meio, como algodão entre os cristais. As controvérsias internas em torno dos temas nacionais se dirimiam nos debates do Clube Militar, do Clube da Aeronáutica ou do Clube Naval e culminavam nas eleições de suas diretorias. A "guerra fria" e os preconceitos, no entanto, punham em vantagem os liberais simpáticos aos EUA, e era comum, nas três Forças Armadas, que os oficiais nacionalistas ou de esquerda respondessem a inquéritos internos ou sofressem "prisões disciplinares" por se engajarem em movimentos em defesa da soberania nacional.

Exatamente por ser "um homem da tropa", distante dos debates políticos, Lott fora escolhido ministro da Guerra no governo do Presidente Café Filho, logo após o suicídio de Getúlio, como solução para superar as feridas internas e apaziguar o Exército.

# 4

Para sustar a posse dos eleitos, os liberais pró-UDN organizaram-se na Cruzada Democrática, ativa e presente nos quartéis e nos jornais. No pólo oposto, os nacionalistas estruturaram o Movimento Militar Constitucionalista, em nome da defesa da democracia. Ao perceber que o debate sobre a maioria absoluta tinha se instalado na caserna e tomava o rumo da sublevação, Lott resolveu agir. Em termos políticos, quem governava e mandava no governo era a UDN: o deputado Carlos Lacerda insuflava e o ministro da Aeronáutica, brigadeiro Eduardo Gomes (derrotado nas eleições presidenciais de 1946 e 1950), assoprava as grandes decisões.

*(Mas como? Café Filho, o Presidente, não fora eleito como o Vice da chapa de Getúlio? Desde a crise política que desembocou no suicídio de Getúlio em agosto de 1954, havia ocorrido algo insólito e inédito: o Vice-Presidente João Café Filho, uma figura de esquerda, que em 1935 chegou a ser acusado de colaborar com os comunistas na sublevação do Exército em Natal, no Rio Grande do Norte, seu estado natal, tinha mudado de lado. Antes ainda de assumir a Presidência, integrou-se de fato à oposição da UDN e, logo, ao substituir o Presidente Vargas, governou com os udenistas. Com o melhor, talvez, que possuía a UDN, mas com o antigetulismo udenista.*

*Indicado pelo caudilho paulista Adhemar de Barros, "dono" do PSP, para compor a chapa presidencial numa aliança com Getúlio em 1950, Café Filho foi combatido e vetado pela então poderosa e hiperconservadora Liga Eleitoral Católica (LEC), que o chamava de "comunista e divorcista". Se a expressão "comunista" já queimava como o fogo do inferno naqueles inícios da "guerra fria", a pecha de "divorcista" significava a condenação definitiva naqueles tempos de uma Igreja quase-medieval, ainda não renovada pelo Concílio Vaticano II. Segundo a opinião de meia dúzia de improvisados teólogos eleitorais que brotaram aos quatro ventos, uma simbiose assim podia, inclusive, "levar direto à excomunhão". Ou seja, era coisa terrível, com participação direta do demônio!*

*Mesmo obtendo menos votos do que Getúlio numa época em que se votava separadamente para cada cargo, o Vice-Presidente só se elegeu pelo ostensivo apoio que lhe deu o candidato a Presidente. A eleição de Café Filho, em verdade, significou a primeira derrota eleitoral do conservadorismo de direita no Brasil.*

*Como Vice-Presidente, Café Filho portou-se com recato, mas, no final de julho de 1954, em plena crise política, mudou ostensivamente de lado e se uniu aos seus antigos e ferrenhos adversários, depois que Lacerda o convenceu a assumir o governo "numa eventual renúncia" de Getúlio. Foi a primeira troca de lado de um nome de projeção nacional na política do período republicano. Na época, trocar de lado era um escândalo que arriscava o autor à condenação do descrédito público.)*

## 5

A pregação pela "maioria absoluta" estava no auge dentro e fora dos quartéis quando o brigadeiro Eduardo Gomes — falando também pelo almirante Amorim do Vale, ministro da Marinha — sugeriu que Lott visitasse os juízes do Superior Tribunal Eleitoral "para fazê-los sentir que os ministros militares julgam que a tese da maioria absoluta deve ser observada pela Justiça Eleitoral".

— Isso desrespeitaria a independência da Justiça! — atalhou Lott, e, sem dar tempo à réplica, acrescentou: — O máximo que posso fazer é procurar os integrantes do Tribunal Eleitoral para dizer-lhes que os ministros militares acatarão e respeitarão integralmente o que a Justiça decidir sobre a maioria absoluta!

Era exatamente o oposto daquilo que o governo pretendia. O brigadeiro desconversou mas, desde então, o almirante Amorim do Vale fez-se inimigo de Lott, para quem tudo aquilo parecia terrível. Muito jovem ainda, Eduardo Gomes tornara-se um símbolo da liberdade e da democracia: era um dos três sobreviventes dos "18 do Forte de Copacabana", que em 1922 se rebelaram contra o governo de Arthur Bernardes (que só governava sob estado de sítio), numa gesta de desprendimento e sacrifício pessoal tão profundo que a pureza ou a ingenuidade de Lott não podia entender que houvesse mudado tanto e pensasse agora num golpe, mesmo um brando golpe branco. As ambições pessoais de poder tinham sepultado as idéias e enterrado o herói.

A posição do chefe do Exército fez gorar a estratégia do "golpe branco" (forçar a Justiça a impedir a posse do Presidente e Vice-Presidente eleitos), mas, ao mesmo tempo, exacerbou a investida dos que pregavam a necessidade de "uma intervenção militar", eufemismo que disfarçava o golpe de Estado no velho estilo. Pessoalmente, Lott havia sido o propulsor da instituição da "cédula única" na eleição presidencial como uma forma de "democratizar o pleito" e coibir os abusos do poder econômico, e tinha votado em Juarez Távora que, além de general, integrava o ministério de Café Filho: isso lhe dava ainda maior autoridade para assumir-se como "um soldado legalista e defensor da Constituição".

Assim, atuou frontalmente e mandou afastar das funções o general Alcides Etchegoyen por "conspirar em surdina". A punição desse militar de prestígio e um dos líderes da facção liberal de direita, causou mal-estar no governo, que passou a considerar "prioritária e urgente" a substituição do ministro da Guerra.

No entanto, como na fábula dos ratos que decidem amarrar um guizo no gato para que ele não os cace, não havia como chegar ao pescoço de Lott. Era impossível demiti-lo sem provocar uma devastação no Exército. Além disso, ele era respeitado em todas as áreas do Congresso pelo seu empenho em favor da "cédula única" na eleição presidencial, que só se concluiria, de fato, com a posse dos eleitos.

# 6

Uma sucessão rápida de fatos fortuitos ou acidentais levou ao desfecho inesperado da mobilização militar de 11 de novembro de 1955, totalmente insólita num país em que as armas tinham sido, sempre, o escudo da ditadura. O estopim da crise foi o enterro do general Canrobert Pereira da Costa — líder da facção militar-liberal, pró-udenista, mas velho amigo pessoal de Lott — a 1° de outubro, no Rio. Para evitar explorações políticas, o próprio ministro da Guerra faz a oração fúnebre em nome do Exército: um discurso comovido de camarada a camarada, de soldado a soldado, mas asséptico, sem qualquer conotação político-partidária, pronunciado sob chuva intensa. Logo após, num inesperado e longo discurso, o coronel Jurandir Bizarria Mamede exorta a "levar adiante os ideais" do líder morto, mobilizando as Forças Armadas para impedir a posse dos que, sem a maioria absoluta, pretendiam chegar ao governo "através de uma mentira democrática", com o apoio da minoria do eleitorado.

Mais do que a pregação, era a incitação pública à intervenção militar, numa quebra da hierarquia e da disciplina, minando a autoridade do ministro. Perplexo, Lott chega a pensar em dar-lhe "voz de prisão" ali mesmo, no Cemitério São João Baptista, mas desiste da idéia "para não perturbar ainda mais uma cerimônia já perturbada por um discurso político importuno e inadequado".[1]

Mamede é oficial do Exército, mas serve na Escola Superior de Guerra (ESG), comandada por um almirante e foco da conspiração. E aí começa a complicação disciplinar-burocrática. A ESG não depende do Exército, mas sim do Estado-Maior das Forças Armadas, cujo comandante — o brigadeiro Duncan, da Aeronáutica — diz a

[1]Entrevista de Lott a Otto Lara Rezende, revista *Manchete*, 19.11.1955.

Lott, no dia seguinte, que "não há razões" para punir o coronel. No Rio, São Paulo e todo o país, as palavras de Mamede ocupam os espaços dos jornais, do rádio e da ainda incipiente televisão, num desafio aberto ao ministro da Guerra, que nada pode fazer.

Em termos burocráticos, para puni-lo Lott necessita da autorização do Presidente da República, mas decide não importunar Café Filho no feriado do Dia de Finados, 2 de novembro, e esperar até a manhã seguinte. Quando, porém, na manhã de 3 de novembro, telefona ao Palácio do Catete para pedir uma audiência urgente, é informado de que Café Filho sofreu um "acidente cardiovascular" na madrugada e foi internado "em estado grave" no Hospital dos Servidores.

O que veio depois é conhecido: como substituto constitucional do Presidente da República, o presidente da Câmara dos Deputados, Carlos Luz, é empossado na chefia do governo. Ele é de Minas e do PSD, como Juscelino, mas não é do círculo íntimo do Presidente eleito e, talvez por isso, não despreza essa oferta do poder servido numa bandeja. Afinal de contas, o poder é o poder, e a ambição já transtornou até um anjo, como está na Bíblia, quanto mais um mortal pessedista mineiro.

Tudo foi feito para que Carlos Luz permaneça longos meses na Presidência, num "governo de transição" que, pouco a pouco, deverá encontrar a fórmula exata para o golpe branco. E os boatos sobre a substituição total do ministério, "para, de fato, substituir o ministro da Guerra", se entrecruzam e fervilham mais que o ambiente no gabinete presidencial, onde o visitante assíduo é Carlos Lacerda. Em cinco dias do novo governo, Lott está isolado num ambiente hostil em que o ministro da Marinha discute a gritos com ele no Palácio do Catete, e o ministro da Aeronáutica faz que não o vê.

Ao entardecer do dia 10 de novembro, o novo Presidente o convoca para uma audiência às 6 da tarde. Durante quase duas horas, Lott espera pacientemente na ante-sala, sem ser atendido, enquanto o Presidente recebe deputados e outros ministros. Ao ser finalmente recebido, Carlos Luz lhe diz que "não há nada a punir" no caso do discurso do coronel Mamede. É a desautorização pública e total do ministro da Guerra, sua desmoralização perante os comandados. De fato, a sua demissão. Lott compreende tudo de relance.

— A quem devo, então, entregar o cargo de ministro da Guerra? — pergunta, e o novo Presidente responde:

— Ao general Fiúza de Castro, que está na sala ao lado e quer assumir de imediato!

— Perfeito. Antes, porém, tenho que redigir o boletim de despedida e limpar as gavetas — retruca o demissionário Lott, que sugere marcar a transmissão do cargo para a tarde do dia seguinte, 11 de novembro, no Ministério da Guerra. O Presidente e o futuro novo ministro concordam.

Desse anoitecer até pouco depois da meia-noite, Lott é o ministro demissionário (ou demitido), mas quando, insone em casa, se propõe a redigir a derradeira ordem do dia, aceita os argumentos do general Odílio Denys e resolve executar os planos — prontos desde junho — de uma operação insólita e inusitada num exército latino-americano: a intervenção militar preventiva, um golpe no golpe, o contragolpe. Na madrugada de 11 de novembro, o Exército entra em prontidão em todo o país, e Lott descobre que está atrasado: a Aeronáutica e a Marinha já estão de prontidão desde as 19 horas do dia anterior (ou seja, desde o momento do seu encontro com o Presidente Carlos Luz), só que com objetivos opostos.

— Nossos adversários estão em vantagem! — exclamou-lhe Denys.

Mas os "envelopes secretos" com as ordens da operação (elaboradas por Denys) estão nas mãos dos comandantes de terra faz tempo, basta a instrução de que sejam abertos para, de imediato, passar à execução. Ao final da madrugada, antes ainda do raiar do dia, no mesmo momento em que os jornais saem à rua anunciando a demissão de Lott, as tropas de Lott patrulham as ruas da capital da República, cercam o palácio presidencial, a polícia do Distrito Federal e os principais edifícios públicos. Cedinho na manhã, quando os carros blindados avançam pela Avenida Rio Branco para postar-se junto ao Senado, o semáforo na esquina da Avenida Nilo Peçanha muda do verde para o vermelho, fechando a passagem, e o tanque da vanguarda pára de supetão, obedecendo ao sinal do trânsito.

É o primeiro sintoma do significado concreto da operação militar. Esse tanque que obedece ao sinal do trânsito é a metáfora perfeita do "Movimento de Retorno aos Quadros Constitucionais Vigentes": a operação militar se faz para cumprir a Constituição e as leis (ou até o código de posturas municipais), não para ultrapassá-las ou soterrá-las. A denominação, inclusive, soa estranha: "retornar ao vigente" podia parecer um paradoxo sem qualquer sentido, mas naquele momento definia uma realidade. A vigência da Constituição estava sob ameaça de ser soterrada pelas armas, e as próprias armas se encarregavam de fazer a realidade "retornar" à formalidade que vigorava como lei...

Os rebeldes são legalistas!

## 7

Ao meio-dia, quando a edição vespertina da *Última Hora* circula como porta-voz dos "rebeldes-legalistas", com as fotos dos tanques na rua e o texto do manifesto do Movimento de Retorno aos Quadros Constitucionais Vigentes, Lott controla totalmente a situação no Rio e em Minas. No entanto, um dos tripés operacionais, São Paulo, ainda é indefinido: o Presidente Carlos Luz, refugiado a bordo do cruzador Tamandaré, com alguns ministros, vários militares da Cruzada Democrática e o deputado Carlos Lacerda, navega rumo a Santos, onde pretende desembarcar para instalar o governo em São Paulo.

(A bordo, também, o comandante da esquadra naval, almirante Penna Boto, notório por ser o chefe supremo da Cruzada Brasileira Anticomunista, o mais extremista dos movimentos de direita. Como uma paródia do couraçado *Potemkin* na Rússia pré-revolucionária, a nau capitânia da esquadra brasileira concentra sublevados, só que o *Tamandaré* — transformado em núcleo da nova "ultradireita" — é um *Potemkin* às avessas).

Os 22 jatos Gloster Meteor do 1° Grupo de Aviação de Caça se transferem do Rio para São Paulo, onde já está o ministro da Aeronáutica, brigadeiro Eduardo Gomes, tentando obter o apoio do general Tasso Tinoco, seu primo, que lá comanda a 2ª Divisão de Infantaria, que se mantém silenciosa, ao contrário das demais unidades do Exército, já integradas a Lott. O governador paulista, Jânio Quadros, ligado à UDN, comprometeu-se a apoiar o governo deposto e em fuga. Deposto no Rio, porque em São Paulo a poderosa Força Pública (denominação da atual Polícia Militar estadual) começa a mobilizar-se para garantir a instalação do governo de Carlos Luz.

Quando o *Tamandaré* passa ao largo do Rio de Janeiro, rumo ao mar aberto, o general Correia Lima, comandante da Artilharia de Costa, cumpre as instruções e ordena que as baterias do Forte de Copacabana abram fogo. Lott, porém, atenua a ordem:

— Atirem primeiro só na linha-d'água!

O bombardeio faz a nave capitânia estremecer, num aviso de que o alvo é fácil. O *Tamandaré* se protege alinhando-se ao lado de um navio mercante italiano que navega no mesmo rumo e, assim, tapa o alvo. Os canhões do Forte de Copacabana silenciam, mas o aviso estava dado. O ministro da Marinha está no cais do Arsenal Naval, pronto para zarpar a bordo de outro cruzador, o *Barroso*, mas, ao ouvir o bombardeio dos canhões do forte, que ecoam por toda a cidade, decide não sair do ancoradouro na Baía de Guanabara.

É, no entanto, o indício, ou início, da guerra civil, do confronto entre as duas facções militares, que o grupo de Lott quis sempre evitar pairando acima delas. E, mais do que tudo, que ele pensava evitar com esse movimento "que sai temporariamente do quadro legal para afastar o Presidente, moralmente incapaz, e as autoridades militares favoráveis à solução ilegal". Disposto, porém, a seguir até o fim "mas também a evitar derramamento de sangue", Lott envia um mensageiro ao cardeal-arcebispo de São Paulo, dom Carlos Carmelo de Vasconcelos Motta, que está no Santuário de Aparecida, em peregrinação à Virgem.

"Mais como católico do que como militar", pede-lhe avisar ao governador Jânio Quadros que a resistência será sangrenta e inútil: os tanques do Exército têm ordens de "disparar" e estão com seus canhões apontados para a Base Aérea de Cumbica, onde o brigadeiro Eduardo Gomes instalou-se com seus caças a jato. A Força Pública paulista apoiará, assim, uma ação suicida.

Ao gabinete de Lott no nono piso do Palácio da Guerra, na Avenida Presidente Vargas, convergem parlamentares, dirigentes dos trabalhadores, jornalistas. Todos buscam saber qual o desdobramento da situação, mas o Movimento de Retorno aos Quadros Constitucionais Vigentes entrega a saída e a solução ao Congresso. O vice-presidente da Câmara de Deputados, o gaúcho Flores da Cunha, sugere que Lott se instale pessoalmente "por algumas horas no Palácio do Catete, símbolo do poder, já que, de facto, ocupa o poder", até que o Congresso encontre a solução legal e adequada.

O ministro recusa:

— Não ofenda a minha espada de soldado; não busco nem quero o poder — diz irritado e pede que o deputado não insista.

— E, se insistir, mandarei prendê-lo por incitação ao golpe! — completa, carrancudo.

## 8

Remanescente da Revolução de 1930, Flores da Cunha é deputado pela UDN, mas da facção antilacerdista, distanciado da tese da "maioria absoluta", e ao presidir as sessões da Câmara Federal torna-se elemento decisivo para encontrar a solução que a urgência dos fatos exige: votar o "impedimento" de Carlos Luz como ocupante da Presidência da República e convocar o substituto indicado pela Constituição.

Na tarde de 11 de novembro, quando no Rio o Congresso dá posse na chefia do Governo ao senador Nereu Ramos, presidente do Senado, em São Paulo as tropas do general Falconieri da Cunha (por ordem de Lott) já há horas cercam a Base Aérea de Cumbica e ocupam o porto de Santos. O governador Jânio Quadros recua e silencia. O cruzador *Tamandaré* nem sequer pode atracar e fica ao largo para, logo, empreender a viagem de volta à capital da República, onde seus ocupantes e tripulantes desembarcam sob escolta, a 13 de novembro, após dois dias de navegação.

(Carlos Luz vai para casa, os militares ficam sob vigilância e Carlos Lacerda se refugia em Copacabana, na Embaixada de Cuba, então sob a ditadura de Fulgencio Batista. Lá, sob o temor de ser preso pelos soldados de Lott, esconde-se numa caixa-d'água seca, na qual permanece dois ou três dias, até viajar para os Estados Unidos.)

Estavam concluídas as operações do Movimento de Retorno aos Quadros Constitucionais Vigentes. Num continente onde os golpes militares brotam como cogumelos na relva após a chuva, um general de 60 anos de idade tinha invertido a ordem dos fatores, colocando o poder civil antes das armas e fazendo das armas apenas um suporte formal do poder. Pela primeira vez na História, um general havia comandado uma intervenção militar para fazer abortar um golpe de Estado, restaurar a Constituição e garantir a decisão do povo nas urnas. Pela primeira vez, um golpe de Estado em favor da democracia — algo insólito, contraditório e paradoxal, mas inteiramente verdadeiro.

No novo ministério do Presidente Nereu Ramos, o ministro da Guerra, chefe do Exército, continua a ser o general Henrique Baptista Duffles Teixeira Lott. Assim mesmo, com o nome escrito por extenso, quase como um dodecassílabo perfeito.

*(A vida de cada qual parece mover-se em círculos concêntricos, que nos aprisionam, fazendo com que tudo se repita ao longo dos anos, mesmo que tudo pareça ter mudado ou se assemelhe a ser diferente. O comandante do* "Potemkin *às avessas", capitão-de-mar-e-guerra Sílvio Heck, anos depois, em 1961, já como almirante e ministro da Marinha, foi um dos três chefes militares a vetar a posse de João Goulart na Presidência, por considerá-lo "comunista". E, entre os militares a bordo do* Tamandaré, *além de Mamede e outros mais, estava o major Dickson Grael, o mesmo que em setembro de 1969, em plena ditadura militar, como coronel, dará cobertura ao grupo de pára-quedistas do Exército que, no Rio, tenta seqüestrar e matar os 15 presos políticos trocados pelo embaixador dos Estados Unidos, entre os quais eu me encontrava.)*

## 9

Na data prevista, 31 de janeiro de 1956, Nereu Ramos entrega o poder a Juscelino Kubitschek, que mantém Lott no Ministério da Guerra. Ele é, em verdade, o homem mais poderoso do país, o único que permaneceu ministro sob quatro diferentes presidentes — Café Filho, Carlos Luz, Nereu Ramos e JK —, mas não intervém em nenhuma decisão administrativa ou política, nem sequer tenta influir sobre o Chefe do Governo ou qualquer ministro. Muito menos busca para si qualquer privilégio. Num momento em que a política já é uma rede para amealhar vantagens e grandes fortunas, ele se porta como um asceta.

Desde moço ele tinha sido assim, "um Caxias", austero e rígido. Jovem capitão, comandava uma companhia no quartel quando a doença repentina da esposa impediu a sua participação numa marcha de 15 quilômetros mato adentro, marcha mesmo, a pé obviamente, finalização das manobras de fim de ano. Para não abandonar a esposa e não perder a manobra, ele resolveu fazer a marcha indo e vindo no comprido quintal da sua casa, mochila às costas e arma a tiracolo, acompanhado do sargento ajudante. Mediu o pátio e calculou quantos milhares de vezes teriam de ir e vir para completar a quilometragem. E assim o fizeram. Meia hora depois, porém, percebeu que ambos haviam esquecido as baionetas das carabinas na sala da casa.

— Vamos buscar! — disse ao sargento, que saiu correndo e, em seguida, apareceu com as baionetas e entregou-lhe uma delas.

— Nada disso — explicou Lott —, só nos lembramos quando já tínhamos feito dois quilômetros de marcha, e, assim, temos de voltar outros dois quilômetros indo até a casa e mais dois quilômetros de retorno para, de novo, estarmos no mesmo lugar em que estamos agora!

E ele próprio começou a ir e vir para dar o exemplo ao espantado sargento, que não teve outra alternativa senão imitá-lo.

Para Lott, quilometragem era quilometragem.

## 10

Naquelas décadas em que "comunismo" ou "anticomunismo" marcavam a política ou dividiam posições, e tudo se definia em ser "a favor dos vermelhos" ou "contra os vermelhos", Lott era vermelho apenas no corado do rosto que contrastava com os atentos olhos azuis. Católico *a la antiga*, tinha "horror ao comunismo" mas não discriminava os comunistas: discordava deles com dureza e até em público, mas era capaz de aceitá-los.

Candidato a Presidente da República em 1960 pela coligação governista PSD-PTB, o proscrito Partido Comunista o apoiou e foi um dos sustentáculos dinâmicos da sua campanha, mesmo com as diárias imprecações públicas de Lott "contra o horror do comunismo". Na renúncia de Jânio em 1961, Lott foi preso na Fortaleza de Santa Cruz por manifestar-se a favor da posse do Vice-Presidente João Goulart, "um perigoso comunista", segundo os ministros militares. E em 1964, quando a direita civil-militar derrubou Jango em nome do "combate ao comunismo", Lott ficou contra o golpe "anticomunista".

Nos dez anos em que permaneci no exílio durante a ditadura, quase nada soube dele. Ao retornar ao Brasil com a anistia política em dezembro de 1979, porém, o seu nome aparecia à cabeça duma história fantástica, repetida aos sussurros e contada em minúcias:

Ao saber que seu neto Nelson, membro da resistência à ditadura, tinha sido preso e torturado quase à morte, Lott vestiu a velha farda de general, armou-se com "a pistola regulamentar" e foi ao quartel da Polícia do Exército, na Rua Barão de Mesquita, no Rio. Lá, abordou o major torturador-chefe, o chamou de "indigno de envergar a farda" e deu-lhe um tiro, na frente da oficialidade. O torturador teria morrido no ato.

Recolocou a pistola no coldre e retirou-se do quartel sem que ninguém se animasse a interromper-lhe o passo. Para evitar revelar a dimensão da tortura às próprias Forças Armadas, o caso teria sido abafado.

A história — que nunca comprovei e que tampouco jamais foi desmentida — pode soar como inverossímil ou parecer absurda, mas está totalmente ajustada à visão ética do protagonista, sua intrínseca honestidade ou rude pureza do sentido de justiça, acima das ideologias ou dos fanatismos. E que nada poderia soterrar.

Em Lott, a aparente contradição exterior era, apenas, uma forma de respeitar o poder pelo respeito que o poder exerce. Sem nenhuma outra marcha nem manobra.

Capítulo IV

# JUSCELINO

## A CADERNETA PRETA

### 1

O sonho maior da utopia fantástica de Juscelino Kubitschek para ele próprio jamais se realizou. Mas ele o sonhou e a fantasia onírica pesa nos fatos, razões e motivos que o levaram a edificar Brasília.

Meados dos anos 50, ou mais exatamente abril de 1956, quando o Rio de Janeiro era ainda a Cidade Maravilhosa e capital da República: recém-empossado na Presidência, Juscelino sobrevoou o Planalto Central, viu o cerrado imenso, vegetação baixa, paupérrima, pedregulhosa, com aspectos semi-áridos. Mas, que importava isso para ele, que pouco ou nada sabia de solos? Naquele perder de vista do planalto de Goiás, antes de sonhar e ver Brasília, JK vislumbrou a ponte. Que lindo ter aí uma ponte, com seu arco pênsil imenso agarrando a estrutura!

— Vamos fazer uma ponte! — disse ele da janelinha do avião. "Se for possível, duas", arrematou.

Voava-se baixo, e os aviões de então, aqueles rapidíssimos bimotores DC-3, em verdade eram lentos, e nessa lentidão podiam fazer círculos e elipses para que todos vissem a maravilha que ele estava vendo. Uma ponte no cerrado cru e, mais do que uma, duas pontes majestosas. Todos se assomaram às janelinhas do avião, alguns ficaram de pé, no corredor, junto dele, vendo a terra lá embaixo, ou fazendo que a viam, pois era o mesmo: bastava que Juscelino visse e estava tudo visto. Quem iria dizer que não tinha enxergado o que ele havia visto?

Uma ponte. "Se for possível, duas."

Os engenheiros e arquitetos, urbanistas e ministros, deputados e senadores, os áulicos ajudantes-de-ordens estranharam a idéia do Presidente, mas não ousaram questioná-lo. Como discordar ou sequer indagar daquele homem de quem todos dependiam e que sonhava só pelo poder de sonhar, com a megalomania do absurdo e o absurdo da megalomania tão perfeitamente ajustados que era como se o Éden caísse do céu?

Oscar Niemeyer não estava no vôo, pois tinha horror a avião e nunca andava pelos ares, e, assim, não havia ninguém com capacidade, franqueza, honestidade ou coragem para discordar do chefe e ser por ele ouvido ou acatado.

Um dos presentes, no entanto, franzino e jovem (e que não era nada no grupo, apenas um estudante convidado a desfrutar de tanta beleza), iniciante na vida e sem saber que tudo se permite ao chefe, pôs em dúvida o que ouvia. Olhou de novo lá no solo aquela imensidão de terra árida e decidiu-se a tentar discordar.

Timidamente, perguntou:

— Ponte? Mas que ponte, se aí não há rio, enseada ou baía? Uma ponte no seco? Uma ponte nesse mato ralo que nem mato é? Que milagre é esse, Presidente?

Como se o seu anjo da guarda houvesse descido com o lampejo dos gênios, Juscelino sorriu — com aquele sorriso que derrubava tristezas e suplantava dúvidas — e logo explicou, sério, entre pausas de quem pensa para dizer e sabe o que diz:

— Se não há rio, construiremos um lago e sobre ele edificaremos as pontes!

A todos pareceu que o Apóstolo Pedro estava ali e que a cena, no fundo, repetia aquela de 2.000 anos atrás em que Cristo lhe disse: "...e sobre esta pedra edificarei a minha Igreja".

E o lago foi feito. Represaram-se os riachos, todas as águas correram para um mesmo lugar. Os pequenos arroios cresceram, inundaram as partes baixas e, pouco a pouco, o córrego de Paranoá transformou-se no lago que hoje circunda Brasília. No início da cidade, os detratores de JK, para explicar esse lago artificial, costumavam ironizar dizendo que a água fora trazida (ou levada) de avião de Belo Horizonte, Rio e São Paulo, os núcleos provedores da futura capital, em intermináveis viagens, dia e noite, noite e dia. E o povo simples que construía a cidade contava histórias da "água vinda de avião", mas sem ironia nem sarcasmo, aceitando de boa-fé a invencionice e acreditando nela. Aquela água na secura do cerrado, tanta água assim, só podia vir do céu. E como não chovia, "só mesmo vinda de aeroplano"!

Mentira. "Intriga da oposição." Só o cimento, os tijolos, a argamassa, tratores, enxadas, picaretas e pás haviam sido enviadas por avião. O resto chegou por terra. A água, pelos córregos. Os trabalhadores, do Nordeste ou de Goiás, aos solavancos naqueles caminhões "paus-de-arara" pelas estradas esburacadas e poeirentas que, em tempo seco, manchavam o céu de marrom e eles próprios de um vermelho-escuro enegrecido. (Com essa cor eles chegavam à futura nova capital. A mesma cor que, mais tarde, a pá dos tratores esparramava como micropó pela cidade em construção e impregnava primeiro a pele e, depois, ia tingir-lhes definitivamente os pulmões e calafetar a alma.)

A 21 de abril de 1960, o Presidente Juscelino Kubitschek inaugurou a nova capital, mas não teve tempo de construir a ponte, levantada anos depois, quando outra gente — e gente fardada — tomou o poder.

Depois, passaram a ser duas as pontes. Uma, a do sonho de JK. Outra, a dos militares da ditadura, que não iam ficar atrás. E, em megalomania, foram muito adiante até!

(Muda o século e, em 2002, volto a Brasília e vislumbro a terceira ponte como um esqueleto branco ligando as margens do lago artificial, que já ninguém recorda ou sabe que é artificial e mais parece um acidente da natureza superado pela estrutura da novíssima travessia de cimento armado. Bela, mesmo não tendo brotado das mãos de Oscar, hoje lá está a terceira ponte, que nem Juscelino chegou a sonhar naquele lugar de pura terra de cerrado puro.)

## 2

O gênio da aparência, do sorriso itinerante e da simpatia, eis o que me ficou, como síntese, de um dos tantos rostos de Juscelino Kubitschek de Oliveira. Se dependesse dele, no entanto, talvez o seu nome paterno fosse Liveira, sem aquele inoportuno "O" inicial, para que ele pudesse ter sido JKL, uma seqüência tríplice do alfabeto, ainda mais altissonante que aquele simples "JK" com que se fez conhecido.

Nos seus anos na Presidência da República, o povo o chamava de "pé-de-valsa", numa ironia e numa terna intimidade, pois de fato onde houvesse música lá estava Juscelino para dançar e dançar. E, se houvesse mulher bonita, dançava ainda mais e com cada uma bailava como um bom-moço de Diamantina. (Já era casado e, mais ainda, já era Presidente quando, no final de 1957, dançou no Rio à vista de todos e, numa dessas danças, encontrou o seu grande amor e descobriu a paixão tranqüila e total da vida adulta.)

Mas, muito antes disso, por onde passasse, mesmo sem banda havia música.

Nos anos 1950, quando governador de Minas Gerais, ele reinaugurou um velho hábito posto em prática muito antes como prefeito (nomeado por Benedito Valadares, que fora nomeado por Getúlio) de Belo Horizonte: visitar nos fins de semana a periferia da capital estadual e as zonas pobres das cidades do interior. As visitas eram rápidas mas inesquecíveis para aquela gente humilde que nunca havia se aproximado de "uma autoridade" e que rodeava o governador em plena rua e aí lhe fazia pedidos ou pequenas queixas.

— Com calma! Vamos com calma que eu vou anotar tudo isso! — dizia Juscelino, pondo ordem na multidão de homens andrajosos e mulheres desdentadas com filhos ao colo, que pediam água encanada, vaga na escola, trabalho, luz elétrica, "a tapação" do buraco na rua, telhas para cobrir a casa, remédios, sempre muitos e muitos remédios, ou "uma ajudazinha" para o enxoval da filha que ia casar-se.

— Anote aí, Dr. Penido, o nome completo dessa senhora e tudo o que ela quer. Fale alto e devagarinho, minha senhora... — dizia, apontando para o chefe da Casa Civil, Osvaldo Penido, que o acompanhava e tudo anotava numa caderneta preta.

Logo, sorridente, abraçava a cada um, adultos ou crianças, e deixava o vilarejo acenando para o povo que o aplaudia como um anjo salvador descido diretamente dos céus naquela visita inesquecível.

Todos os sábados, antes de saírem do Palácio da Liberdade para as visitas, Juscelino lembrava em voz alta e solenemente, à vista dos demais auxiliares:

— Dr. Penido, não se esqueça da caderneta que hoje vamos ter povo!

Ao fim do quinto mês, o chefe da Casa Civil, ao despachar com o governador, explicou-lhe que a caderneta estava cheia, com todas as folhas preenchidas, e perguntou:

— E agora, o que eu faço?

— Uai, joga fora e compra outra! — respondeu impassível.

## 3

Conheci esse episódio através de Francisco Brochado da Rocha, que o ouvira do próprio Penido, na frente de Juscelino, ao som de uma cascata de gargalhadas com que o antigo chefe da Casa Civil do Governo de Minas demonstrava a astúcia e habilidade política do homem que, pouco depois, chegaria à Presidência da República e construiria Brasília. Brochado da Rocha (que em 1962, no regime parlamentarista, foi Primeiro-Ministro) era do PSD, como Juscelino, e o admirava e respeitava, mas tinha um estilo tão puro, correto e direto que, às vezes, tudo nele parecia ingênuo, incompatível com as matreirices da política.

Como Consultor-geral da República, no final de 1955, Brochado fora um dos artífices jurídicos do *impedimento* de Café Filho (e, por extensão, da posse de Juscelino na Presidência, questionada pela oposicionista UDN no Congresso e por um setor militar nos quartéis) e esse pequeno episódio que ele me relatou tinha, no fundo, o peso de uma confissão sobre os equívocos que povoam a política e vestem os políticos.

A caderneta era, em si mesma, toda uma metáfora sobre a arte política de ser hábil.

Ou sobre o engodo e o engano?

# 4

Juscelino era um contemporizador nato, ávido na busca de aliados. Nisso, parecia-se ao seu Vice-Presidente, João Goulart, mas no início a relação entre ambos foi tortuosa. Ao se votar em separado para cada cargo, como ocorria naquele tempo, Jango acabou recebendo quase 600 mil votos a mais que o cabeça-de-chapa, e isso, por si só, estabeleceu um descompasso: o Vice (cuja única função era presidir o Senado) passava a ter mais peso eleitoral que o Presidente, gerando inevitáveis ciúmes e incidindo de forma direta na relação entre ambos. Já logo após a diplomação, antes de assumir, JK isolou o Vice-Presidente e o distanciou de qualquer decisão política, incluída a indicação dos nomes *trabalhistas* para compor o ministério.

A reação de Jango foi pacífica e silenciosa — recolheu-se à sua fazenda no Rio Grande do Sul e não procurou o Presidente eleito — mas surtiu efeitos. No governo, de imediato Juscelino compreendeu que não se sustentaria sem o apoio do PTB. Além disso, o paulatino exercício do fausto da Presidência da República firmou e fortaleceu o ego e lhe amenizou os ciúmes. No final do segundo mês, começou a estabelecer-se entre ambos (e entre os dois partidos) um *modus vivendi* que, mesmo com altos e baixos, logrou manter-se até o final do governo.

Já no início de junho de 1956, no quarto mês de governo, o Presidente e o Vice estavam tão próximos um do outro que não duvidavam em dividir mocinhas duvidosas pelas *suites* do "anexo" do Copacabana Palace. No quarto pavimento Juscelino tinha uma *suite* permanente, e Jango, no segundo. Obviamente, nenhum deles morava lá e cada um chegava de lugares diferentes ou de formas distintas. O Presidente vinha do Palácio do Catete, ou das Laranjeiras, de carro, discretamente, sem proteção de batedores policiais. Jango nunca teve batedores e quase sempre chegava a pé, pois morava ali ao lado, no Edifício Chopin, na Avenida Atlântica.

Não era essa, no entanto, a única vantagem do Vice-Presidente quando se tratava de assuntos femininos, nesse governo em que o Presidente postergava até mesmo uma inauguração — seu deleite especial — para dar prioridade a um assunto de rabo-de-saia. Juscelino tinha vivido no Rio como deputado, mas já casado com dona Sarah e sob "a sua vigilância ostensiva", como ele próprio, em gargalhadas, dizia aos amigos, enquanto Jango conhecia esses segredos da cidade ainda com a liberdade dos tempos de solteiro. A par do governo, ambos compartilhavam o mesmo círculo de mocinhas fáceis. Algumas, no início, recrutadas no "teatro rebolado" (mais desinibidas que as meninas-recrutas e sem rebolado que os amigos lhe arranjavam em Belo Horizonte), outras que o experiente Vice-Presidente lhe apresentou mais tarde, quando os dois chegaram à intimidade de exteriorizar gostos e interesses que iam além dos votos. Com o exercício do poder, a situação inverteu-se e JK é que passou a se interessar em que não faltassem mocinhas à disposição do seu Vice-Presidente.

Todas eram prostitutas pela metade, jovens das classes modestas que se extasiavam pelo *status* de jantar e dormir no elegantíssimo "Copa" e receber, ainda, uma polpuda gratificação em dinheiro, além de gratificar-se em si mesmas por conhecerem as cuecas dos donos da República e suas barriguinhas à mostra. Ainda não se conhecia a expressão "garota de programa", e elas estavam restritas, apenas, ao círculo alto da política ou do empresariado, onde eram chamadas pelos nomes reais.

Dessa época de esplendor e arte femininas vem uma disputa que se tornou constante e perene na política dos anos seguintes e, mais tarde, tomou a forma ostensiva de enfrentamento entre "direita" e "esquerda", mas cuja origem concreta foi outra.

Alguns grupos de mocinhas tinham sido levadas ao Presidente pelo líder da bancada do PSD na Câmara dos Deputados, Armando Falcão, do Ceará mas com longa experiência no Rio, onde fora aquinhoado com a sinecura de um cartório do registro de imóveis. Ultraconservador em tudo, talvez por tomar amor e sexo como coisas subalternas e desprezíveis, Falcão costumava arrebanhar meninas pobres dos subúrbios — chamativas, carnudas, grandes de ancas e peitos, "boas" e semi-analfabetas — para entregá-las aos prazeres do círculo palaciano. Depois, conseguia uma "autorização" ou "ordem expressa" do Presidente para nomeá-las no cobiçado e altamente remunerado cargo de "tesoureiro" em algum dos institutos de previdência social. De cambulhada, cada uma delas fazia-se acompanhar da família inteira: pais, irmãs e irmãos, primos ou cunhados, todos contemplados com a regalia maior da época — "tesoureiro" num órgão federal.

O harém inventado por Armando Falcão, desfrutado pelo universo palaciano e alimentado a caviar pelo Estado, só podia prosperar.

Prosperou tanto que os diretores dos institutos de aposentadoria e pensões[1], todos *trabalhistas*, queixaram-se a Jango da enxurrada de nomeações determinadas diretamente pelo Presidente da República. Não se queixavam do baixo nível de instrução dos nomeados, mas por "ferir o acordo PSD-PTB", pois as designações se concretizavam sem a audiência prévia dos *trabalhistas*... O Vice-Presidente levou a queixa a Juscelino que, num deslize insólito para a astúcia mineira, explicou que as "indicações" vinham de Armando Falcão. E, paralelamente, repreendeu o próprio Falcão, que desde então passou a nutrir um sentimento de rancor progressivo contra João Goulart, a quem chamava de "comunista rico e reles" e "chefe da quadrilha sindical".

[1]A Previdência Social era formada por diferentes "institutos de aposentadoria e pensões", de acordo ao setor profissional: industriários, comerciários, bancários, marítimos, ferroviários, servidores públicos etc. A unificação ocorreu na ditadura, após 1964.

Mais tarde ministro da Justiça de Juscelino, Falcão foi duro e repressivo contra trabalhadores e estudantes, que ele via como simples guardiões dos "antros do comunismo" — os sindicatos e as universidades. Em 1964, foi um dos articuladores civis do golpe militar direitista que derrubou o governo Goulart, contra quem exteriorizava um rancor minucioso e vingativo de fera ferida. (Anos depois, na ditadura, Falcão voltou ao Ministério da Justiça.)

## 5

A visão pessoal conciliadora de Juscelino e Jango talvez explique a relação estável entre ambos. Ao final dos cinco anos de mandato, a aliança do PSD com o PTB permanecia apesar das controvérsias e das diferenças surgidas a partir da composição do eleitorado desses partidos. Ou da pressão que as massas urbanas mais pobres, aglomeradas no *trabalhismo*, exerciam sobre o conservadorismo *pessedista*, onde latifundiários e industriais se agrupavam com o funcionalismo público vindo ainda do Estado Novo *getulista*.

Ao longo do tempo, ambos passaram a compartilhar o quotidiano da administração, cada qual com sua área de influência. Juscelino mandava em tudo, mas repartia o poder nas áreas dos *trabalhistas* de Jango Goulart, que dominavam dois ministérios, o da Agricultura e o do Trabalho, Indústria e Comércio. Este último abrangia aquela imensidão que, desde os tempos de Getúlio Vargas, era conhecida como "as relações entre capital e trabalho", e incluía o comércio exterior.

Nessa divisão, a área produtiva (diretamente relacionada com o "Plano de Metas" e a política "desenvolvimentista" dos anos JK) e a dinâmica do país poderiam passar às mãos de Jango. O acordo PSD-PTB assim o previa e Juscelino o cumpriu. Mas só formalmente, pois escolheu os ministros *trabalhistas* por conta própria: no Ministério do Trabalho, Indústria e Comércio colocou o cearense Parsifal Barroso, ligado ao alto clero conservador e distanciado do Vice-Presidente. Na Agricultura, pôs o general Ernesto Dornelles, que — unicamente por ser primo de Getúlio — fora governador do Rio Grande do Sul, mas era seu amigo dos idos de 1930 em Minas Gerais, onde nascera a esposa e onde tinha morado mais tempo do que na terra natal.

Os passos do dia-a-dia resolveram o quase impasse a favor do Presidente. Publicamente, um era a antítese do outro. Austero e recatado, Jango não se exibia, aparecia pouco e se dizia que ia mais a *boîtes* do que a palácio, para que não soubessem que ele era Vice-Presidente. No pólo oposto, Juscelino exteriorizava todo o poder e autoridade, até mesmo a que não exercia individualmente, com a pompa que o próprio poder facilita. Ou até exige. Num país em que os de cima e os de baixo — dominadores e dominados — costumam deslumbrar-se com a solenidade e o fausto, esse estilo acabou por transformá-lo no centro único das decisões.

Além disso, JK manejava as áreas do seu "Plano de Metas" (como a implantação da indústria automobilística) através dos "grupos executivos de trabalho", em verdade superministérios sem burocracia e com plenos poderes, que dependiam diretamente do Presidente, tal qual a Novacap, a empresa pública formada para construir Brasília.

A rotina da própria "sociedade civil" acabou por demarcar claramente o poder de cada um. O setor patronal entendia-se diretamente com Juscelino, até porque o Chefe do Governo era ele, para só depois chegar aos ministros *trabalhistas*. Os sindicatos de trabalhadores entendiam-se com o Vice-Presidente, que servia de intermediário no caso de necessidade da intervenção presidencial.

Essa aparente dicotomia transformou-se, de fato, numa complementação mútua.

# 6

O poder efetivo concentrava-se no Ministério da Fazenda e no Banco do Brasil (com parte das atuais funções do Banco Central), e aí tudo era da alçada exclusiva de Juscelino, sem interferências partidárias. O ministro da Fazenda pertencia obviamente ao PSD, mas era indicação pessoal do Presidente da República, nunca do partido. Seu lema de governo — "50 anos em 5" — pressupunha um dinamismo de obras públicas que exigia um ministro da Fazenda dócil, disposto a emitir moeda sempre que necessário, todos os dias e a cada hora, para tapar os buracos do orçamento sem preocupar-se com o significado da inflação.

Casado com sua prima (e, assim, parente, além de velho amigo), seu ex-ministro da Fazenda e *alter ego* político, José Maria Alkmin, confessou certa vez em Brasília, a um grupo de jornalistas (entre eles, eu), que nada entendia de finanças:

— Não sei patavina. No colégio, tive sempre problemas com os números!

— Mas, então, como é que o senhor foi ministro da Fazenda do Juscelino? — indagou-lhe o jornalista Fábio Mendes, também mineiro como Alkmin e JK.[1]

— Ah, isso é outra coisa. Ser ministro não quer dizer saber de finanças, mas saber ouvir e ser político. Vejam vocês, se eu soubesse de finanças, teria dado atenção às críticas da UDN (a oposição), e Juscelino não teria feito Brasília e nós não estaríamos aqui, conversando neste lugar! — respondeu Alkmin em voz baixa, como se revelasse um segredo, e com um sorriso de triunfo tão sarcástico que todo o grupo sorriu também e calou-se estupefacto, sem poder contra-argumentar.

---

[1]No grupo, ainda, os jornalistas Benedito Coutinho, Edson Lobão, Mauritônio Meira e Napoleão Sabóia.

Brasília ali estava, sob os nossos pés, e até os deputados e senadores da UDN a usufruíam ou a sofriam, mas viviam nela. "Forçados e a contragosto", dizia-nos o *udenista* Aliomar Baleeiro, um baiano sagaz, de raciocínio jurídico profundo e rápido (com o qual compensava o seu conservadorismo), a quem eu encontrei uma tarde escrevendo, com um *bâton* feminino, nas paredes de azulejo branco do mictório da Câmara dos Deputados: "Aperte a descarga. Abaixo o fedor."

Ele se referia, mesmo, ao mau cheiro ácido da uréia estagnada entrando pelas narinas (com o que pareciam não se importar os freqüentadores da Câmara dos Deputados), mas o olfato geral da nação é que se asfixiava pelo odor que o preço de Brasília tinha deixado impregnado nas finanças do Estado e na economia do país.

Sem entender "patavina de finanças", o ministro Alkmin tinha apelado à alquimia mais simples: primeiro, as verbas dos então ricos institutos de previdência, que financiaram Brasília; depois, as emissões de moeda. E a inflação surgiu como um idioma estranho que todos eram obrigados a falar no dia-a-dia, mesmo sem entendê-lo e sem dele poder escapar. Moços ainda, Alkmin e Juscelino tinham sido telegrafistas em Belo Horizonte, no antigo Departamento dos Correios e Telégrafos. Três décadas depois, quando JK o colocou no Ministério da Fazenda como seu braço direito, continuaram a entender-se como se transmitissem telegramas manejando o código Morse, em linguagem cifrada, só inteligível a eles dois.

— Quando queremos nos comunicar em segredo na frente de alguém, eu e o Juscelino batemos na mesa, em Morse! — disse-me Alkmin, certa vez, e tocou numa caixa de fósforos para imitar os sinais telegráficos.

Evidente que isso era uma deslavada mentira ou invencionice e que os dois jamais se comunicaram assim, mas essas histórias entre o fantástico e o absurdo faziam parte do quotidiano político de Alkmin e povoavam o mundo mítico construído em torno de Juscelino. Alkmin orgulhava-se de suas próprias espertezas e gostava que todos, principalmente nós, os jornalistas políticos, soubéssemos (ou pensássemos) que ele era diferente por ser mais esperto ou por ter e dizer coisas que os outros não tinham ou não diziam.

— O que vale não é o fato, mas a versão. O que vale é a versão do fato — sentenciava Alkmin com orgulho e ar superior de sabichão, com um disfarçado sorriso de prazer interior, perceptível apenas na comissura dos lábios ou nos achinesados olhos acesos.

## 7

Para construir Brasília, JK não se importou com os aliados, muito menos com os adversários. Construiu-a contra todos e, nisto, Brasília atuou como elo de união nacional: ninguém ficou de fora da discussão, a favor ou contra, fosse como fosse. A mudança da capital para o centro do país não foi idéia desse homem de Diamantina, acostumado ao interior, mas de José Bonifácio de Andrada, Primeiro-Ministro e Regente do Império, nascido à beira-mar, em Santos, que pensava em Paracatu de Minas como sede do governo e até mandou demarcar a área do futuro Distrito Federal. Os anos e os problemas da República, porém, transformaram tudo num devaneio que só se mencionava para parecer e aparecer como algo inusitado, nunca para ser levado adiante.

Foi assim, por exemplo, que a União Nacional de Estudantes (que desde os tempos da II Guerra Mundial fazia eco a tudo o que fosse novo e original) transformou-se no principal propagandista da mudança, antes ainda da era JK. No ano em que entrei para a universidade, no governo de Getúlio em 1953, o Congresso da UNE realizou-se em

Goiânia sob o lema "O Planalto Central receberá a futura capital do país", mas tudo parecia ainda distante, ou utópico no sentido de inalcançável, até porque a mudança não era uma prioridade nem uma reivindicação de nenhum setor da sociedade. Numa época em que os programas dos candidatos ainda tinham peso na opinião pública, Juscelino incorporou a idéia à sua futura plataforma de governo na campanha eleitoral de 1955, como um gesto a esmo, daqueles que se aceitam só por aceitar, sem ser a sua pretensão ou preocupação principal. Eleito, acabou se convencendo daquilo que havia prometido e deu-lhe forma, construindo a utopia em cimento e concreto armado.

JK concretizou sua habilidade política ao incorporar Jango Goulart ao projeto-sonho de Brasília e evitar que o Vice-Presidente se rebelasse contra o esvaziamento dos institutos de previdência social, que financiaram a nova capital. Assim, os trabalhadores construíram Brasília duplamente: os "candangos", com suas mãos, e os trabalhadores do país inteiro, com suas contribuições à Previdência Social. Mais hábil ainda, JK nomeou Israel Pinheiro, mineiro, do PSD e de sua absoluta confiança, como presidente da poderosa Novacap, a Companhia Urbanizadora da Nova Capital, mas designou dois *udenistas* como diretores — Íris Meinberg e Virgílio Távora — e, assim, neutralizou as iras da oposição, que passou a participar também dos benefícios de tudo o que se fazia em nome da pressa.

Na época, a construção de Brasília foi vista no mundo inteiro como um projeto faraônico. Muitos e muitos anos depois, por volta de 1988, quando mencionei essa idéia, disse-me Oscar Niemeyer:

— Só os monumentos ficam, só os monumentos sobrevivem na História!

Brasília talvez tenha sido construída para sobreviver na História. Só para isso. Ao contrário do que se pensava, o que na verdade se buscava ou pretendia não era exatamente a funcionalidade de uma nova capital, mas tão-só o monumento para sobreviver ao tempo e dar a tudo ao seu redor a sensação de eternidade.

Como a pirâmide de Quéops.

## 8

Talvez por isso — por saber-se construtor da sensação de eternidade —, no dia em que transmitiu o governo a Jânio Quadros, eleito pela oposição, Juscelino vestiu-se de super-rigor, com fraque e cartola. O grande derrotado na eleição presidencial era ele, toda a campanha oposicionista tinha se baseado em atacar o governo e tachá-lo de "corrupto", mas naquele 31 de janeiro de 1961, ao deixar o poder, estava mais risonho e alegre do que ninguém. Da sacada-parlatório do Palácio do Planalto, agitava a cartola e seu riso radiante contrastava com o enfado e incomodidade de Jânio (o vitorioso nas urnas) ou o apertado sorriso do Vice-Presidente João Goulart. Dos três, JK era o único que saía ou se despedia, e também o único que trazia a cartola à mão e a desfraldava sem parar, em triunfo, como bandeira.

"Símbolo do rega-bofe!", comentou Jânio sobre a cartola no dia seguinte, já Presidente.

Fosse o que fosse, porém, Juscelino perdera no voto mas era o grande vitorioso. Tinha enfrentado e vencido duas rebeliões da ultradireita da Aeronáutica (contou com a decisão e a força militar do general Lott, é verdade) e, depois, tomou a iniciativa de anistiar os revoltosos, tentando aplainar ou limar os confrontos políticos internos nas Forças Armadas, e agora chegava ao final do mandato com a sua eternidade à vista dos olhos: dali da sacada do palácio, na despedida, contemplava o seu imenso busto em bronze na Praça dos Três Poderes, na "pirâmide" de Brasília. Na lápide, um fragmento do seu discurso de "lançamento" da cidade guarda o tom da frase de Napoleão ao contemplar as pirâmides do Egito.[1]

A transmissão do poder dava à cidade-pirâmide a situação definitiva de capital. Ele era, ainda, o Presidente ungido no "Brasil, capital Rio de Janeiro", mas seu sucessor passava a ser o Presidente da capital que ele havia criado, o Presidente da "nova capital", como se dizia país afora, para evitar confusões, naqueles anos em que a denominação "Brasília" ainda soava estranha.

As grandes linhas mestras de Brasília não tinham sido idéia sua, muito menos de Israel Pinheiro, por ele transformado no todo-poderoso presidente da Novacap, mas de Oscar Niemeyer e Lúcio Costa, ou dos arquitetos, engenheiros e urbanistas que eles levaram a desbravar o cerrado com suas pranchetas. Todos muito jovens e quase todos comunistas (tal qual Niemeyer), desfrutaram de uma liberdade criativa e criadora que só não foi absoluta porque estava limitada pela urgência e a pressa de fazer tudo rápido. Não se perguntava pelos custos: fazia-se o que devia ser feito, até mesmo porque os trabalhos de custos e tesouraria eram tarefa exclusiva dos diretores da Novacap. Tudo o que envolvesse dinheiro ficava fora da área de controle de Oscar ou do Dr. Lúcio, como os jovens pupilos respeitosamente o chamavam.

Juscelino era capaz de preocupar-se, no entanto, com pequenos detalhes que chegavam a atormentá-lo muitas vezes, como num fim de semana no Rio em que, esbaforido, chamou o chefe da Casa Civil, Víctor Nunes Leal, e ordenou que encontrasse Niemeyer:

— Localize o Oscar, urgente! Você se lembra se eu frisei ao Oscar que planejasse muitos quartos de banho no palácio em Brasília?

---

[1]"Do alto dessas pirâmides 20 séculos vos contemplam", disse Napoleão a seus soldados. A frase de JK no discurso de Anápolis (9.10.1956), redigido pelo poeta Augusto Frederico Schmidt, dizia: "Deste Planalto Central, desta solidão que em breve se transformará em cérebro das altas decisões nacionais, lanço os olhos mais um vez sobre o amanhã de meu país e antevejo esta alvorada com fé inquebrantável e uma confiança sem limites no seu grande destino."

Queixava-se do Palácio do Catete por ter "poucos banheiros" e recordava ter passado "muita vergonha" num almoço ao ar livre que ofereceu a Louis Armstrong, o *Satchmo*. Ao sentar-se à longa mesa, ao lado do Presidente, o grande trompetista negro norte-americano mexeu-se na cadeira e perguntou pelo "*bathroom*", alto, com a voz rouca que ecoava forte. Para que não houvesse dúvidas, o intérprete traduziu, explicou que ele perguntava pelo sanitário, e Juscelino sussurrou algo ao ajudante-de-ordens. Guiado pelo oficial cheio daqueles cordões dourados, *Satchmo* teve que caminhar pelo jardim inteiro do Catete e subir um piso para fazer *pipi* lá dentro, com o tenente ajudante-de-ordens ao seu lado, atento, indicando onde devia urinar. A caminhada não terminava nunca, e o tenente gesticulava e só sabia dizer "*plis, em frente go, bai ir, plis, plis em frente míster*", até que, enfim, chegaram. Sim, pois Juscelino tinha dado ordens:

— Leve-o ao meu banheiro, só ao meu — o único que ele julgava apropriado para receber o homenageado.

Foi um escândalo. Até hoje, porém, creio que o que mais escandalizou foi o gesto de Armstrong, sua espontaneidade em dizer alto que precisava urinar, numa época em que isso não se dizia em público. Muito menos nos jardins do palácio presidencial, para um público de seletos convidados...

Mais do que pelos banheiros, Juscelino tinha afeição especial pelas banheiras (no feminino), tanto quanto pelas mulheres, ainda que, nesta última opção, se escudasse sempre no seu casamento com dona Sarah para cumprir ou aparentar os ritos de comportamento da "tradicional família mineira". Não sei por que, mas os que foram íntimos mencionam sempre seu gosto pelas banheiras, ou por tomar banho nelas. Seu chefe da Casa Civil, Víctor Nunes Leal, contou-me que, mais de uma vez, Juscelino pediu-lhe que levasse calhamaços de decretos e expedientes vários para assinar na banheira do palácio, enquanto tomava banho. No início da construção de Brasília, ao levantar-se o simples e funcional casarão de madeira em que despachava e se alojava (logo chamado de "Catetinho"), como primeira medida ele lembrou:

— Ah, e que tenha banheira!

Na época, todos tomavam banho em banheira. (O povo-povo, em tinas ou gamelas.) A opção única do chuveiro recém-começava. O insólito ou inovador era despachar na banheira, semideitado, ensaboando-se e obviamente nu.

## 9

A geração que viveu a edificação de Brasília (e eu faço parte dela) associou, sempre, a cidade a dois fatos: a monumentalidade arquitetônica e a roubalheira. De permeio, houve o sacrifício de milhares de trabalhadores, os "candangos", que nada levaram das avenidas e dos edifícios construídos com suas mãos, literalmente com as mãos. Só moraram lá quando aquilo nem era cidade, apenas um acampamento. Não se beneficiaram com os gastos a rodo ou a esmo e, à margem de tudo, não tiveram condições, sequer, de apreciar a monumentalidade do que haviam construído. Concluída a capital, nela instalado o poder e os que são parte do poder, os operários construtores de Brasília foram viver na periferia, em choças. (Ou foram, depois, expulsos de lá e enviados de novo ao Nordeste, em caminhões de carga, como ocorreu em 1964, no início da ditadura militar.)

Em 1956, quando sobrevoei o planalto em que Juscelino prometia edificar a "nova capital", era impensável que aquela vastidão infinita de mato ralo pudesse transformar-se em núcleo urbano. Lá fui dar três anos depois, quando já estavam de pé as primeiras estruturas, como o palácio da Alvorada, mas tudo era ainda informe e mais se assemelhava a um imenso formigueiro humano de cimento e ferro. Não fui à inauguração, a 21 de abril de 1960, a glória maior de Juscelino, aquela festa surrealista em que milhares de convidados especiais — governantes e diplomatas estrangeiros, ministros, políticos, o grande mundo empresarial ou simples oportunistas de alto nível —, todos vestidos a rigor, embrenhavam-se pelo cerrado para fugir dos redemoinhos de vento que espalhavam o pó vermelho e fininho da terra cortada nas recentes terraplanagens. As mulheres de luvas e colares, com vestidos longos e rodados, os homens de preto, com fraque e cartola, todos corriam mato adentro, calmos ou saltitantes, simulando passo lento e em busca de proteção.

A ironia surrealista da cena fazia a grandeza de Brasília: ali, o *nada* e o *todo* se haviam encontrado numa coisa só. O concreto armado levara ao deserto o país urbano do litoral.

Só cheguei a Brasília nove meses depois, na manhã de chuva e barro em que Juscelino transmitiu o governo a Jânio Quadros. Ali mesmo comecei a perceber que todos os seus habitantes sabiam por que a "nova Capital" era diferente em si mesma. Construir tudo aquilo em menos de cinco anos, num país em que "planificação" ou "racionalização do trabalho" são apenas termos livrescos ou expressões de desejo que jamais chegam à prática, só podia ser obra de um novo Hércules.

O novo Hércules chamava-se "permissividade". Com esse novo Hércules, Juscelino pôde dar vazão ao potencial mobilizado na construção da cidade. Ele entendeu que, para ter Brasília, teria que dar além daquilo que as pessoas estão acostumadas a receber. Todos teriam de saciar-se além da fome e da sede. Só dando mais, além da normalidade, poderia acender-se a chama de ir adiante e construir tudo rápido, sem parar.

As máquinas de terraplanagem trabalhavam noite adentro, iluminadas por refletores, sem parada e sem descanso. Os comunistas soviéticos falavam do *stakhanovismo*, da chamada "emulação socialista". Os capitalistas norte-americanos e europeus falavam em "aumento da produtividade" e "produtividade plena". Para construir o "plano piloto" não havia nenhuma denominação especial, mas os "estímulos" estavam à vista e todos trabalhavam mais e mais. A Novacap tinha feitores e uma "guarda policial" própria que era dura e exigente com os "candangos", e havia evidências de castigos corporais ou até de mortes.[1]

Aos trabalhadores, porém, isso pouco lhes importava: todos tinham vindo da miséria rural do Nordeste, Goiás ou norte de Minas (onde nunca haviam recebido qualquer salário) e aquele pagamento mês a mês, sempre no dia certo, por ínfimo que fosse, era a bênção do paraíso. Mais do que tudo, porém, a nova cidade foi o paraíso terrenal para os proprietários das grandes empresas construtoras.

Juscelino não era alheio a nada e tinha de saber (ou intuir) que aquela pressa poderia engendrar mostrengos. Havia detalhes, porém, que um "candango" analfabeto entendia melhor do que ele, que nada sabia das pequenas-grandes burlas, do "método" de enganar os controles e os papéis. Nada conhecia, por exemplo, daqueles caminhões carregados de sacos de cimento, tijolos ou vigas de ferro, que entravam no canteiro de obras da superquadra pelo portão frontal e — depois de receberem um "visto" por lá terem descarregado tudo — saíam pelo portão dos fundos tão repletos como haviam chegado. E na superquadra seguinte, cumpriam o mesmo ritual, e de novo numa terceira ou quarta, tantas quantas fossem as "guias" de material disponíveis, até descarregar de verdade, por fim, em algum lugar. Sim, tinham que descarregar, pois as obras não podiam parar...

---

[1]Na Câmara Federal, na época, o deputado *trabalhista* José Gomes Talarico denunciou o assassinato de trabalhadores por protestarem contra as condições de trabalho nas obras da nova capital. Culpou as grandes construtoras e "seus feitores", que faziam desaparecer os cadáveres, enterrando-os com máquinas escavadoras junto às próprias construções.

Em maio de 1963 (já no governo João Goulart), após um jantar em Brasília para festejar o Prêmio Lenin da Paz recebido por Oscar Niemeyer, sentei-me ao lado de Juscelino. Aproveitei o ambiente descontraído e, com humor, sorrindo muito e muito para que não se sentisse atingido, contei-lhe do episódio dos caminhões, que a cidade inteira mencionava, na época.

— Pois eu nunca ouvi falar nisso. Nunca mesmo, nem em nada parecido! — respondeu com um ar incrédulo de desdém, colocando ponto final ao tema.

Como ele, logo ele, iria saber? Afinal, ele tinha sido Presidente da República, idealizador de Brasília, chefe de tudo aquilo que estava ali e não um simples conferente de carga.

Nunca se soube quanto custou Brasília. Nem o que custam hoje, no novo século XXI, aqueles novíssimos e suntuosos palácios erguidos a cada semestre nessa capital do século XX que continua, ainda, em construção.

## 10

Meio século antes da era virtual, a construção de Brasília tinha posto em prática um tipo concreto de *virtualidade*. E no duro, forte e espesso concreto armado...

Juscelino e Brasília estão indissoluvelmente ligados porque a nova capital foi o ponto marcante e original do seu governo. Sem, no entanto, aqueles "meninos" que Oscar Niemeyer levou para lá, ele próprio dirigindo o seu pequeno Saab pela estrada empoeirada ou lamacenta (ou dando a direção a Tibério César Gadelha), a cidade não teria surgido no tempo rápido em que brotou. Sem o jeito calmo, tranqüilo e perseverante de Oscar, o projeto urbanístico de Lúcio Costa não teria sido levado adiante e Brasília não teria sido erguida com o ímpeto da pressa e com uma execução correta, desafiando o hábito brasileiro de tudo improvisar.

Juscelino conhecia quem o cercava e — mesmo não sendo um inspetor de material de construção — sabia quem se beneficiava além da conta. Ou o intuía. E tanto sabia ou intuía que jamais se conformou em que Oscar Niemeyer — que tinha projetado a cidade e que a construía em meio à lama ou sob o infernal pó vermelho — não quisesse cobrar nada pelo que estava fazendo. Durante a construção, ao saber que ele estava com problemas financeiros, Juscelino insistiu várias vezes em que cobrasse pelos seus projetos "de acordo com a tabela do Instituto dos Arquitetos do Brasil":

— Não posso cobrar. Já sou funcionário da Novacap! — era a resposta invariável de Oscar.

Além dos arquitetos, engenheiros e urbanistas, houve dezenas, talvez centenas, de outros atos de desprendimento pessoal ou, até mesmo, de repulsa direta à corrupção. Todos eles, no entanto, mais como as exceções que confirmam a regra do que como a universalidade da regra em si. O major-aviador Celso Neves, por exemplo, vivia pelos ares com JK, como piloto presidencial, mas dedicava seu escasso tempo livre a estudar as necessidades da cidade em construção, indicando soluções para problemas concretos ou apontando irregularidades.

Na ala dos retos e corretos, porém, o exemplo insuperável ocorreu com a implantação do sistema de comunicações por microondas, o primeiro na América Latina com ductos subterrâneos em vez de fios aéreos. A pressa exigia a compra de uma central já completa, cujas partes seriam apenas montadas em Brasília, e a licitação internacional acabou sendo vencida pela sueca Ericsson, que competia com outras empresas multinacioniais, como a norte-americana International Telephone and Telegraph (ITT) e a alemã Siemens. O valor da operação superava 10 milhões de dólares (soma gigantesca, na época) e a Embaixada dos Estados Unidos comunicou ao Itamaraty que estava "desapontada" com o resultado da licitação.

O Presidente Dwight Eisenhower saía de Washington naqueles dias em viagem ao Brasil e, após a visita ao Rio, ia conhecer a futura capital e lá pernoitar. Como não havia telefones, uma equipe militar de avançada da Casa Branca, com o apoio da Diretoria de Comunicações do Exército brasileiro, ia instalar um sistema de radiofonia "de campanha", para funcionar enquanto ele estivesse em Brasília. O ministro de Relações Exteriores uniu os dois fatos e, preocupado, levou o "desapontamento" do embaixador dos EUA a Juscelino, sugerindo uma "revisão" da licitação.

A visita de Eisenhower à inconclusa Brasília foi a antecipada glória de Juscelino: até os telefones provisórios da "Casa Branca em trânsito" funcionaram com perfeição. Mas Juscelino não mandou alterar a licitação. A ITT, então, encheu-se de brios e enviou ao Brasil o seu melhor negociador para tentar modificar os resultados e assumir a central telefônica.

Obra de "interesse estratégico", a rede de comunicações da nova capital fora confiada a um jovem oficial-engenheiro do Exército, a quem Juscelino dera plenos poderes. Assim, durante quase uma hora, no Rio, o major Dagoberto Rodrigues recebeu e ouviu o enviado da ITT. Num inglês com leve acento alemão, o negociador explicou que sua empresa oferecia rebaixar os preços a níveis inferiores aos dos concorrentes, mas o major Dagoberto argumentou que "mesmo assim" continuava a preferir os suecos, que se comprometiam com prazos mais curtos de entrega. Isso o fazia sentir-se seguro de que, antes ainda da inauguração, Brasília teria telefone e telex para falar com o país e o mundo. (Todos os técnicos argumentavam que a instalação da rede de microondas para a telefonia interurbana, demoraria de dois a quatro anos, e isso fazia as delícias dos opositores de Brasília.)

Sem condições de equiparar-se aos suecos nos prazos de entrega, o negociador apelou à habilidade maior: abriu um sorriso, disse que estava disposto a conceder tudo e, com um jeito suave de quem conhece o caminho do êxito, perguntou quanto teria de pagar, além do contrato, para obter o contrato. Quanto? Quanto?

— *Please, can you repeat?* — perguntou-lhe Dagoberto.

E o negociador repetiu lentamente, com um sorriso tingido de cumplicidade.

Era o suficiente. A deixa para o suborno estava no ar. Vestido à paisana, de casaco e gravata, mas com o ímpeto do campo de batalha, o major Dagoberto levantou-se e bradou em português mesmo, mas com tanta veemência e num gesto tão claro com o braço estendido que o visitante compreendeu:

— Levante-se e saia. Fora! Ponha-se na rua agora mesmo e nunca mais volte aqui nem a qualquer repartição brasileira!

O negociador da ITT chamava-se Henry Kissinger. E era ele em pessoa que tinha sido expulso do gabinete de um jovem oficial do Exército brasileiro conhecido como "nacionalista de esquerda".[1]

Aquela era a primeira viagem ao Brasil do então desconhecido e anônimo Henry Kissinger. Naquele tempo remoto, ele ainda não era conselheiro de Política Externa do Presidente dos Estados Unidos nem o hiperpoderoso secretário de Estado, mas tudo valia como preparação para tornar-se a figura importante e fundamental de poucos anos depois. Talvez nesse momento em que teve de se inclinar às ordens de um oficial brasileiro que — mesmo sem farda — o expulsava do gabinete, tenha começado a nascer-lhe a idéia daquela frase que, anos depois, quando ele era o todo-poderoso negociador do governo Richard Nixon, soou em Washington como ensinamento e advertên-

[1]A foto da reunião de Kissinger com o major Dagoberto está no caderno fotográfico.

cia: "Para onde se inclinar o Brasil, haverá de inclinar-se toda a América Latina."

Ironicamente, quatro anos e alguns meses depois, Dagoberto Rodrigues (já no posto de coronel) é que não pôde mais entrar em nenhuma repartição governamental no Brasil: expulso do Exército após o golpe militar de 1964, foi obrigado a exilar-se no Uruguai, onde passou mais de 15 anos.

Vivia tão honesta e modestamente no exílio que, durante muito tempo, nem sequer pôde ter telefone em casa.

## 11

As velhas raposas do Itamaraty que executavam a política exterior de Juscelino tinham horror a conflitos com os Estados Unidos (não por inato pacifismo, mas porque qualquer rusga os obrigaria a sair do ramerrão das recepções e coquetéis, característicos do ingente trabalho diplomático) e, por sorte, nada souberam do que ocorrera com Kissinger. (Até porque Kissinger era um desconhecido funcionário da ITT e, na época, um *lobbyist* não freqüentava os salões dos coquetéis diplomáticos.)

Bastava já o trabalho que Juscelino lhes tinha dado, antes, com as idéias da Operação Pan-Americana (OPA), surgidas no gabinete presidencial da cabeça do poeta-empresário Augusto Frederico Schmidt e encaminhadas diretamente ao Presidente Eisenhower através do embaixador do Brasil, Ernani do Amaral Peixoto, pertinaz e dinâmico mas internamente malvisto no Itamaraty por não ser "diplomata de carreira". Com os republicanos no poder, no auge da fobia anticomunista e das desconfianças da Guerra Fria, os Estados Unidos interpretavam a OPA como uma demonstração de exagerada "autonomia" por parte do Brasil. Não perceberam sequer que a proposta era, apenas, um modesto Plano Marshall para a América Latina, desfraldado com os mesmos propósitos de "combater o crescimento do comunismo" que Washington tinha levado a cabo na Europa, anos antes. Por ter nascido onde nascera, tornava-se "um plano suspeito". Para Washington e para o Itamaraty.

Crise dura com os Estados Unidos, no entanto, tinha sido a do *bidet*, jamais esquecida pelos manuais de boas maneiras da diplomacia. Sim, a do trivial e simples bidê branco de louça, *made in Brazil* mas copiado dos franceses, levado do Rio a Washington para ser instalado no banheiro da embaixada, a fim de que a embaixatriz Alzira Vargas do Amaral Peixoto e sua jovem filha Celina pudessem manter os hábitos e padrões de higiene a que estavam habituadas em Niterói. A alfândega norte-americana embargou a entrada do artefato, mesmo que não se embargue ou confisque nada destinado ao serviço diplomático, e a embaixada ficou dias e dias tratando do grave incidente que punha em choque as normas de recíproco respeito entre os dois governos. As leis sanitárias nos EUA proíbem o bidê, devido à possibilidade de que a água utilizada, ao retornar, contamine a rede pública urbana. Depois de longa controvérsia, um "acordo de cavalheiros" fez com que o perigoso intruso brasileiro fosse destruído pela alfândega, na presença de um diplomata da embaixada.

Para a diplomacia brasileira, o bidê dera mais trabalho do que o rompimento com o FMI, decisão pessoal de Juscelino que gerou uma briga com o ministro da Fazenda mas que, em compensação, havia unido o Brasil. À frente do Palácio do Catete, num espontâneo comício de apoio, no meio da multidão estava o líder comunista Luís Carlos Prestes, que jamais participava de manifestações públicas porque o PCB era ilegal e clandestino. Ao ouvir tudo pelo rádio, dom Hélder Câmara, na época bispo auxiliar do Rio e crítico dos "gastos imoderados de Brasília", telefonou ao Presidente.

— Foi a sua melhor atitude. Só não estou aí porque padre de batina não vai a comício!

## 12

Ao longo do tempo, Brasília será o selo permanente de Juscelino e a representação do "desenvolvimentismo", marca teórica do seu governo. Festejado por todos, na época, como criação própria e autóctone, o "desenvolvimentismo" significou, de fato, importar o modelo industrial e colocá-lo a funcionar. Desenvolveu a indústria leve como cópia, sem pesquisa e sem ater-se a um modelo próprio, limitando-se a aproveitar e readaptar o que tinha sobrado dos "grandes centros". Ou o que os "grandes centros" inventavam como modo de vida.

Brasília caracterizou a era JK muito mais do que o "rodoviarismo", esse afã de elevar o automóvel à condição de "senhor absoluto" do transporte (ou da sociedade) e relegar a ferrovia a uma condição inferior, meramente suplementar, ou associar o transporte fluvial à idéia de pobreza das ribeiras dos rios. O "rodoviarismo" foi, no entanto, a ideologia dominante no seu governo.

As pessoas são mais felizes com um carrinho do que vendo passar um trem — deve ter pensado ele. O seu raciocínio levava a isso. (Os mineiros dizem "trem" a tudo, "esse trem, aquele trem" — principalmente às coisas das quais querem se desvencilhar —, e JK parece ter tomado a expressão ao pé da letra ao dinamizar a idéia da rodovia suplantando a ferrovia.)

Na imensidão do Planalto Central, por exemplo, Brasília foi planejada sem espaço demarcado para uma linha de trens metropolitanos (de superfície ou subterrâneos) unindo as extremidades da capital e expandindo-se até as cidades-satélites. Todos ao seu redor, a começar por ele, assimilaram a idéia de que isso "não era importante" ou, até mesmo, podia ser visto como "um retrocesso" naquele momento de descobrimento e auge da indústria automobilística, em que todos subiam de *status* ao adquirir um DKW, um Volkswagen ou um Renault Gordini. O ápice do máximo era o luxuoso JK, com avançada tecnologia italiana, produzido na Fábrica Nacional de Motores, de propriedade estatal. Para ter, porém, um automóvel cuja marca eram as iniciais do nome do Presidente da República, além de muito dinheiro, era necessário "pistolão": a produção do JK era limitada, apenas cem carros ao mês, pois a fábrica criada no governo de Getúlio se dedicava, mesmo, a caminhões pesados.

Naqueles anos, os recém-chegados habitantes de Brasília diziam, com orgulho, que lá o corpo humano se dividia em três partes: cabeça, tronco e rodas. Juscelino havia criado essa nova anatomia.

## 13

Rodovias para o país, avião para o Presidente. Foi ele o primeiro (ou o único) chefe de governo no Brasil a despachar em pleno vôo, incorporando o avião aos instrumentos da administração, como um lápis ou uma máquina datilográfica. O primeiro turboélice da aviação brasileira foi o Viscount presidencial, por ele adquirido na Inglaterra, internamente luxuoso, tido como incomparável e insuperável durante longos anos, e com o qual ele ia e vinha de norte a sul do país.

Até algumas aventuras amorosas eram muitas vezes aéreas, como aquelas viagens rápidas mas freqüentes, em que ele ia do Rio à Base Aeronaval de São Pedro d'Aldeia no Viscount ou num avião da Marinha, e de lá a Búzios num jipe. Noutro avião, vinha Maria Lúcia

Pedroso[1] que, na Base, tomava uma condução diferente para chegar antes ou depois. No final da década de 1950, ainda virgem, desabitado e bucólico, Búzios era o próprio Éden, menos nos estreitos caminhos de terra, cheios de buracos. Mas isso só o favorecia: ninguém iria encontrá-lo por lá nessas escapadas de fim de semana, em que — ao lado da jovem e bela Lúcia — ele se recolhia à casa ampla e simples do seu amigo Osvaldo Penido, de frente para o mar, na Praia da Armação. Já havia ocorrido o deslumbramento da dança em público e, em pouco tempo, a aventura em Búzios transformou-se na grande paixão e no grande amor.

Essas viagens abriram as portas para sua intimidade com a Marinha que, em boa parte, tinha ficado contra a sua posse na Presidência e que, em novembro de 1956, chegou a acusá-lo publicamente de "preterir o Almirantado" em favor do Exército. Pouco a pouco, almirantes e contra-almirantes, ou até capitães navais, passaram a esperá-lo e render-lhe continências ao pé do avião em São Pedro d'Aldeia, numa forma direta de acesso ao Chefe do Governo de que não dispunham sequer os chefes do Exército, que, sob o comando de Lott, eram o esteio político-militar do regime. Muito menos os da Aeronáutica. O Presidente não podia se opor a ser bem recebido, ainda que percebesse que as presenças efusivas eram a mostra de que a Marinha sabia como ele ia descansar em Búzios e com quem.

Esse intercâmbio de cordialidades e boas maneiras ocultava mútuos interesses, que logo se materializaram: os de Juscelino, de ordem pessoal; os da Marinha, corporativos. Por um lado, nunca essas viagens rápidas com apoio logístico naval se tornaram públicas e, por outro, a Marinha foi aquinhoada com o que mais desejava: ter o pri-

---

[1]O romance de JK com Maria Lúcia Pedroso, casada com o deputado José Pedroso, foi revelado publicamente pela revista *Veja* de 14.5.1997, mas não referiu Búzios.

meiro porta-aviões da América Latina. Agradecida a Juscelino, deu à nave o nome do seu estado natal, *Minas Gerais*.

Os milhões de dólares gastos na operação geraram protestos de diferentes setores políticos ou fizeram recrudescer os ciúmes por parte do Exército e da Aeronáutica. Ninguém conseguia entender por que o Presidente fora tão dadivoso com a Marinha, e, durante longos meses, o tema foi tratado no Congresso e pela imprensa como "o escândalo do porta-aviões".

## 14

Marcado por Getúlio, imitava a sua dicção ao discursar, num gesto inconsciente, que brotava sem que ele próprio o forçasse. Ao falar em público, Juscelino alongava a pronúncia das palavras e recalcava os "erres", com o que desaparecia o sotaque mineiro, perceptível apenas nas conversas íntimas, sempre entre mineiros. Ao longo da crise que desembocou no suicídio de Getúlio, quando o oportunismo suplantou as lealdades, Juscelino foi fiel ao homem que lhe havia aberto os caminhos do poder e, como governador de Minas Gerais, permaneceu firme ao lado do Presidente. O suicídio de Getúlio, porém, o marcou politicamente e, na Presidência, tornou-se ainda mais contemporizador do que em Minas, cuidando para não atritar-se com os escalões menores do poder que fossem ligados às Forças Armadas. Nos estratos médios militares é que estavam as sementes das sublevações, dizia JK (até porque tinha o antecedente das rebeliões de Aragarças e Jacareacanga, na Aeronáutica), e seus cuidados raiavam o temor.

Em 1957, Oscar Niemeyer já tinha livre acesso ao palácio como a figura fundamental na construção de Brasília, quando é chamado a depor no Departamento de Ordem Política e Social (DOPS), no Rio, por suspeita de "subversão comunista", e se queixa a Juscelino, que lhe diz, temeroso:

— Temos que ver um jeito de você não ir; eles tiram dezenas de fotografias e isso fica mal, pois você trabalha comigo em Brasília, é quem está construindo a cidade!

Juscelino telefona ao coronel Amaury Kruel, por ele nomeado chefe de Polícia do Distrito Federal, que adia o depoimento. Só adia, pois um mês depois Niemeyer é novamente chamado e vai pacientemente responder às intermináveis tolices que os "tiras" lhe perguntam em meio a veladas ameaças. Atuando e vivendo apenas em função das invencionices sobre a "crescente ameaça comunista", naqueles tempos da "guerra fria" o DOPS tinha autonomia na engrenagem burocrática e pairava acima do Presidente da República.

## 15

No final de janeiro de 1964, encontro o senador Juscelino em Brasília, na sala totalmente vazia da liderança do PSD na Câmara dos Deputados, onde ele viera dar depois de reunir-se com o Presidente João Goulart no Palácio do Planalto. Aos 61 anos, moço ainda, JK vem de uma recentíssima cirurgia plástica, o rosto liso, sem aquelas rugas deixadas pelas tensões do poder, e lhe pergunto o que conversou "com o outro Presidente".

Ao ouvir "o outro Presidente", abre um sorriso amplo na pele espichada, cujos músculos ainda domina com dificuldade. Logo, repete alto a minha expressão, como para convencer-se de que é, mesmo, o outro do "outro Presidente da República" — primeiro, porque já o foi; segundo, porque será o candidato do PSD nas eleições de 1965. Indago sobre o tema do momento, a reforma agrária, e ele conta que, na campanha eleitoral, vai propor "formar cidades-granjas" pelo interior do país, em vez de desapropriar áreas para assentar camponeses, como pretende Jango. Semear pequenas "Brasílias rurais", isso é o que quer fazer.

Era a sua forma de ficar a favor sem tomar posição. Mas discorda da expressão "reforma agrária", contra a qual os conservadores de Minas Gerais e os proprietários rurais se rebelam, e propõe outra, "progresso no campo".

— É mais amena e não suscita desconfianças! — diz.

## 16

Juscelino não participou da articulação civil do golpe militar de 1964 nem o apoiou publicamente, mas soube antecipadamente da sua eclosão. Seu *alter ego* político, José Maria Alkmin, foi inclusive "ministro" da Fazenda do secretariado de "grandes nomes nacionais" que o governador de Minas, o *udenista* Magalhães Pinto, constituiu com a intenção de que funcionasse como "governo rebelde provisório" em apoio às operações militares iniciadas em Juiz de Fora pelo general Olympio Mourão Filho. Os golpistas previam uma resistência longa dos setores legalistas das Forças Armadas, e Magalhães Pinto havia recebido do cônsul dos Estados Unidos em Belo Horizonte, Herbert Okun, "a garantia" de que o Presidente Lyndon Johnson reconheceria o estado de beligerância e, em conseqüência, "o novo governo provisório" a implantar-se no Brasil.[1] O prestígio de Alkmin decorria da sua relação política e pessoal com JK, que através dele conheceu todos os degraus do movimento golpista.

---

[1]Em 1965, já como "encarregado" da Embaixada dos EUA em Brasília, o próprio Okun contou-me que o governador de Minas o chamou ao Palácio, em Belo Horizonte, antes do golpe.

A 31 de março de 1964, ao iniciar-se a rebelião golpista em Minas, Juscelino estava no Rio e, nessa mesma manhã, encontrou-se com o segundo homem da embaixada norte-americana, Minotto, e lhe disse que estava "rompendo com Goulart". Num telex-telegrama secreto enviado nesse mesmo dia ao Departamento de Estado, com cópias para a Casa Branca e a CIA, o embaixador Lincoln Gordon informou sobre o desenvolvimento "da rebelião democrática em Minas Gerais" e, no quarto item, se referiu expressamente ao episódio:

"*Kubitschek contou a Minotto, esta manhã, o seguinte. Em termos práticos, a situação está decidida. Haverá um golpe bem sucedido contra Goulart. A resistência a isto será uma greve geral durando dois ou três dias. Os trabalhadores, no entanto, voltarão ao trabalho quando sentirem fome. Kubitschek disse ter insistido em falar com Goulart pelo telefone. Informou-lhe que estava rompendo com ele, já que o Presidente estava seguindo caminho que levaria a entrega do país aos comunistas*".[2] A mensagem secreta foi recebida em Washington às 13h21m, o que significa ter sido despachada do Rio antes das 10h21m da manhã do mesmo dia da eclosão do movimento.

À tarde, ao se reunir com Jango no Palácio das Laranjeiras, Juscelino não era, portanto, apenas um informante, mas um conselheiro privilegiado que discordava do Presidente e que, indiretamente, já havia tomado posição a favor dos sublevados.

À noite, Juscelino encontrou-se com o embaixador Gordon e se mostrou ansioso e praticamente solidário com os rebeldes de Minas. Noutro telex-telegrama secreto, redigido na noite de 31 de março e despachado, no início da madrugada de 1° de abril, em forma conjunta à Casa Branca, ao Departamento de Estado e à CIA (com cópias para o Comando-em-Chefe do Atlântico e o Comando-em-Chefe das

---

[2]De acordo à página 2 do "embtel" (telex da embaixada) número 2126, desclassificado como "*secret*" pelo Departamento de Estado em 12.1.1976.

Forças de Ataque), o embaixador Gordon informa sobre a reunião e do que Juscelino lhe disse.

Textualmente, diz a mensagem secreta de Gordon:

*"1. Estive com Kubitschek durante meia hora às 21h15 locais. Ele estava num estado de espírito inteiramente diferente do comunicado por Minotto (telegrama 2126). Disse não poder acreditar que Magalhães Pinto ou Alkmin agissem sozinhos, mas também não podia entender por que São Paulo não tinha se movimentado.*

*2. Disse ter visitado Goulart a convite deste, à tarde, e o encontrara confiante. Kubitschek pediu-lhe que salvasse seu mandato fazendo uma clara rejeição da CGT e dos comunistas, mas Goulart respondeu que isso seria um sinal de fraqueza, e se demonstrasse qualquer fraqueza estaria perdido. Além disso, estava seguro do seu apoio militar e considerava a rebelião de Minas facilmente sufocável.*

*3. Kubitschek disse que suas próprias fontes militares discordavam da avaliação feita por Goulart de seu apoio militar. As próximas horas e dias são cruciais, pois se Minas for isolada e a rebelião esmagada, Goulart estará com o caminho livre para a ditadura. Kubitschek aguardava o pronunciamento de Adhemar, programado para a noite, pelo rádio, com grande ansiedade. Também disse que Minas não cederia facilmente, e que seria necessária uma considerável luta para vencer as forças ali.*

*4. Também discutimos o problema da legitimação de qualquer rebelião bem-sucedida, em termos gerais, expressando Kubitschek a crença de que o Congresso ratificaria rapidamente qualquer solução militar."*[3]

O astuto Juscelino tinha caído na esparrela armada por Magalhães Pinto e Mourão, sublevados em nome dos brios feridos "da família

[3]Segundo o *Incoming Telegram, Department of State*, número 452, enviado por Gordon, da Embaixada no Rio, à uma da madrugada de 1.4.1964, desclassificado como "*secret*" em Washington em 24.12.1975. Cópia fac-simile, no caderno fotográfico.

mineira", ainda que a metade de Minas, pelo menos, estivesse contra o golpe de Estado.

Consumado o golpe militar, o Ato Institucional baixado a 9 de abril pelos três autonomeados ministros militares expulsou do Congresso os deputados da ampla franja de esquerda, que ia do trabalhismo à própria UDN, passando pelo PSD *juscelinista*, e assim abriu caminho para que o Parlamento "votasse" um novo Presidente fiel aos novos donos do poder. Juscelino continuava como senador por Goiás e, além disso, já tinha sido escolhido candidato presidencial do PSD nas eleições programadas para outubro de 1965. Nessa condição de figura influente, foi a Brasília para a sessão conjunta do Senado e da Câmara dos Deputados de 11 de abril de 1964, destinada a "legalizar" a indicação, feita pelas Forças Armadas, do marechal Castello Branco como Presidente da República. Gritava-se o voto e ele quis estar presente e, em público, berrar a sua adesão.

Eu era o colunista político da *Última Hora* e cheguei a pensar que ele fosse abster-se, tal qual acreditava a maioria dos jornalistas no Congresso. Para nós, era evidente que o poder que os militares outorgavam a si próprios com o Ato Institucional enveredaria por uma ditadura aberta ou disfarçada que, mais cedo ou mais tarde, cancelaria qualquer candidatura civil, ou a própria eleição presidencial, e o calejado Juscelino devia estar consciente disso, muito mais do que nós.

Em Brasília, porém, não sabíamos do que havia dito ao embaixador Lincoln Gordon nem da sigilosa reunião, no Rio, depois do golpe militar, em que o general Humberto Castello Branco concertou pessoalmente com Juscelino o apoio do PSD à votação do seu nome, dando a Vice-Presidência da República a José Maria Alkmin. Nos dias seguintes, já marechal, Castello continuou duvidando do voto de Juscelino e — na véspera da votação — convocou-o para um encontro no Hotel Nacional e lhe pediu "um compromisso público", que redundou numa declaração à imprensa antecipando o apoio.

# 17

A votação foi nominal: à vista dos que tinham o poder de cassar mandatos e mandar prender, cada senador ou deputado berrava o voto. Alguns poucos ousaram dizer "abstenção", e a maioria, em avalanche, proclamou: "Castello Branco." Alguns foram além do nome, como o deputado Último de Carvalho, do PSD mineiro e *juscelinista*, que ainda acrescentou: "Contra o comunismo, marechal Castello Branco!"

Ao ser chamado, Juscelino gritou "Marechal Humberto Castello Branco" e houve palmas, muitos aplausos, mostrando que aquele voto era diferenciado e diferente, mesmo computado como os demais.[1]

Depois, como Vice-Presidente votou-se o nome de José Maria Alkmin, o mais próximo dos próximos de Juscelino. Repetiu-se a cantilena, com uma exceção: o *udenista* Aliomar Baleeiro, chamado a votar, berrou um nome inesperado, "Antônio Sanches Galdeano!", e parte dos que haviam aplaudido então riram de bom rir. Anos antes, o empresário Galdeano aparecera envolvido em multimilionários escândalos financeiros e negociatas de contrabando favorecidas por Alkmin, Ministro da Fazenda de Juscelino. A ironia de Baleeiro arranhava JK como o traço de uma tangente.

Mesmo assim ele não se abalou e continuou a confiar no que Castello Branco lhe garantira no Rio: o quadro e o calendário eleitoral seriam mantidos. A candidatura pelo PSD o fazia intocável. Não sabia, porém, que, após o encontro, Castello havia dito ao senador Luís Vianna Filho que Juscelino lhe deixara a impressão de "um homem vaidoso" e não do estadista que admirava e respeitava:

[1]Castello recebeu 361 votos, o general Juarez Távora três e o marechal Eurico Dutra dois. Houve 72 abstenções.

— Ele ficou todo o tempo penteando o cabelo, ajeitando a gravata e olhando o relógio, querendo terminar o encontro, mais preocupado com a aparência do que com a conversação!

Não era vaidade, mas temor. Todos que o conheceram de perto, e transformaram a proximidade em afeição, dizem que Juscelino penteava-se sem cessar sempre que estava nervoso.

Dois meses depois, em junho, o Marechal-Presidente Castello Branco cassou o mandato de senador de Juscelino e suspendeu-lhe os direitos políticos "por dez anos". A "linha dura", exteriorizada pelo chefe do Exército, general Arthur da Costa e Silva, tinha exigido a punição, como indício de que a eleição presidencial de 1965 não se realizaria. Daí em diante, o caminho para a escolha do Presidente estaria circunscrito aos quartéis.

A partir disso, tornou-se tudo ainda mais fácil para essa ditadura tênue, envergonhada de si própria mas, nos gestos, rígida e consciente do seu autoritarismo. Os "inquéritos policiais-militares" vulgarizaram a sigla IPM, denunciaram e prenderam milhares de pessoas por "subversão" e empilharam contra Juscelino acusações por "corrupção" em pequenos e tolos deslizes sem maior significado.

Os grandes e concretos beneficiários das falcatruas de Brasília, porém, acomodaram-se no regaço do novo regime, passaram a dele fazer parte e multiplicaram o poder e as riquezas. E jamais foram molestados.

A *sui generis* ditadura com Congresso, uma promiscuidade única no mundo, tinha começado naquele dia em que deputados e senadores (Juscelino entre eles, e o único aplaudido) berraram seu voto para "eleger" o Marechal-Presidente.[2]

---

[2]Juscelino consultou o general Mourão (conterrâneo de Diamantina) sobre o apoio a Castello. "Não seja besta. Ele foi um dos chefes da Sorbonne, com o Cordeiro, o Golbery e outras relíquias. Apoie Castello e garanto que você não será candidato em 1965, pois ele vai virar ditador", respondeu Mourão, apud *Memórias: a verdade de um revolucionário*, pág. 391, Porto Alegre, L&PM Editores, 1978.

## 18

Muitos anos depois, relegado ao ostracismo da fazenda em Goiás, solitário naquela imensidão que ele havia povoado, Juscelino reconheceu — na intimidade das conversas-confissões com amigos próximos, como Vera Brant — que deveria ter sido mais duro e mais exigente com Castello Branco e os militares nos dias iniciais do golpe de 1964. E admitiu que, se assim houvesse feito, pelo menos teria percebido o que estava por vir logo depois.

A índole do seu estilo, porém, não era a rigidez. JK imitava Getúlio não apenas na dicção. E, além disso, era do PSD, um partido que se adaptava a todas as situações. E, mais do que tudo, ao ser também mineiro, trazia nas entranhas e nos gestos a tradição de jamais dizer "não".

Em plena ditadura, naquele 22 de agosto de 1976 em que Juscelino morreu num acidente de automóvel (viajando de São Paulo ao Rio, para encontrar-se com Maria Lúcia Pedroso), eu vivia como asilado político em Buenos Aires, preocupado apenas com as agruras da Argentina e distanciado do quotidiano brasileiro. Ao ser um "banido", achava que jamais voltaria ao Brasil e, para sofrer menos, decidi esquecer a terra natal. Não lia sequer o *O Estado de S. Paulo*, para o qual escrevia (com pseudônimo) e que somente eu recebia na cidade, mas no dia seguinte comprei até mesmo os jornais do Rio, que chegavam ao início da tarde às bancas, para ler sobre a morte de JK.

Na leitura, me emocionei e, de longe, passei a entendê-lo melhor e com profunda ternura. Talvez como um igual, pois nós, os banidos e exilados, também éramos mortos. Ou estávamos mortos.

E, ao morrer, ele passava ao nosso mundo, pois havia morrido como nós, correndo e correndo em busca do amor. E, na morte, nos fazia cúmplices daquele sorriso simpático e aberto, que o tornava íntimo já no primeiro instante.

Ou, até, quando já não havia mais qualquer instante.

## Capítulo V

# JÂNIO

## O CRIME DA MALA

### 1

Jânio Quadros era como um caleidoscópio: bastava mexer de leve no tubo mágico e, a cada toque, aparecia uma visão nova e mais colorida que a anterior. Tudo nele era mutante, como se houvesse sido gerado e parido pelo imponderável.

Assim, podia esperar-se tudo de Jânio, do gesto mais cauto ao mais escandaloso; da idéia mais sábia ou inteligente até a mais ridícula ou tola. Teve momentos deslumbrantes com sua visão de estadista. Teve momentos mesquinhos com sua miopia de político distrital. Por isso mesmo, sua campanha eleitoral foi avassaladora, pois tudo se reunia nele e em torno dele naquele 1960, em que Jânio literalmente varreu o candidato governista, nada menos que Lott — o inatacável general Teixeira Lott, que ao deixar o Ministério da Guerra ganhara a patente de marechal e disputava a Presidência da República pela coligação PSD-PTB (e o apoio dos comunistas e socialistas), com João Goulart como Vice-Presidente.

Em plena campanha eleitoral, cada qual com uma vassourinha de latão amarelo na lapela, imitando ouro, entraram todos, de cambulhada, no estúdio da televisão Piratini, em Porto Alegre, Jânio à frente do grupo, festejado entre abraços e aqueles olhares cúpidos que os políticos lançam sobre o chefe maior. (A vassoura era o símbolo da sua candidatura. *"Varre varre vassourinha/ varre varre a bandalheira/ que o povo está cansado/ de sofrer dessa maneira"*, dizia o refrão da marchinha da propaganda eleitoral, cantada nas ruas com um endereço certo: os escândalos do governo Juscelino Kubitschek, envolvendo, mais do que tudo, as negociatas com grandes empreiteiras de obras na construção de Brasília.)

De súbito, Jânio parou.

— Dir-lhes-ei... — exclamou em voz alta e fez uma pausa.

O estado-maior dos políticos gaúchos que o apoiavam parou também e todos o olharam no aguardo de uma idéia luminar e lapidar, que fosse luz e se eternizasse na pedra.

— Dir-lhes-ei que saiam todos e só fique a minha molher! — completou Jânio. Sim, disse "molher", com "o", para significar que só a sua mulher, dona Eloá, podia ficar. O coronel Peracchi Barcelos, que tinha cindido com o PSD para apoiá-lo e era seu maior esteio no Sul, arrebanhou o grupo e se foram todos para o corredor, contrafeitos mas obedientes.

Eu fiquei. Jânio não sabia quem eu era, e no estúdio da televisão só sabiam que eu havia trabalhado na Censura e Qualificação de Programas, e, na dúvida, não me fizeram sair e ali fiquei. A entrevista ao vivo foi insossa, daquelas típicas dos órgãos dos *Diários Associados* de Assis Chateaubriand — perguntas genéricas para respostas generalizantes —, mas o homem de idéias firmes, exagerado e caricato, apareceu de corpo inteiro.

O que chamava a atenção não era o que ele dizia, mas como o dizia, com uma teatralidade de muitas pausas, trejeitos e tiques acentuados por ser caolho. Isto lhe dava o ar de sinceridade de um homem comum, o que era incomum entre os políticos. E, além disso, num jeito que só ele tinha e com uma força que era só dele, o lado excêntrico, com as frases cheias de mesóclises ("dir-lhes-ei", "fá-lo-ei"), com a pronúncia do século XVIII, em que as palavras — ditas no som exato com que aparecem escritas — acentuavam ainda mais o linguajar do Mato Grosso, onde nasceu, e do Paraná, onde se criou.

Nos dias seguintes do inverno frio, Jânio percorreu o interior gaúcho num trem especial e, ao lado dos seus adeptos, passava as longas viagens no vagão-restaurante tomando cachaça e cerveja a um só tempo. Ambas geladíssimas e em copos separados, um gole de cada, alternadamente. Inclusive no café da manhã, quando era extremamente comedido e pedia ao garçom "só uma pinga de pinga".

Jânio não se escondia nem se ocultava. Mostrava-se às claras desde a refeição matinal. Ao seu redor, porém, todos viam, comentavam e interpretavam tudo aquilo como parte da sua oculta genialidade.

## 2

Caricato ou excêntrico, isso contraditoriamente fortalecia a sua pregação moralista "contra a corrupção" e lhe dava um ar messiânico de homem "acima dos partidos", que naquela época eram mais coerentes e diferenciados que os de hoje mas já começavam a ser vistos com indiferença pela população. Em oito anos, de 1952 a 1960, Jânio havia passado por quatro partidos diferentes ou até antagônicos entre si: vereador e prefeito municipal de São Paulo pelo PDC-PSB, governador estadual paulista pela UDN, deputado federal pelo PTB do Paraná e candidato presidencial de novo pela UDN.

— Os partidos responder-me-ão pelo que fizerem! — gritava nos comícios, e todos aplaudiam e os chefes dos partidos aplaudiam mais ainda esse fiscal-inspetor, como se o beliscão da mesóclise não fosse neles. E os golpes de efeito se multiplicavam. Naquele 1960 em que as idéias do socialismo-libertário da recém-vitoriosa revolução cubana estavam no auge, Jânio — o candidato da UDN, da direita liberal e dos conservadores — interrompeu a campanha eleitoral e, noutra mesóclise, anunciou:

— Ir-me-ei a Cuba. Encontrar-me-ei com Fidel Castro para ver e aprender o que estão fazendo por lá!

Fretou um avião Super-Constellation da Varig e foi-se, levando uma comitiva predominantemente da UDN, entre políticos e jornalistas. Esparramou convites entre as esquerdas, que apoiavam Lott, mas conseguiu seduzir apenas um advogado das Ligas Camponesas, deputado estadual em Pernambuco, ávido por notoriedade.[1]

A viagem a Cuba ecoou como um escândalo entre os conservadores partidários de Jânio e, por razões opostas, escandalizou ainda mais os defensores de Lott, o candidato adversário: em política interna, Lott defendia as teses nacionalistas da esquerda, mas no seu estilo austero e franco continuava a criticar Fidel pelas execuções no *paredón*, que haviam chegado à boca do povo. (Tudo, em todas as esferas sociais, tinha a revolução cubana como referência e a marchinha mais popular do carnaval daquele ano cantava: *"Em Cuba, Cuba, Cuba andou na contra mão/ vai descansar no paredão..."*.)

O escândalo maior, porém, não ocorreu no Brasil, mas em Havana, na Embaixada brasileira em Cuba. Ao final da visita, o embaixador brasileiro ofereceu uma ceia-recepção de despedida ao candidato presidencial e sua comitiva, e convidou também o Primeiro-Ministro Fidel Castro e o ministro de Economia, *Che* Guevara. Cabelos lon-

[1]O deputado Francisco Julião acompanhou Jânio a Cuba e, assim, conheceu Fidel.

gos quase aos ombros e uma boina basca que nunca tirou da cabeça, Guevara foi o primeiro a chegar. "Fez hora" para aguardar Fidel, que vinha do interior da ilha, e foi, também, o primeiro a sair. Fidel chegou sem escolta, em uniforme verde-oliva de comandante guerrilheiro completo. No saguão, polidamente, tirou o cinturão com a pistola que o acompanhava desde Sierra Maestra e deixou-a na recepção da embaixada.

Durante três horas e meia, Jânio e sua comitiva comeram, beberam, conversaram, ouviram Fidel contar mil histórias, tornaram a beber enquanto Fidel seguia contando e contando histórias, cada vez sendo mais perguntado por aquela gente que bebia e bebia (e às vezes comia) para cada vez contar mais e mais enquanto os via beber mais e mais.

Naquela competição de mais e mais entre beber e contar, sempre mais e mais, pouco antes de sair, Fidel levantou um cálice de rum e brindou *"por la amistad de Brasil y Cuba"*. Logo, abraçou Jânio demoradamente e, acompanhado pelo cambaleante embaixador do Brasil, caminhou até a recepção para recolher a pistola. Atônito, o encarregado da recepção não encontrou a arma nem o cinturão. O embaixador enrolava a língua e insistia, "está aí, sim, está aí", mas o funcionário revisava e revisava sem encontrar nada.

— Perdão, comandante, alguma coisa aconteceu — balbuciou o embaixador Vasco Leitão da Cunha, num susto tão grande que se compôs da bebedeira.

— Sim, sim, já entendi! — respondeu Fidel, enquanto o embaixador, lívido, emudecia.

Quando percebeu que a pistola não apareceria, e que lhe havia sido literalmente surrupiada, o Primeiro-Ministro cubano suspirou e exclamou:

— *Bueno*, só espero que quem a levou faça bom uso dela, como nós em Sierra Maestra...

Sem pistola nem escolta, Fidel entrou no jipe que o esperava à porta da embaixada e, desarmado por um brasileiro, foi dormir.[2]

## 3

Chovia na manhã da posse de Jânio, 31 de janeiro de 1961 (cinco dias antes ele havia completado 44 anos), e Brasília tinha a cor da terra barrenta que salpicava de vermelho-amarronzado a arquitetura branca dessa capital de apenas dez meses de vida. Ele temia essa cidade que todos os seus haviam atacado tanto e que ele próprio tinha chamado de "covil de Ali Babá e os 40 ladrões" naqueles discursos eleitorais em que o povo delirava, extasiado por esse homem de cabelos desgrenhados, roupa amarrotada e palavras duras, de uma rudeza verbal cômica que valia por uma catarse.

Nesse dia em que ele assumia o governo, Juscelino havia decidido iniciar — ali mesmo na despedida — a sua campanha de candidato presidencial na futura eleição de 1965. E Jânio tomava isso como uma afronta. Por imposição do protocolo, ele vestiu casaca-fraque como Juscelino, o Presidente que saía, e Jango, o Vice-Presidente que, de novo, tomava posse no mesmo posto. Em seguida à transmissão do cargo, os três foram à sacada do Palácio do Planalto: Jânio era o mais contrafeito, e no seu rosto só os óculos ressaltavam, enquanto Juscelino sorria de riso aberto. Formalmente, aquela era a festa de Jânio, mas as faixas e cartazes espalhados pela cidade mostravam que tudo fora armado para ser o início da campanha "JK-65". Do palácio, Juscelino foi direto ao aeroporto, onde, na despedida, havia mais gente que defronte ao Planalto, na posse. Havia deixado de chover.

---

[2]O jornalista Murilo Melo Filho, da revista *Manchete*, que presenciou o episódio, disse-me na época: "Sei quem levou a pistola, mas não posso contar."

Brasília ainda não era para Jânio "a cidade malsinada", como ele diria tempos depois, mas a chuva o deixara inquieto, talvez num presságio. Ao final da cerimônia fez uma pergunta a Jango, mas a solene arquitetura da frase mostrou que o seu interesse não era saber daquilo que indagava mas marcar a distância da relação entre ambos:

— Faço uma pergunta ao excelentíssimo senhor Vice-Presidente. Diga-me vossa excelência, senhor Vice-Presidente, esta chuva é freqüente?

— Freqüentíssima, excelência, mas só nesta época do ano! — respondeu Jango, espontâneo, exagerando também no superlativo, sem perceber que isso podia parecer ironia. (Durante a campanha eleitoral, Quadros tinha enviado um emissário a Goulart para avisá-lo da criação, em São Paulo, dos comitês "Jan-Jan". Na época, votava-se em forma separada para os dois cargos, e os comitês Jânio-Jango acabaram garantindo a vitória de Goulart sobre o companheiro de chapa do próprio Jânio — o jurista Milton Campos, da UDN de Minas —, mas também o favoreceram.)

Era o aviso ou sinal suficiente de que ele e o Vice-Presidente teriam uma relação excelente enquanto se tratassem de "excelências", à distância. O Jan-Jan estava sepultado.

## 4

Jânio e Brasília foram um típico caso de desamor à primeira vista, dessas irrefreáveis antipatias mútuas, tão profundas e inexplicáveis como a paixão amorosa no primeiro olhar.

Sobre Brasília, para ele a detestável e malsinada Brasília, Jânio não disse mas poderia ter dito: "Respeitei-a como um cavalheiro respeita uma prostituta. Dei-lhe o que me pedia e, além do que me pedia, dei-lhe o que merecia."

O Presidente não maltratou a nova capital, ao contrário, "respeitou-a" de forma concreta. Designou como prefeito do Distrito Federal (hoje equivalente a governador) um jovem parlamentar do PDC paulista, Paulo de Tarso Santos, dinâmico, inteligente e, sobretudo, correto e honesto, algo que em Brasília era novidade, pelo menos nas altas capas da administração. Mas se, na prática, como Presidente, não a maltratou, intimamente a desprezou, noutra de suas contradições.

A nova capital parecia saber disso. Jânio tinha chegado à Presidência chamando de "corrupto" o governo de Juscelino e a construção de Brasília. E, como se atuassem em legítima defesa, as histórias sobre Jânio — todas elas, as verdadeiras ou as inventadas — circularam com uma rapidez estonteante nessa cidade sem passado, sem História e sem esquinas, carente de histórias tal qual uma adolescente carece de afeto, ávida por saber como é um abraço ou um beijo, e mais ávida, ainda, por contar que sabe.

Núcleo de pessoas desconhecidas, vindas de Brasis diferentes, unidas apenas pela aventura do pioneirismo ou atraídas pelas vantagens financeiras da "dobradinha" (em que os funcionários percebiam em dobro só por serem transferidos para lá), Brasília tornou-se uma caixa de ressonância de si mesma pela necessidade de sentir-se com algo a contar de próprio. Ou pela necessidade de equiparar-se às metrópoles tradicionais, que vivem pelo que contam da vida de seus habitantes.

Em gargalhadas ou risos irônicos, todas as histórias convergiam nele porque ele se tornara o único eixo em torno do qual girava a vida do país. O seu estilo de ziguezague o fazia imprevisível, e a imprevisão levava a que tudo e todos dependessem dos seus humores ou seus pendores. A começar pela decoração do Palácio da Alvorada, que ele entregou ao duvidoso gosto de dona Eloá que, na primeira semana de governo, mandou trazer de São Paulo três caminhões com pesados móveis Luís XV (boa parte, toscas imitações) para substituir o mobiliário leve e moderno que Anna Maria Niemeyer tinha disposto para fazer jogo com peças soltas do barroco mineiro, também levadas ao depósito.

Para habitar a grama verde do imenso "jardim inglês" do palácio, fez trazer dois jumentos nordestinos, nos quais ele próprio ou dona Eloá colocavam, durante o dia e todos os dias, um imenso chapéu de palha como proteção ao sol abrasador de Brasília. Os burrinhos podiam até dar um bucólico ar de presépio à modernidade da arquitetura, mas os chapéus enormes tornavam chaplinesca e caricata aquela inesperada exibição muar diária e expandiam o tom popular da chacota.

Os burricos enchapelados, no entanto, alegravam e não perturbavam. O que perturbava a vista e o bom gosto era a alta grade de ferro que, já na primeira semana de governo, apareceu à frente do Alvorada, até então protegido da eventual invasão do populacho apenas por um fosso. Jânio deu também um toque pessoal ao seu gabinete de trabalho no Palácio do Planalto: sobre a escrivaninha colocou um busto do ex-Presidente norte-americano Abraham Lincoln e um porta-retrato do guerrilheiro e comunista Josip Broz Tito, Presidente da socialista Iugoslávia e criador do Movimento dos Países Não-Alinhados, uma terceira via alternativa à dominação hegemônica dos Estados Unidos e da União Soviética.

Os iugoslavos enlouqueceram de contentes e começaram a construir a embaixada em Brasília, a primeira a ser edificada na nova capital.

(Lá pelo quarto ou quinto mês de governo, Samuel Wainer é recebido pelo Presidente no Palácio do Planalto. Os jornais da rede *Última Hora* — Rio, São Paulo, Belo Horizonte, Curitiba e Porto

Alegre — tinham não apenas apoiado Lott abertamente mas, muito além disso, haviam maltratado Jânio na campanha eleitoral, chamando-o de "entreguista" e "pró-norte-americano" ou insinuando seu apego à cachaça, e, assim, Samuel chegou de mansinho, cheio de cuidados. Antes, porém, que tentasse usar o sorriso para descongelar o ambiente, Jânio tomou a iniciativa e o abraçou com inusitada intimidade.

— Preparemo-nos para resistir juntos!— exclamou o Presidente, tomando-o pelo braço para que ambos se sentassem, e Samuel, que não esperava aquele recebimento tão próximo, ficou sem assunto. Em seguida, Jânio apontou para o busto de Lincoln e, num tom quase patético, entre a farsa e a confissão, sentenciou pausadamente:

— Pergunto-me, às vezes, se não me está reservado o destino de Lincoln!

Não explicou, porém, se pensava assim por sentir-se um libertador de escravos ou por achar-se vítima potencial de um assassínio.)

## 5

Tudo isso para que vissem que ele era diferente? Ou só um gesto, e um gesto para escandalizar com outro gesto? Ou, além de *épater les bourgeois*, ensaiar uma nova formulação política, puramente pessoal, numa daquelas simbioses típicas das extravagâncias do trópico?

A um canto do gabinete presidencial, instalou um aparelho de telex (então o grande salto inovador nas comunicações) e outro mais em cada um dos ministérios, e ele próprio datilografava no teclado as ordens e determinações urgentes aos ministros. Os atos do Presidente ganhavam, assim, uma velocidade jamais vista, e, ao anoitecer, o noticiário da *Voz do Brasil* divulgava em primeira mão as ações do governo que seriam as manchetes dos jornais da manhã seguinte. E aí tudo se misturava sem hierarquia ou diferenciação: as "instruções" da Sumoc (a Superintendência da Moeda e do Crédito), que dirigiam a economia, ao lado da proibição das corridas de cavalos nos dias de semana e das rinhas de galo todos os dias; a expansão do comércio exterior, as políticas de desenvolvimento regional ou o traçado da política externa independente, junto com a proibição dos desfiles em biquíni nos concursos de beleza pela televisão ou a interdição do uso público de lança-perfume. (Dizia-se que ele era caolho porque, mocinho ainda, num baile de carnaval, tivera a vista direita ferida pelo éter de um lança-perfume e, "por conhecimento próprio", enquadrou o seu uso como crime.) A proibição do lança-perfume é o único legado *janista* que permanece até hoje. Caiu até mesmo a proibição de exibição de propaganda nos cinemas, aplaudida na época pelo país inteiro.

As noites brasilienses de Jânio eram inocentemente divertidas: com uns 10 ou 15 "seletos convidados", ministros e parlamentares, no cinema do Palácio da Alvorada, ele se deleitava com filmes de mocinho, tiro pra lá e tiro pra cá, aquelas velhas fitas de bangue-bangue, com muito cavalo e muita correria, que o norte-americano Harry Stone ("embaixador" de Hollywood no Rio) lhe enviava duas vezes por semana. As sessões chegavam a demorar três horas: o Presidente interrompia a projeção para mandar repetir determinada cena ou reabastecer o *whisky* próprio ou dos convidados.

Na sede da República, o Presidente limitava-se ao *whisky* escocês e era sempre parcimonioso.

## 6

Da viagem que tinha feito pelo mundo, antes da posse, Jânio havia trazido da Índia um daqueles trajes usados por lá pelos funcionários ingleses nos tempos coloniais, uma túnica solta e de manga curta, aberta ao peito e sem gravata, vestida diretamente sobre o corpo, sem camisa, com calça da mesma cor. Não se atreveu a usar a versão de verão dos britânicos, com calça pelos joelhos, mas já no primeiro dia de governo presidiu a primeira reunião do ministério vestido assim, com o "*pijânio*", como a imprensa chamou aquela vestimenta com aparência de pijama convertido em roupa de trabalho.

O traje era prático e, no fundo, talvez até mesmo mais funcional que os funcionários públicos: em 1961, Brasília era ainda campo do cerrado aberto à vista, com muito pó durante o estio ou muito barro na chuva, e esse ambiente agreste e simples, de integração cidade-campo, pressupunha — para os homens — roupas diferentes daquelas ajustadas fatiotas escuras passadas a ferro ou daqueles trajes de linho branco engomados do verão. Por mais que ele criticasse a cidade, os espaços de Brasília davam-lhe uma sensação de liberdade que a ditadura do colarinho e da gravata suprimia de imediato. Na nova capital, só as mulheres eram livres. Pelo menos, livres no vestir-se.

De fato, com o *pijânio* de cor cáqui abolia-se o uso da gravata em palácio. O Presidente despachava e recebia todo mundo vestido assim, e só em duas ou três ocasiões "especialíssimas" trocou de roupa e usou gravata. Fora do palácio ou quando viajava, aí sim, vestia fatiota e gravata, mas só nesses momentos.

Dentro do Planalto, no entanto, o *pijânio* tornou-se a roupa habitual do Presidente: vestido assim, ele recebeu o enviado especial do Presidente John Kennedy, Adolph Berle Jr., secretário-adjunto do Departamento de Estado e que havia sido embaixador no Brasil, que o visitou acompanhado do embaixador dos Estados Unidos, John Moors Cabot. A audiência durou mais de duas horas, mas Jânio não permitiu fotografias. Trabalho só se divulgava, e em parte, mas não se fotografava, e, nesse caso, até a divulgação foi pura metáfora.

Oficialmente, Berle Jr. vinha expor "as idéias profundas" da Aliança para o Progresso, um "programa de ajuda" dos EUA para a América Latina, mas em verdade o seu objetivo era sondar a posição brasileira em torno de uma ação "mais drástica" diante de Cuba. Ou, traduzido à linguagem concreta, nada menos do que a invasão militar da ilha. (Um mês depois, em abril de 1961, a CIA pôs em prática a operação de invasão de Cuba, um fiasco militar e político para os Estados Unidos, que se concluiu com a rendição pura e simples da totalidade dos invasores.)

Desde os tempos de Café Filho, o embaixador dos EUA tinha a postura de um "vice-rei", intrometendo-se em todos os assuntos internos brasileiros como se fosse o inspetor-mor da Corte Colonial, e agora apresentava-se ainda com mais poder por ter ao seu lado o próprio secretário adjunto de Washington para a América Latina. Anos antes, o austero Berle Jr. tinha deixado boas recordações pessoais dos tempos em que fora embaixador no Brasil, ainda no Rio de Janeiro, o que multiplicava a sua influência (e o perigo dessa influência), e, após o encontro, Jânio definiu para os seus assessores as dificuldades da reunião apenas com exclamações soltas:

— Ah, salva-nos o patriotismo!

Ou, então:

— Ah, deu-me Deus forças para resistir!

Acrescentou às palavras, porém, tantos suspiros, esgares e gestos que parecia querer dizer:

— Foi o mais exigente e exaustivo sacrifício que o patriotismo me exigiu!

Ele nunca disse essa frase (que escrevi eu mesmo, a esmo), mas Jânio se definia pela moldura do rosto, pelo olhar e pelos lábios empinados que davam o timbre da voz, muito mais do que pelas próprias palavras. Assim, bastava observá-lo e, dele, tudo o que se dissesse acabava coincidindo com a realidade ou, pelo menos, com a versão que ele dava da realidade que havia vivido sozinho, sem testemunhas.

## 7

Houve ensaios dispersos para transformar o *pijânio* numa espécie de fardamento masculino do funcionalismo federal, mas a idéia não vingou sequer em palácio. O secretário particular do Presidente, José Aparecido de Oliveira, usou os seus dotes de mineiro e, habilmente, ousou sugerir que se deixasse "a idéia correr", sem implantá-la. Moda é tradição e em tradição não se toca. Zé Aparecido havia montado um esquema (que Jânio considerava "fundamental") para não deixar o povo sem resposta: as cartas que — às centenas ou milhares — chegavam diariamente ao Planalto eram lidas e respondidas, uma a uma, pelo jornalista Evandro Carlos de Andrade, depois de analisá-las e encaminhá-las ao chamado "setor competente". Tudo, e sempre, como se fosse o próprio Jânio. Mas sem *pijânio*.

Dentro e fora do palácio, o único dos seus auxiliares a usar o novo traje, em qualquer ocasião, era o oficial-de-gabinete Raimundo Souza Dantas, um jornalista negro que se assumira como "janista total". Para chamar os auxiliares, Jânio havia montado um sistema que funcionava por toques e cores, à porta do gabinete presidencial: luz vermelha ou verde, um toque, dois toques, e assim por diante, sabia-se o cargo do ajudante chamado. Certa manhã, após despachar com o ministro das Relações Exteriores, Jânio tocou chamando um oficial-de-gabinete, e Dantas entrou, rápido, mas foi surpreendido com um grito do Presidente:

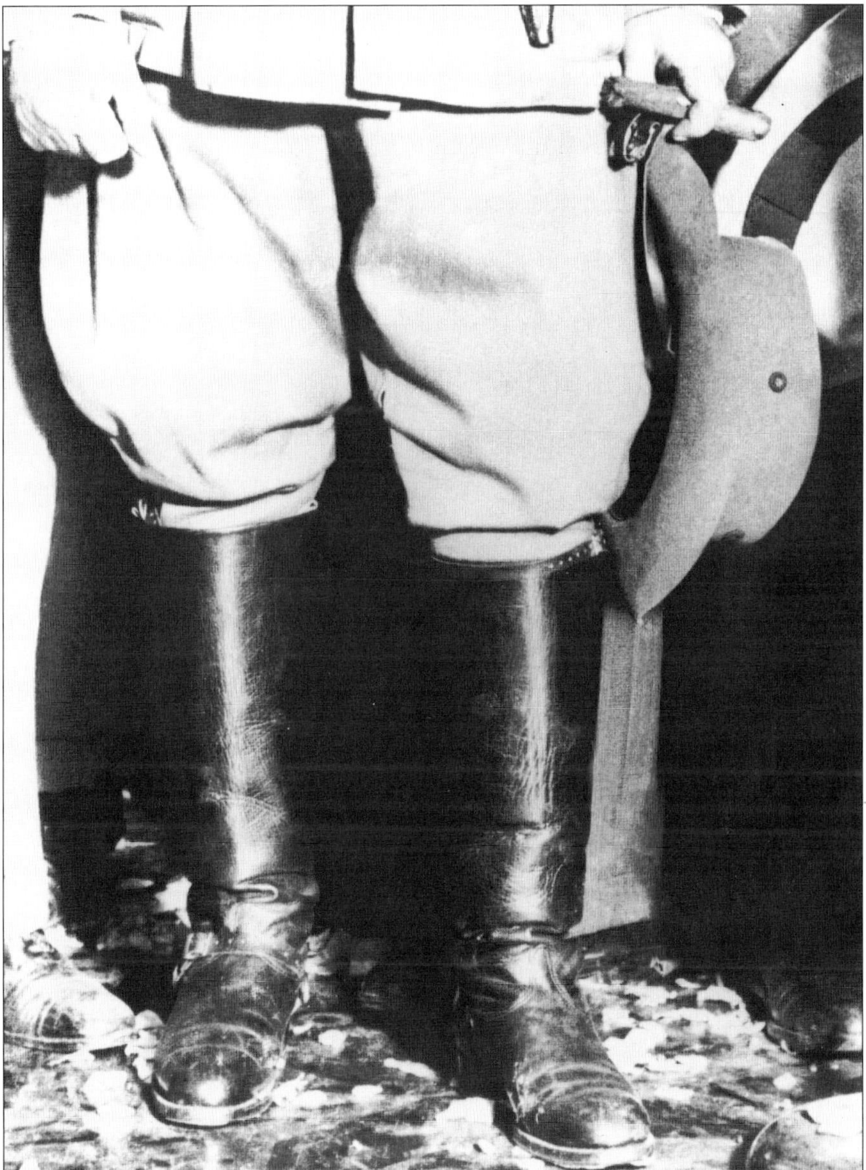

Bueno Filho – Arquivo Nacional

**O início:** em 1930, fardado de soldado, charuto entre os dedos, Getúlio chega ao Palácio do Catete.

Agência JB

**No sofá do poder**, ainda de farda, no Rio de Janeiro, Capital da República.

Arquivo Nacional

**Com o pai Manuel** e o chimarrão nos anos 1930.

**Longe do poder**, em 1948, no "exílio" em São Borja.

Agência JB

**Getulinho**, no serviço militar,
com a mãe, d. Darcy, e o pai em 1939.

Arquivo Nacional

Em 1943, **com Roosevelt**,
em Natal (RN), no inesquecível 28 de janeiro.

**A volta ao poder** "nos braços do povo": o desfile da posse em 31.1.1951.

**Junho de 1954:** Getúlio me recebe no Palácio e anota o que eu lhe digo.

*Tribuna da Imprensa*, RJ

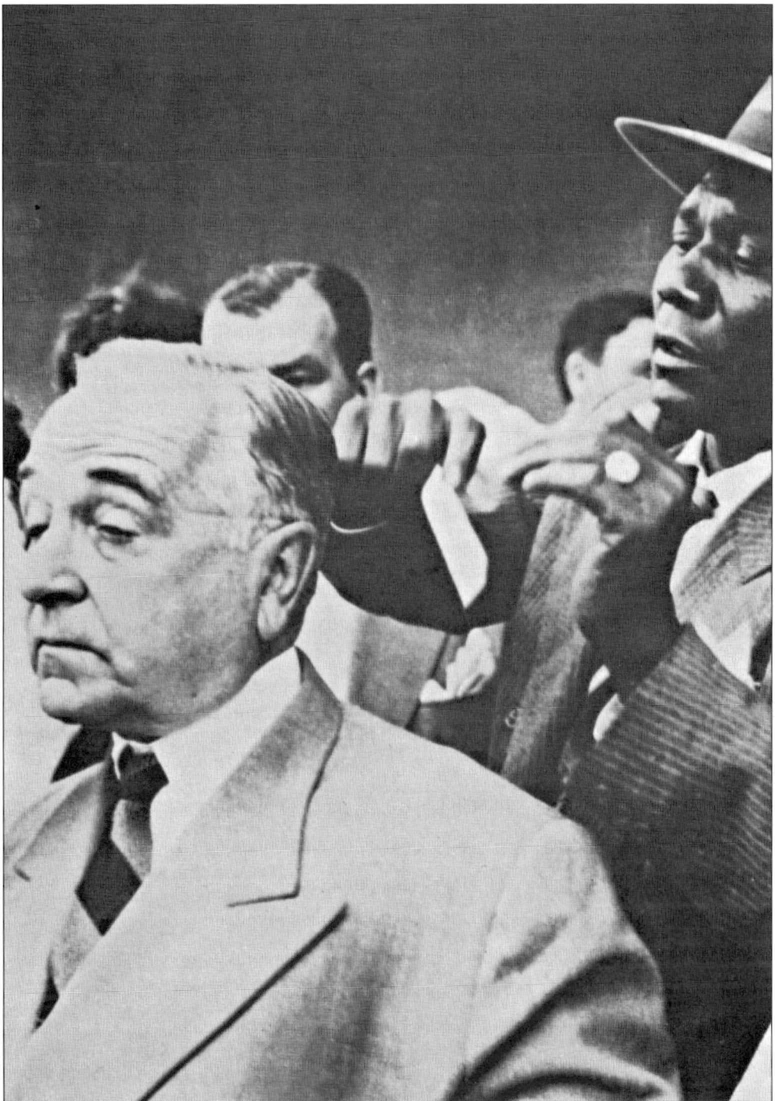

**O escândalo**: Gregório Fortunato, "um negro", penteia o Presidente da República.

*buna da Imprensa*, RJ

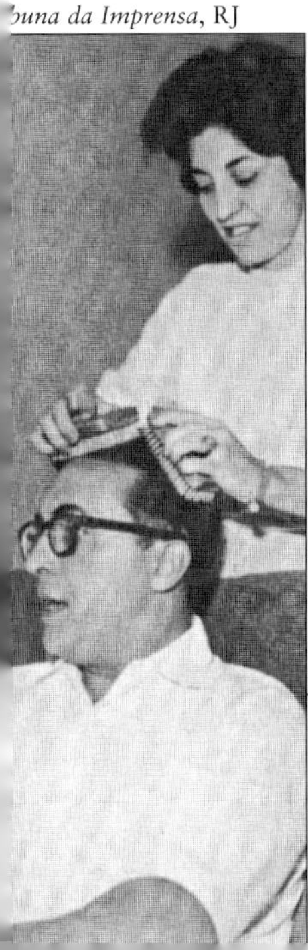

**O contraponto:** a esposa de Lacerda cuida dos seus cabelos.

*Jornal do Commercio*, RJ

Em 1952, Getúlio revê os **peões da fazenda** em São Borja.

*Jornal do Commercio*, RJ

**Gregório entra à prisão**, agosto de 1954.

*Última Hora*

**O final:** a pé, o povo leva o corpo de Getúlio do Palácio do Catete ao aeroporto, no Rio, um dia após o 24 de agosto de 1954.

Agência JB

Lott, ministro da Guerra, recebe **Fidel Castro** no Rio, maio de 1959.

Arquivo Nacional

**O católico Lott** foi o sustentáculo de Juscelino.

Arquivo Nacional

Após a posse, o Presidente **Juscelino** com o vice Jango, em 31.1.1956, no Rio.

No Itamaraty, a pompa de um **baile de gala** festeja a posse de Kubitschek.

Juscelino

vo Nacional

Arquivo Nacional

Arquivo Nacional

**D. Sarah** esteve sempre em primeiro plano, mas JK não pôde ocultar o amor por **Maria Lúcia Pedroso**.

Agência JB

**Oscar Niemeyer** e **Lúcio Costa** fizeram Brasília.

Arquivo família Rodrigues

**Kissinger**, momentos antes de ser expulso do gabinete do major Dagoberto Rodrigues, no Rio.

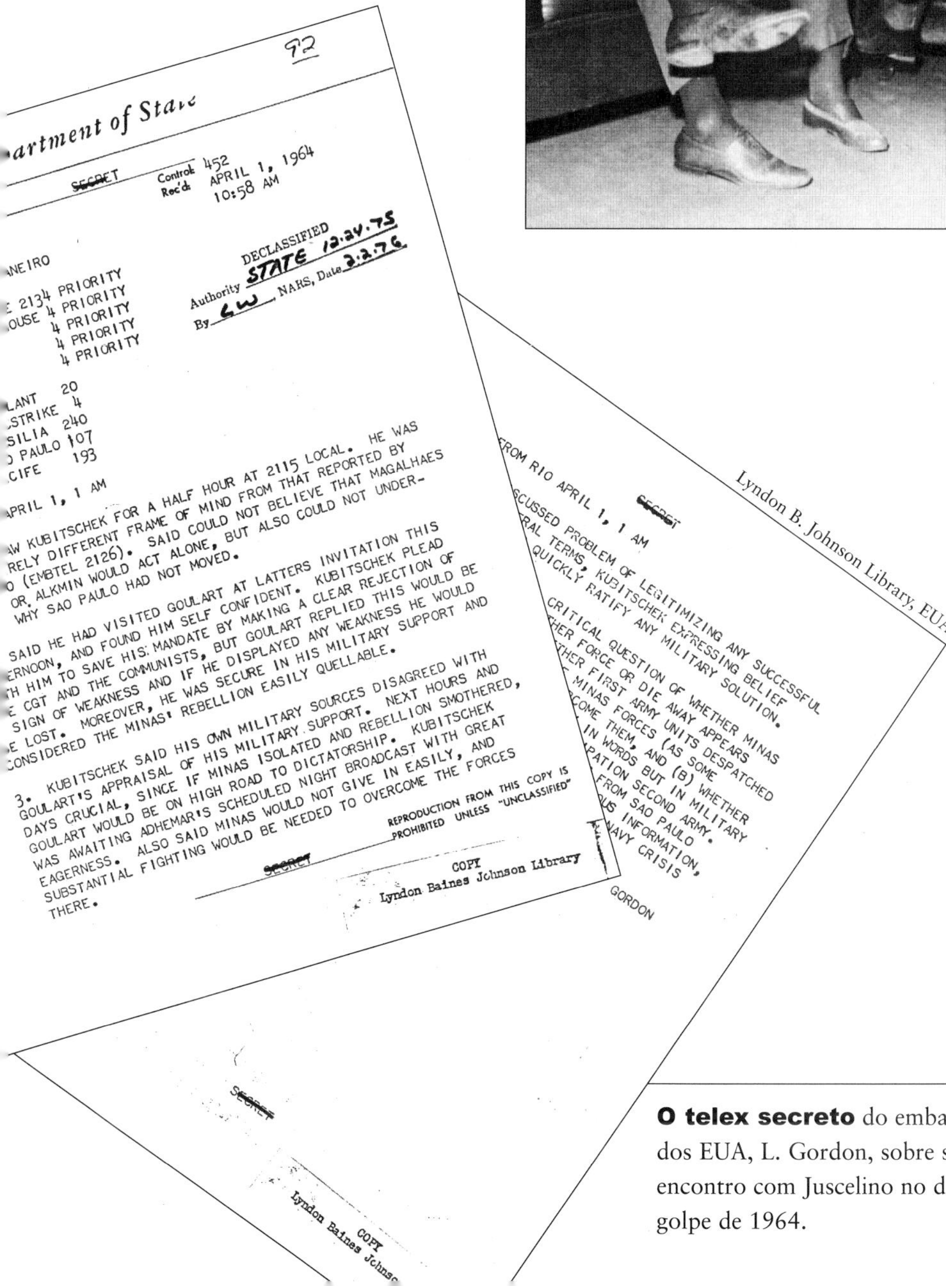

92

...artment of State

SECRET Control: 452
Rec'd: APRIL 1, 1964
10:58 AM

DECLASSIFIED
Authority STATE 12.24.75
By LW, NARS, Date 3.2.76

...ANEIRO

...E 2134 PRIORITY
...OUSE 4 PRIORITY
4 PRIORITY
4 PRIORITY
4 PRIORITY

...LANT 20
...STRIKE 4
...SILIA 240
...) PAULO 107
...CIFE 193

...APRIL 1, 1 AM

...W KUBITSCHEK FOR A HALF HOUR AT 2115 LOCAL. HE WAS ...RELY DIFFERENT FRAME OF MIND FROM THAT REPORTED BY ...O (EMBTEL 2126). SAID COULD NOT BELIEVE THAT MAGALHAES ...OR, ALKMIN WOULD ACT ALONE, BUT ALSO COULD NOT UNDER- ...WHY SAO PAULO HAD NOT MOVED.

...SAID HE HAD VISITED GOULART AT LATTERS INVITATION THIS ...ERNOON, AND FOUND HIM SELF CONFIDENT. KUBITSCHEK PLEAD ...TH HIM TO SAVE HIS MANDATE BY MAKING A CLEAR REJECTION OF ...E CGT AND THE COMMUNISTS, BUT GOULART REPLIED THIS WOULD BE ...SIGN OF WEAKNESS AND IF HE DISPLAYED ANY WEAKNESS HE WOULD ...E LOST. MOREOVER, HE WAS SECURE IN HIS MILITARY SUPPORT AND ...CONSIDERED THE MINAS' REBELLION EASILY QUELLABLE.

3. KUBITSCHEK SAID HIS OWN MILITARY SOURCES DISAGREED WITH GOULART'S APPRAISAL OF HIS MILITARY SUPPORT. NEXT HOURS AND DAYS CRUCIAL, SINCE IF MINAS ISOLATED AND REBELLION SMOTHERED, GOULART WOULD BE ON HIGH ROAD TO DICTATORSHIP. KUBITSCHEK WAS AWAITING ADHEMAR'S SCHEDULED NIGHT BROADCAST WITH GREAT EAGERNESS. ALSO SAID MINAS WOULD NOT GIVE IN EASILY, AND SUBSTANTIAL FIGHTING WOULD BE NEEDED TO OVERCOME THE FORCES THERE.

REPRODUCTION FROM THIS COPY IS PROHIBITED UNLESS "UNCLASSIFIED"

SECRET

COPY
Lyndon Baines Johnson Library

...FROM RIO APRIL 1, 1 AM

SECRET

...SCUSSED PROBLEM OF LEGITIMIZING ANY SUCCESSFUL ...RAL TERMS, KUBITSCHEK EXPRESSING BELIEF ...QUICKLY RATIFY ANY MILITARY SOLUTION.

...CRITICAL QUESTION OF WHETHER MINAS ...HER FORCE OR DIE AWAY APPEARS ...HER FIRST ARMY UNITS DESPATCHED ...MINAS FORCES (AS SOME ...COME THEM, AND (B) WHETHER ...IN WORDS BUT IN MILITARY ...PATION SECOND ARMY. ...FROM SAO PAULO ...US INFORMATION, ...NAVY CRISIS

GORDON

SECRET

COPY
Lyndon Baines Johns...

Lyndon B. Johnson Library, EUA

**O telex secreto** do embaixador dos EUA, L. Gordon, sobre seu encontro com Juscelino no dia do golpe de 1964.

Agência J

**Jânio Quadros com a faixa presidencial**, sob o sorriso de Juscelino e do vice Jango, na posse em Brasília, a 31.1.1961.

Jânio

Na reunião de Uruguaiana (RS), com **Arturo Frondizi**, Presidente da Argentina.

Agência JB

De **"pijânio"**, no Planalto, recebe Yuri Gagarin, o cosmonauta soviético desbravador do espaço.

*Tribuna da Imprensa*, RJ

Em 1960, ainda candidato, com **Fidel** e **Guevara** na Embaixada do Brasil em Havana.

Eurico Tavares/Banco de Dados/Agência RB

**Agosto de 1961:** milícias civis desfilam em Porto Alegre na Campanha da Legalidade, pela posse de João Goulart.

Agência JB

O casal Maria Thereza-Jango Goulart e os filhos: "uma surpresa" no encontro com o **Papa João XXIII**, no Vaticano.

Agência JB

No início do governo, de 1961 a 1962, **Magalhães Pinto** se apoiava em **Tancredo Neves** e João Goulart.

Reunião do Ministério de Jango em Recife, 1963: o general **Castelo Branco** faz continência e, em 1964, cassa a todos, inclusive os governadores Arraes e Seixas Dória.

O presente de Jango na coroação de **Paulo VI** em 1963: "um segredo" a se desvendar em 150 anos.

Arquivo Nacional

**No comício** das "reformas de base", a 13 de março de 1964, d. Maria Thereza ao lado do marido.

Agência JB

**No golpe** de 1º de abril de 1964, Jango deixa o Rio, rumo a Brasília.

Agência JB

Com **Lincoln Gordon**, embaixador dos EUA, e seu cachimbo.

Agência JB

O coronel **Vernon Walters**, um ianque com o Brasil na cabeça.

Arquivo Nacional

**Golpe militar:** a 2 de abril de 1964, as tropas de Minas chegam ao RJ.

Excelsior, México

**As vitoriosas tropas** alemãs desfilam no Champs-Elysées, em 1940.

Excelsior, México

**Hitler** na capital francesa.

Rev. Unión Soviética

Vi **Lenin** e **Stalin** embalsamados, em 1954.

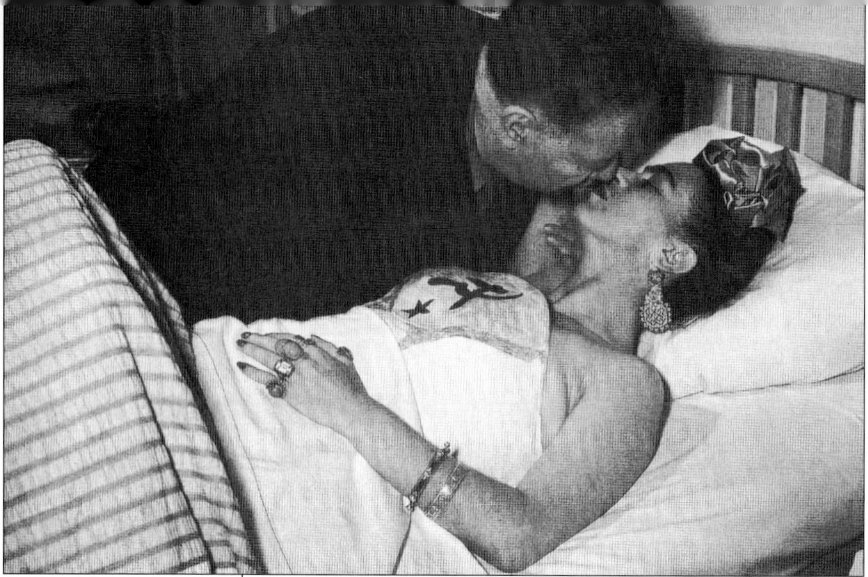

Excelsior, México

**Doente**, Frida com o beijo de Diego
e a foice e o martelo comunista.



Com **Diego Rivera** e, logo, ao receber **Trotski**
e sua mulher na chegada a Tampico, no México.

Excelsior, México

Excelsior, México

Flávio Tavares

Agência Prensa Latina

Depois que o fotografei de pé, **Ernesto *Che* Guevara** me levou ao palanque do desfile de abertura da reunião da OEA, Punta del Este, agosto de 1961.

Agência Nacional – Arquivo Nacional

Perón, **Evita** e o Presidente Dutra, em Uruguaiana (RS), na inauguração da ponte Brasil-Argentina, 1947: **ela** foi o centro da atenção.

Agência JB

**No exílio de Madri**, Cláudio Ferreira fez-se íntimo de Perón e Isabelita, anos 1960.

Agência JB

**O rosa-cruz** Cláudio posa de "cruzado".

Agência JB

**No Congresso**, em Brasília, 1964, Charles de Gaulle discursa: grande orador e grande ator.

Arquivo do autor

Arma na mão, **Allende** resistiu aos tanques e aviões no bombardeio ao palácio, em Santiago do Chile.

Allende

Arquivo do autor

Após o gesto final, **o gabinete** do Presidente deposto: 11 de setembro de 1973.

— Não o chamei aqui. Chamei um oficial-de-gabinete!

— Pois eu sou seu oficial-de-gabinete, excelência! — respondeu Dantas, reverente e aflito, sem nada entender ou, até, entendendo que tinha sido demitido.

— Não. O senhor não é mais oficial-de-gabinete. O senhor acaba de ser nomeado embaixador do Brasil em Gana. Portanto, retire-se e vá procurar o ministro das Relações Exteriores!

Logo, sorriu e deu a mão cumprimentando Dantas, que, sendo negro, recebia a maior recompensa que o Presidente lhe podia dar: saiu dali para ser o primeiro embaixador do Brasil num país africano recém-libertado do colonialismo inglês — Gana, a antiga *Gold Coast*, berço de milhares de escravos trazidos às Américas séculos antes. Era a forma com que Jânio marcava a postura anticolonialista do seu governo, mudando assim, radicalmente, os rumos da diplomacia dos tempos de Juscelino.

Aos poucos, os que conviviam com ele passaram a entender seus sinais, ainda que talvez nunca tenham logrado decifrar, por inteiro, a pessoa concreta e real que habitava neles.

Como entender, por exemplo, senão como afeto, aquele jeito com que, do gabinete presidencial, ele telefonava ao prefeito do Distrito Federal, Paulo de Tarso Santos, e dizia com voz suave:

— Paulinho? Que tal? Meu querido, quero dizer-te que... — e transmitia ao velho amigo dos tempos de vereador pelo PDC paulistano todas as ordens e idéias para administrar a cidade que ele queria domar.

Noutras ocasiões, porém, às vezes no mesmo dia, Paulo de Tarso atendia o telefone e ouvia a mesma voz mas noutro tom e noutro timbre:

— Prefeito? Aqui é o Presidente! Anote as ordens que haverei de ditar-lhe e execute-as imediatamente...

Telefonema após telefonema, Paulo de Tarso foi entendendo: quando estava só, isolado no gabinete ou desacompanhado no Alvorada, Jânio o chamava de "Paulinho". Quando havia alguém ao lado (quase sempre o interessado na medida que mandava executar), o tratamento era solene, cerimonioso, duro até.

## 8

Um mistificador? Um ciclotímico da política? Ou um ator genial que exercia o papel consciente de que tudo aquilo era apenas uma representação necessária do poder, sem a qual o poder se diluiria?

Depois da renúncia inesperada e inexplicada, o povo na rua deu uma explicação mais simples a tudo: "coisa de cachaceiro que fica zanzando de um lado para outro, com a cabeça zonza de quem não sabe o que quer". Mas só depois da renúncia, porque antes, até então, tudo se explicava convencionalmente, das sofisticadas ou redundantes interpretações sociológicas dos intelectuais às ações ou "expedientes" legislativos da oposição, ora para explicar, ora para travar esse homem que ia e vinha pelos caminhos do poder.

(Ao beber, não se embriagava nem se portava como aqueles bêbados de linguajar pastoso. Ao beber, tornava-se fervoroso e veemente. Só isso. Mas, então, por que não beber, se o fervor era a característica da sua liderança?)

Ninguém prestou atenção ou deu importância à origem daqueles rompantes ou inexplicáveis oscilações, em que — com a maior naturalidade — ele rompia bruscamente com os que o apoiavam e tentava apoiar-se nos que o criticavam. Jânio já era popular ao ser eleito governador paulista em 1954, mas só começou a ter prestígio — e não apenas *popularidade* — pelo apoio que lhe deu o jornalista Júlio de Mesquita

Filho em *O Estado de S. Paulo*. Os editoriais do *Estadão*, que tinham o poder de derrubar ministros, tomaram "a vassoura" como símbolo concreto da batalha contra a corrupção, e, por esse caminho, a vassourada *janista* tomou conta do país. O apoio, ainda que irrestrito, tinha sido gratuito, e Jânio, em vez de alegrar-se, aparentemente irritou-se com isso: como os Mesquita nada exigiam em troca (e o apoiavam por afinidade ideológica), ele não tinha como exercer qualquer tipo de pressão ou domínio sobre o jornal, que continuava independente. Da mesma forma como o apoiava agora, o independente *Estadão* poderia vir a criticá-lo amanhã, e isso, para o estilo de Jânio, era permitir além do permissível.

Antes do segundo mês de governo, o Presidente da República apareceu ao vivo na televisão e exibiu a edição dominical do *Estadão*. Agarrou-a numa das pontas, para mostrar que era imensa, e chamou de "esbanjamento imoral" as centenas de páginas em vários cadernos, "impressos em papel importado com câmbio subsidiado". Toda a imprensa favorecia-se do câmbio especial, não apenas o *Estadão*. O tapa inesperado (e gratuito) nos seus apoiadores, no entanto, foi o pretexto para a marca mais importante do seu governo, a Instrução 204 da Sumoc, que extinguiu os subsídios para as importações de trigo, fertilizantes, petróleo, gás e papel de imprensa, provocando uma disparada geral nos preços internos.

Se a política interna de Jânio oscilava do grande ao pequeno e da pequenez às grandezas como um pêndulo enlouquecido, entretanto nada melhor que a política externa do seu governo para retratar a sua desenvoltura pessoal e capacidade para desenhar grandes ações. No Ministério das Relações Exteriores colocou o *udenista* Afonso Arinos de Mello Franco, que, desde o suicídio de Getúlio, perdera o arroubo agressivo e se transformara num moderado lúcido de pensamento moderno, e isso lhe facilitou tudo.

A "política externa autônoma e não-alinhada", no entanto — como tese, enunciado e ação —, foi criação pessoal de Jânio Quadros e repôs o Brasil no mundo. Numa ousadia para a época, por exemplo, enviou uma "missão especial e plenipotenciária" aos países do Leste comunista europeu, com os quais o Brasil não mantinha relações diplomáticas. Nesses anos da "guerra fria" em que o Brasil desconhecia aquele um terço comunista do planeta, talvez ele sonhasse ser o "anjo rebelde" do Ocidente capitalista, como o iugoslavo Tito (cuja fotografia estava no gabinete ao alcance dos seus olhos) era o rebelde independente no mundo comunista.

## 9

Contraditoriamente, a área externa levou-o a sofrer o seu mais humilhante revés no Congresso, onde não tinha maioria numérica. Numa vingança às ameaças de sindicâncias para apurar falcatruas no governo de Juscelino, o PSD *juscelinista* foi à desforra. Primeiro, o Senado rejeitou a indicação do industrial José Ermírio de Moraes como embaixador na Alemanha Federal. Depois, decidiu que negaria a autorização para o Presidente da República ausentar-se do país a fim de se reunir com o Presidente da Argentina, Arturo Frondizi.

As relações entre as duas maiores nações da América do Sul tinham caído numa estática pasmaceira desde o suicídio de Getúlio, e no ano seguinte, 1955, a deposição de Perón e a entronização de uma ditadura militar na Argentina reacenderam as velhas rivalidades. (As discordâncias políticas alimentavam não só os entreveros entre as guarnições de fronteira mas, também, a brutalidade entre os jogadores das seleções de ambos os países nos jogos da Copa Roca ou nos campeonatos sul-americanos de futebol.) Já não se vivia o clima paranóico de 1942-49, em que os exércitos das duas nações se preparavam para enfrentar-se numa guerra que os diplomatas entendidos no assunto apontavam como "inevitável", uma espécie de continuação continental da II Guerra Mundial, mas o distanciamento era concreto e profundo. Nem a redemocratização argentina, com a eleição de Frondizi em 1959, conseguiu despertar o interesse do Brasil. Jânio, no entanto, entendeu plenamente a necessidade da aproximação e tomou a iniciativa do encontro.

Mas onde? Não podia ser na capital argentina. Eram aqueles anos em que a orgulhosa e feérica Buenos Aires chamava de "*macaquitos*" os turistas brasileiros que se deslumbravam com aquela cidade que se dizia Paris-Londres, ao mesmo tempo, e falava um espanhol com acento italiano e fantasias inglesas, numa imitação tão perfeita de europeísmo que se acreditava diferente do resto da América (inclusive do resto da própria Argentina) ou até seu oposto. Lá, portanto, não haveria clima para um encontro igualitário.

A diplomacia é o exercício das vaidades sob o disfarce das boas maneiras, e os argentinos jamais aceitariam trocar a cosmopolita Buenos Aires pela provinciana e recatada Brasília, que era capital pela metade, com os ministérios ainda funcionando no Rio. Jânio, porém, já tinha pensado no local para uma reunião igualitária:

— Encontrar-nos-emos na fronteira, com um pé no Brasil e outro na Argentina — disse ao chanceler Afonso Arinos, sugerindo as cidades de Uruguaiana, no Rio Grande do Sul, e Paso de los Libres, na Argentina, unidas por uma ponte majestosa sobre o Rio Uruguai. Os dois presidentes deveriam reunir-se uma vez em cada país, ou seja, em cada cidade, ao longo de três dias. Um gesto simbólico de amizade e cooperação.

Os argentinos concordaram, mas a maioria do Congresso brasileiro tinha decidido negar a autorização para o Presidente da República "deixar o território nacional", que — no caso — significava apenas atravessar a fronteira (ou a ponte) e, dois quilômetros adiante, sentar-se à mesa de negociações com Frondizi. Da projetada sala de reuniões na Municipalidade de Libres, em terra estrangeira, se espichasse o pescoço (como era do seu feitio), talvez Jânio pudesse divisar o território brasileiro, lá adiante, no outro lado do rio. A reunião se fez, então, tendo Uruguaiana como sede única. Ele era chamado de "caolho" devido a um estrabismo crônico que o tinha levado várias vezes a operar-se na Inglaterra, mas a vesguice da oposição havia chegado à cegueira da mesquinhez histórica e política.

Como enviado especial do jornal *Última Hora*, junto com Ib Kern, cobri a reunião, e, já ao descermos do avião, surpreendeu-nos a ausência de qualquer sinal de festejo ou euforia em Uruguaiana: nenhuma bandeira nas ruas, nem a do Brasil, menos ainda a da Argentina, nem sequer aquelas concentrações de crianças de escola, em que docentes, alunos, pais e mães se divertem com gritos e bandeirinhas, intercalando ócio e lúdico patriotismo. Nada disso. Nem mesmo uma única faixa de calçada a calçada saudando os dois presidentes ou os dois países. Nada de nada. A Prefeitura Municipal era do PTB, e o governo de Jânio estava tão no início (era abril de 1961) que a sensação oposicionista da derrota eleitoral ainda pesava forte como ressentimento e paixão. Uruguaiana, no extremo sul, repetia o Congresso, no centro do país.

No outro lado da fronteira, o oposto: cruzamos a ponte para ver a chegada de Frondizi a Paso de los Libres e encontramos a cidade cheia de bandeiras (da Argentina, é claro) e o Exército mobilizado em todo o trajeto até o aeroporto, que retumbava de música marcial. No ambiente, porém, não havia descontração: os soldados argentinos usavam ainda os capacetes verde-gris do Exército alemão na II Guerra (levando-nos a inconscientes ilações com o nazismo) e a visão não era só de guarda de honra, mas também de vigilância sobre o Presidente Frondizi. Pouco depois, Jânio chegava ao aeroporto de Uruguaiana sem maior solenidade nem banda, de *pijânio,* emoldurado apenas por um toque de corneta.

# 10

O primeiro encontro entre Arturo Frondizi e Jânio Quadros realizou-se ao final da tarde, exatamente no meio do Rio Uruguai, ou no meio da ponte, onde começavam ou terminavam as duas metades de cada país. Não era apenas um simbolismo: em verdade, Jânio não podia sequer pôr os pés no lado argentino da travessia. Os presidentes e comitivas vieram caminhando pela ponte, cada um deles observando o largo rio, e se encontraram junto a uma dupla fita com as cores de ambos países, demarcatória dos limites do abraço e dos limites da fronteira.

Engravatado, Jânio vestia o "chiquê" da época — traje cinzento de alpaca brilhante, numa elegância que contrastava com o *pijânio* com que havia chegado de Brasília. E, contra os seus hábitos, atendeu aos fotógrafos e repetiu três ou quatro vezes a troca de abraços com Frondizi. Estava radiante, radioso e sorridente. Inquietos, só os ajudantes-de-ordens que, discretamente, colocavam-se à sua frente para demarcar-lhe o ponto máximo em que podia pisar no cimento da ponte sem sair da parte brasileira.

Todas as reuniões, inclusive aqueles maçantes banquetes que um chefe de Estado oferece ao outro, realizaram-se em Uruguaiana, no hotel principal da cidade, local porém inadequado para um encontro que rompia um longo período de abstinência e jejum entre os dois países. Frondizi hospedou-se no lado argentino, ao qual voltava ao final de cada encontro — e que, casualmente, era a cidade onde havia nascido. Ao contrário, Jânio teve de permanecer trancafiado no hotel-sede da reunião, não podendo sequer retribuir a cordialidade das visitas do Presidente argentino e ir visitá-lo uns poucos quilômetros adiante, num gesto de fidalguia. Não tinha autorização legislativa para "deixar o território nacional".

# 11

Nos meus anos de exílio, nos tempos em que morei na Argentina, entrevistei Arturo Frondizi duas ou três vezes, e numa delas, em 1975-76, conversamos sobre a reunião de Uruguaiana, 15 anos antes. Na conversa madrugada afora, em determinado momento ele me encarou fundo e sorriu:

— Vou contar-lhe meu segredo de Uruguaiana. Pouquíssimos o sabem! — disse e logo fez uma pausa.

Uma aflita cócega apossou-se de mim naqueles extensos segundos e pensei rápido: "Ele vai me contar tudo aquilo que eu já sei pelos rumores espalhados nos dois países. Vai me confirmar o boato."

Dizia-se que Frondizi tinha nascido em Uruguaiana, em território brasileiro, e não em Paso de los Libres, como oficialmente constava em seus documentos. Isso era comum na fronteira. A nacionalidade não era dada pelo lugar natal mas pela inscrição no registro civil. Eles eram vários irmãos, e os pais residiram no lado brasileiro algum tempo, mais do que o suficiente para que ele houvesse nascido no Rio Grande do Sul, onde o boato era insistente, e não na província argentina de Corrientes, na outra margem do rio. Esse fato, corriqueiro entre as crianças fronteiriças, no caso de Frondizi, entretanto, passava a ser um escândalo: ele tinha sido Presidente da República Argentina, sufragado por imensa maioria na eleição que marcou a redemocratização de 1958, e fora o comandante supremo de um exército que tinha como referência de operações "a hipótese de conflito" com o Brasil.

Ajeitei-me na poltrona para receber o impacto do "segredo", e Frondizi fez um sorriso morto, daqueles em que não há riso e apenas se abre a comissura dos lábios para puxar o passado lá do fundo da memória.

— *Yo temblé, literalmente temblé!* — disse e sublinhou: "Quando o presidente Quadros parou de falar, eu tremi."

O "segredo" não era o seu nascimento em Uruguaiana, invencionice mesquinha e sem sentido, mas o que ele tinha ouvido no hotel de Uruguaiana. Sim, Frondizi me confessava que tinha tremido ante uma proposta de Jânio, mais por sobressalto do que por medo, mais por impotência do que por pavor.

— Eu tremi, literalmente tremi! O que o Presidente Quadros me propunha era o que eu também desejava e queria em termos pessoais e políticos, mas nem ele nem eu, nem a Argentina nem o Brasil tinham condições de enfrentar-se ou confrontar-se com os Estados Unidos.

Em plena "guerra fria", Jânio propôs a Frondizi "uma aliança em todas as frentes", da política e economia até aos exércitos e ao ensino, a partir de uma postura de "nítida e total autonomia" em face dos Estados Unidos, que começaria pela Organização dos Estados Americanos (OEA) em forma tênue mas gradual, para avançar marcando as distâncias e, passo a passo, chegar à própria ONU. Em suma: a Argentina e o Brasil formariam um bloco à parte, autônomo e independente, sem recorrer politicamente aos Estados Unidos mas sem tampouco descambar para o bloco soviético. Frondizi tinha presentes algumas expressões de Jânio — "falava de forma resoluta, devagar, num português claro e fácil de entender" — ou até os seus tiques, mas quando eu lhe perguntei qual havia sido a proposta concreta e objetiva em termos de ação, em torno do "que fazer", principalmente na área econômica com as empresas norte-americanas, o ex-Presidente argentino pensou e pensou mas não soube responder.

— Creio que fiquei tão obnubilado pela proposta que, pelo menos agora, tantos anos depois, não me lembro se o Presidente Quadros desceu a detalhes concretos. Mas acho que não! — explicou Frondizi.

Disse-lhe que, pelo que eu conhecia do ex-Presidente brasileiro, a meu ver, "o segredo" da reunião de Uruguaiana havia sido apenas outra de suas *mise en scènes* e reforcei a idéia chamando Jânio Quadros de "um especialista em semear ao vento". Frondizi gostou da observação (na verdade, apenas uma frase de efeito), pois isso o levava a sentir-se absolvido da culpa de não ter respondido a Jânio com um "sim" peremptório. Naquele 1961, porém, o Presidente argentino enfrentava múltiplos problemas com as Forças Armadas, que primeiro o acusavam de pró-peronista e antinorte-americano e, depois, passaram a atacá-lo por ser pró-norte-americano...

Frondizi ultrapassou Jânio e resistiu até o início de março de 1962, quando foi deposto por um golpe militar e encarcerado na ilhota de Martín García, no meio do Rio da Prata.

## 12

Como toda a teatralidade inovadora (ou inesperada), a *mise en scène* mais notória de Jânio levou-o a receber aplausos e apupos, hurras e vaias, e começou com a Conferência Econômica e Social da OEA, no início de agosto de 1961 em Punta del Este, no Uruguai.

Já antes mesmo da abertura, sabia-se que a reunião, em que os ministros da Economia ou Fazenda de todo o continente debateriam a proposta norte-americana da Aliança para o Progresso, formalizaria o duelo entre os Estados Unidos e a revolucionária Cuba de Fidel Castro. Apenas cem dias antes, em abril, os cubanos tinham repelido uma invasão financiada, preparada e armada pela CIA, e pouco depois, em revide, a 1° de maio proclamaram "o caráter socialista da revolução". Naquele momento, tentavam aproximar-se da União Soviética em termos econômicos, sem ter ainda maiores laços políticos.

Portanto, nada menos do que Davi e Golias iam estar frente a frente, e o próprio Jânio armou e instruiu a delegação brasileira: Clemente Mariani, ministro da Fazenda, como chefe; Arthur Bernardes Filho, da Indústria e Comércio, como subchefe, e Leonel Brizola, governador do Rio Grande do Sul, conselheiro especial. Na campanha eleitoral, o *trabalhista* Brizola tinha apoiado Lott, contra Jânio, mas — já logo após a posse — o Presidente aproximou-se do jovem e audaz governador que havia nacionalizado a intocável Bond and Share (pertencente à American Foreign Power, do setor elétrico) e mandou um jatinho militar Paris I, de dois lugares, levá-lo urgente de Porto Alegre a Brasília para instruí-lo sobre a "independência absoluta" a ser mantida na reunião. O representante cubano seria o ministro de Economia e Indústria, Ernesto *Che* Guevara, e isso era mais uma razão para o Brasil zelar e velar pelo respeito à autodeterminação de Cuba.

— Temos que marcar nossa autonomia em face dos Estados Unidos. Com tato, sem agredir, mostrar-lhes nossa independência! — disse o Presidente a Brizola, que o ouviu fascinado.

Outras, no entanto, e aparentemente opostas, foram as instruções dadas pelo Presidente ao chefe da delegação. O ministro da Fazenda, Clemente Mariani, manteve-se dúbio e dúplice, concordando em tudo com os Estados Unidos e sendo apenas afável com Cuba, sem que a afabilidade chegasse à prática. O homem mais ativo da delegação, Roberto Campos, embaixador do Brasil em Washington, não era membro titular e tinha apenas "funções de apoio". Fazia, no entanto, uma ponte direta permanente e tão íntima com Douglas Dillon, secretário do Tesouro e chefe da representação dos EUA, que, nos intervalos, abandonava a postura de diplomata sisudo e sério e, à vista de todos, contava-lhe contínuas piadas sobre o Brasil.

— Sabe o significado de "Varig", a linha aérea brasileira? — perguntava-lhe Roberto Campos, em inglês e, após uma pausa de suspense, ele próprio respondia:

— *Virgins are rare in Guanabara: Varig!*

E Dillon, seus assessores e o embaixador brasileiro davam gargalhadas (também em inglês) e saíam alegres pelos corredores.

Antes e ao final das sessões plenárias, da cabine reservada aos delegados (e que nós, da imprensa, às vezes também usávamos), Mariani telefonava ao Presidente em Brasília, e era evidente que tudo o que fazia tinha o seu aval. Brizola, no entanto, inconformado com o chefe da delegação que "não cumpria as ordens do Presidente", no quarto dia abandonou a reunião, deixando uma carta a Mariani.

(Em Punta del Este, Brizola quis despedir-se pessoalmente apenas de Guevara e deu-me seu automóvel com chofer para que eu localizasse o ministro cubano, que havia sumido da conferência. A busca demorou, e, quando o encontrei no quarto do hotel às voltas com uma crise de asma e lhe disse o que ocorria, Guevara entrou comigo no carro do governo gaúcho e, em seguida, os dois conversaram a sós numa salinha com porta de vidro, no edifício da conferência e eu fiquei olhando do lado de fora: Brizola falou quase todo o tempo, e só ao final o *Che* tomou a palavra, longamente.

Depois, Guevara voltou ao plenário da reunião e Brizola rumou a Montevidéu, para voltar ao Brasil:

— Esse Mariani e o Roberto Campos estão traindo o Jânio. Esta é uma reunião das oligarquias das Américas, não do seu povo! — disse-me, numa frase que tinha evidentes raízes no que ouvira do *Che* pouco antes.)

O ministro da Fazenda cumpria integralmente as ordens de Jânio, tal qual Brizola, conselheiro especial. As ordens é que eram antagônicas entre si...

O Presidente tinha dito a Mariani o oposto do que dissera a Brizola.

## 13

No retorno a Cuba, *Che* Guevara fez uma escala em Brasília, atendendo a convite expresso e ansioso de Jânio, e teve uma recepção de visitante ilustre, como ninguém ainda o tivera individualmente na nova capital. Chegou à noite, na sexta-feira 18 de agosto, num avião da Cubana de Aviación que o buscara em Montevidéu, e foi direto descansar no bucólico Brasília Palace Hotel, perto do palácio: estava exausto pelas constantes crises de asma nos últimos dias no Uruguai, e o encontro com Jânio seria às 7 da manhã seguinte.

Ao chegar ao palácio cedinho, quando Brasília inteira ainda dormia naquele sábado, Guevara passou em revista uma guarda de honra e encontrou um clima de festa e honrarias às quais não estava habituado sequer em Cuba, onde a revolução conservava ainda a austeridade dos primórdios. Até o traje do Presidente era outro e não o *pijânio* indefectível com que sempre chegava ao gabinete: Jânio vestia um impecável terno com gravata e, ao notar que os auxiliares o observavam com espanto, fez questão de explicar:

— Vesti-me condignamente para receber um homem digno!

Logo, num ato inusual, esse homem que relutava em ser retratado no gabinete mandou o secretário de Imprensa, Carlos Castelo Branco, convocar jornalistas e fotógrafos para o seu encontro com o ministro cubano e, ao mesmo tempo, liberar as dependências do palácio para fotos ou entrevistas com Guevara:

— Tirem-lhe mil retratos, este homem é um herói da liberdade!

Em seguida, o detalhe que tornou o encontro ainda mais notório e surpreendente: Jânio condecorou-o com a Ordem do Cruzeiro do Sul, a mais alta distinção concedida pelo governo brasileiro, ainda afeito à heráldica dos tempos da monarquia. Tudo, porém, fora improvisado e, como não existiam insígnias da comenda em Brasília (estavam armazenadas no Rio, no Ministério do Exterior), houve que usar a condecoração reservada para o Presidente do Peru — a medalha e a imensa faixa, que o engravatado Jânio colocou num *Che* Guevara de botinhas e uniforme verde-oliva aberto ao peito, de jeito tímido e espantado com aquela inesperada solenidade neomedieval no cenário futurista de Brasília.

Com a condecoração, Jânio tentava compensar os hiatos da reticente posição do Brasil perante Cuba na reunião de Punta del Este. Nunca se soube, no entanto, o que ele disse ao *Che*: o ruído extravagante da condecoração tapou tudo, e tudo resumiu-se à comenda. A forma esvaziou o conteúdo, e pelo mundo afora os jornais estamparam a foto do Presidente condecorando o guerrilheiro-ministro.

A direita liberal, que nele havia votado, surpreendeu-se. Carlos Lacerda, seu antigo defensor, protestou, aumentou o tom das críticas e, em revide, como governador da Guanabara homenageou um aventureiro cubano anticastrista, Manuel Verona, que passava pelo Rio, entregando-lhe "as chaves da cidade". E insinuou que o Presidente estava demente.

Mas Jânio estava como queria, pois agora, com gestos assim, mostrava que, nessa democracia republicana, o rei era ele. E só ele.

# 14

Sobre Jânio há, sempre, uma pergunta inevitável: com tanto poder, por que renunciou? E logo, aos sete meses de mandato!

Tudo foi tão inesperado que só há hipóteses, que se tornam mais hipotéticas ainda porque ele sempre silenciou até mesmo sobre as conjeturas. Uma tentativa de golpe branco? Ao haver despachado o Vice-Presidente para a União Soviética e a China Comunista, acreditou que o Congresso não aceitaria a renúncia? E que os ministros militares seriam capazes, até, de lhe dar um *ultimatum* para que ficasse e, dessa forma, evitar o Vice-Presidente que ele tinha mandado namorar aqueles comunistas soviéticos e chineses? Ou que, com Brasília vazia por ser uma sexta-feira, a discussão iria protelar-se por vários dias e, enquanto isso, o povo exigiria nas ruas a sua permanência no cargo? E que, feito isso, ele estaria à vontade para obter "plenos poderes" de um Congresso atemorizado pela pressão popular?

Ou seja, uma tentativa de golpe branco ou autogolpe?

Trabalhar com conjeturas é trabalhar com fantasias, mas o exagero da fantasia, sem dúvida, abriu-lhe o caminho do gesto da renúncia. Tal qual o suicida que, numa fração de segundo, tenta liberar-se do peso que lhe cai em cima e aperta o gatilho, mas se arrepende no momento do disparo, na lucidez do instante final, quando porém já não pode voltar atrás.

Em tudo Jânio exagerava, principalmente nas suas características profundas. O amor pelas mesóclises levá-lo-ia, muitas vezes, a errar no idioma português que ele pretendia falar tão bem. Exagerava nas mesóclises e nos pronomes. "Comi-a e não gostei-a", dizia-se que ele dizia da deputada Ivete Vargas (jovem, bonita e solteira), por exemplo, e quando foram contar-lhe do exagero, ele exagerou no silêncio.

Poderá ter exagerado, assim, nas suas próprias conjeturas ou fantasias políticas mais profundas? O estilo desnorteante desse homem sem bússola, que sempre se elegeu pregando a moralidade pública, talvez possa sintetizar-se numa das tantas histórias que dele se contavam: aquela em que, tarde da noite no cinema do Palácio da Alvorada, no intervalo de um filme de mocinho a que assiste só, totalmente só, ele recebe um "enviado" que lhe traz, de São Paulo, uma mala com dinheiro em efetivo, em cédulas.

— Entre, fique à vontade! — diz-lhe Jânio, copo de *whisky* na mão.

Maravilhado, entre sorrisos, o enviado o saúda:

— Oh, Presidente, que honra conhecê-lo e poder estar aqui!!!

De soslaio, sem encará-lo, Jânio encerra o encontro:

— Deixe a mala no chão e ponha-se na rua!

A "loucura" (ou a fama de louco) de Jânio permitia que tudo pudessem inventar sobre ele e que o inventado soasse, às vezes, como a mais pura e diáfana verdade.

## 15

Houve uma verdade, no entanto, que mudou a sua vida de Presidente da República, um acontecimento fortuito e corriqueiro, pessoal (ou passional) e não político, mas que redundou numa crise política, a derradeira, e que serviu de pretexto ou estopim para desembocar na renúncia: a mala de Carlos Lacerda, governador do estado da Guanabara, que ele mandou colocar na portaria do Palácio da Alvorada.

Em julho, Lacerda pôs-se em guarda contra Jânio, a quem havia apoiado febrilmente primeiro dentro da UDN, para que fosse escolhido candidato contra Juracy Magalhães (que presidia o partido), e, depois, na campanha eleitoral. No início de agosto, voltou a criticá-lo por desavenças político-administrativas mas ambos concordaram em reaproximar-se, e Lacerda viajou a Brasília, a convite do Presidente, para jantar e hospedar-se no Palácio da Alvorada, a fim de que lá conversassem intimamente, sem limites nem horários.

Lacerda chegou a Brasília ao anoitecer e saiu direto do aeroporto para a residência presidencial, lá deixando sua mala, no quarto de hóspedes do Palácio da Alvorada. A conversa com Jânio, porém, foi rápida e parca. Apressado, o Presidente disse-lhe que já havia jantado e pediu que, antes de tudo, fosse ao apartamento do ministro da Justiça para "um contacto prévio e concreto". Na volta, mais tarde, conversariam noite adentro.

Por volta das 11 da noite, Lacerda retorna de táxi ao Alvorada mas, no portão, é informado de que sua mala foi devolvida à portaria e que não poderá hospedar-se mais no palácio, pois a reunião noturna com o Presidente foi cancelada ou adiada. A Presidência da República lhe havia reservado aposentos num hotel.

Não era sequer necessário apelar à exuberância de Lacerda como polemista para ver na devolução da mala um gesto inamistoso, "um desaforo e uma agressão", de fato, uma ruptura política. Irritado, Lacerda vai dormir no apartamento de um deputado *udenista* e, na manhã seguinte, volta ao Rio no primeiro vôo, praticamente à mesma hora em que Jânio está condecorando o comandante *Che* Guevara no Palácio do Planalto. Nessa mesma noite e nos dias seguintes outras vezes, pelo rádio e televisão, Lacerda bombardeia Jânio com aqueles discursos demolidores que sabe articular com arte. O alvo é outro, também os motivos, mas nesse agosto de 1961 a rudeza do ataque é a mesma que Lacerda desferiu contra Getúlio em agosto de 1954.

A mesma rudeza, porém agora ainda mais ferina: Lacerda diz que Jânio lhe propôs a cumplicidade num golpe de Estado para dissolver o Congresso e atribuir-se plenos poderes. A denúncia é tão soturna e ao mesmo tempo tão vaga, que não chega a deitar raízes nem comover a opinião pública. Torna-se difícil sequer admitir que, para tentar um golpe, Jânio procure apoiar-se no líder político com quem estava brigando há pelo menos um mês. Mas o PSD *juscelinista* aproveita-se da denúncia e leva a Câmara dos Deputados a declarar-se em "sessão geral" para interpelar o ministro da Justiça, Oscar Pedroso Horta, na tarde do dia 25 de agosto.

Atônito, Jânio nem sequer a si mesmo sabe explicar a razão de tanta virulência por parte do governador da Guanabara. Até porque, ao devolver a mala, o Presidente não tinha tido nenhuma intenção expressa de enxotar ou romper com Lacerda. Apenas não quis que ele se hospedasse no Alvorada, e lá dormisse aquela noite, por um único motivo: simplesmente porque ele quis estar a sós para lá passar a noite com u'a mulher que não era a pacata dona Eloá, que estava em São Paulo.

O seu "recatado amor paulistano", aquela jovem e bela senhora separada, de 40 anos, havia dormido com ele no Alvorada. Não tinha sucedido nenhuma manobra política. Havia ocorrido tão-só um típico *affaire* de rabo-de-saias, dessas inesperadas aventuras que surgem ao acaso e à última hora, mas sempre inadiáveis, às quais ele não podia dizer "não" e que já nos tempos de Juscelino costumavam modificar a agenda do Presidente da República.

Ao final da manhã de 25 de agosto de 1961, depois de presidir em Brasília as cerimônias do Dia do Soldado, Jânio enviou ao Congresso a carta-renúncia. Era uma sexta-feira, Brasília estava semideserta, quase sem parlamentares, e foi preciso pescá-los, às dezenas, no aeroporto ou impedir que os aviões partissem levando em seu bojo a maioria do Senado e da Câmara dos Deputados, como ocorria invariavelmente.

A renúncia é um gesto declaratório de vontade que se consuma em si mesmo, e o Congresso limitou-se a tomar conhecimento da decisão presidencial. Não houve sequer necessidade de votação.

## 16

Naqueles tempos em que a televisão — com sua imagem que a tudo chega — não tinha a penetração nem o poder de hoje, Jânio talvez buscasse, mais do que tudo, a imagem. Suas pequenas extravagâncias, se feitas hoje, iriam diluir-se na enxurrada de cores, gestos, berros, monólogos, músicas e sons desconexos que a televisão leva aos lares e escritórios, ou à rua: jamais representariam o que representaram nem teriam o impacto que tiveram naquele 1961, em que os discursos e as idéias políticas ainda construíam sonhos ou derrubavam muralhas.

*(Na atualidade, a imagem que nos impacta através da televisão é outra e mais vulgar: sem idéias mas eficientemente colorida e musicada, com acordes e silêncios, é tanta e tão forte, que já a incorporamos ao quotidiano e nem percebemos que se apossa do nosso corpo e da nossa alma.)*

Nos seus sete meses de Presidência em 1961, Jânio foi a televisão dos nossos dias, em programação completa, integral. Não faltou, sequer, a telenovela com o detalhe meloso de um romance amoroso clandestino em que o crime da mala fez o contraponto...

## Capítulo VI

# JANGO GOULART

## O SALTO

### 1

Um susto. Qualquer um se assustaria como ele se assustou naquela madrugada, quando, em cuecas, seminu, saltou da cama e recebeu a notícia de que era Presidente da República.

Era muito salto em um só dia. De manhã, o Vice-Presidente João Goulart estava em Xangai e lá encerrou sua visita oficial à China; logo de Xangai a Cingapura, essa cidade meio malaia meio chinesa, meio tudo e meio nada, porém muito menos pudica que qualquer canto da China Comunista. Em Cingapura, as mocinhas elegantemente chamativas que se refestelavam pelo bar do Hotel Raffles, com aqueles rostos extravagantes de cílios bordados, eram daquelas de aluguel, impossíveis de se encontrarem em Pequim ou Xangai. Ao lado de Jango, uma delas estremeceu de susto e se acordou na madrugada, antes ainda de que ele despertasse, ao ouvir as batidas na porta e uma voz que chamava num idioma que ela não entendia.

Jango dormia. Afinal, ele agora estava ali como um turista qualquer, na viagem de regresso ao Brasil, sem os compromissos oficiais das três semanas anteriores de andanças pela União Soviética e a China Popular, e queria descansar com todas as formas do prazer do descanso na cama. Assustada, ela o acordou aos gritos.

Em cuecas, ao abrir a porta, Jango assustou-se ainda mais: seu secretário, Raul Riff, sério e sem camisa, ao lado do jornalista João Etcheverry, sorrindo e vestido, mas sem sapatos.

— Desperta bem despertado: o Jânio renunciou e agora tu és o Presidente! — disse-lhe Etcheverry, fazendo força para imitar o "tu" coloquial gaúcho, numa forma inconsciente de superar o nervosismo.

— O quê? Não pode ser! Como é que os chineses não nos avisaram nada? — perguntou Jango, sonolento e atônito, fixando o olhar em Riff, que inocentou os chineses — "foi tudo esta noite, há pouco; lá no Brasil agora é o início da tarde"— e pediu que Etcheverry contasse.

Pouco antes, o correspondente da agência norte-americana *Associated Press* havia telefonado ao hotel perguntando por João Goulart, e a chamada fora desviada para o único membro da comitiva que falava francês e inglês com fluência.

— O Presidente Quadros renunciou e *mister* Meizil foi empossado na chefia do governo do Brasil! — informou o jornalista, lendo a notícia do teletipo.

— *Mister* Meizil? Pode repetir? — indagou Etcheverry, bocejando, e o repórter repetiu.

— *Yes, mister Meizil is the new president, but in Brazil they are expecting mister Goulart.*

Se estavam "aguardando mister Goulart", aquele "mister Meizil" só podia ser Mazzilli, o presidente da Câmara dos Deputados, e a renúncia era um fato consumado. Refeito do susto, tudo passava a ser claro.

Surpreendido pelo inesperado, o novo governo nascia em cuecas. Ou em pijama, naquela madrugada úmida e quente de Cingapura. No Brasil era o final da tarde de 25 de agosto de 1961.

Conseguir um telefonema internacional demorava horas, e, enquanto esperavam, Jango convocou toda a sua pequena comitiva a uma reunião na *suite* do hotel e, para comemorar, abriu um *champagne* em plena madrugada.

— Ao imponderável, ao futuro! — brindou sorridente e preocupado, num misto de confusa alegria, como se o contentamento e a perplexidade disputassem uma carreira sem conhecer a meta de chegada.

A malaia de cílios chamativos tinha um jeito suave e assistia à cena sem entender nada, ainda mais perplexa do que todos os demais. "*What is this?*", perguntou, pois nunca tinha visto gente tão exótica e extravagante que interrompia o sono e pulava da cama (e abandonava tudo o mais que tinha a cama) só para conversar e beber *champagne* na madrugada. Nunca ouvira dizer, sequer dizer, que o *champagne* ocupasse o lugar que a ela pertencia durante a noite, e, quando lhe explicaram que o seu acompanhante tinha se tornado o Presidente do Brasil, ela decidiu que deveria acompanhá-lo. Pelo que ela havia entendido, ele agora era "*the King*", "o Rei do Brasil", e — se o acompanhasse — ela seria a Rainha nesse lugar que não sabia exatamente onde ficava, mas onde os homens eram tão simpáticos que, pela madrugada, brindavam com *champagne* e se reuniam para conversar...

"Ao partilhar a cama do Rei, ela se sentiu Rainha", explicou ao grupo Etcheverry, que com seu inglês impecável de *lord* servia como intérprete confiável nos momentos difíceis. Convencê-la de que estava equivocada foi a primeira e árdua tarefa do novo governo em cuecas, antes ainda dos difíceis obstáculos das horas seguintes.[1]

## 2

Quem quiser perder-se na geografia e estar em todas as partes sem estar em lugar algum, olhe no mapa onde fica Cingapura, ou Singapura, pois até a inicial do nome é dúplice ou confusa: uma nesga de terra, como se fosse um galho no Oceano Índico que ali termina, pois ali começa o Oceano Pacífico. No entanto, naqueles anos, a China estava tão isolada do mundo que a melhor e mais rápida rota de acesso ao Ocidente passava pela antiga possessão britânica na Oceania. O conflito sino-soviético estava apenas no início mas já criava entraves e problemas à circulação entre os dois gigantes comunistas, e, assim, era complicado retornar via Moscou para chegar à Europa, como Jango havia feito — na ordem inversa — para entrar à China. Cingapura era a rota alternativa mais prática e, também, ideal como lugar de descanso após as estafantes três semanas em dois países comunistas com os quais o Brasil não mantinha relações diplomáticas.

Aquela ilha entre dois oceanos, no entanto, era apenas um entreposto comercial, bela sim, muito bela mas sem mais nada, um lugar para esconder-se, não para ser encontrado ou encontrar. Naquele 1961, em que todos se comunicavam por telegrama ou cabograma, João Goulart ficou recluso no hotel, à espera dos telefonemas ao Brasil — Brasília, Rio e Porto Alegre. Nem sequer visitou o aquário, atração da cidade, e que o próprio Chu En-lai (ainda em Pequim) lhe

[1]Imitando o linguajar e os gestos da malaia, João Etcheverry, diretor do jornal *Última Hora*, do Rio, contou-me o episódio. Além dele e de Raul Riff, integravam a comitiva o senador Barros Carvalho, de Pernambuco, o jurista Evandro Lins e Silva e outros como o deputado Franco Montoro, de São Paulo, que saiu da China por outra rota e não estava em Cingapura.

recomendou que não deixasse de ver: "Dizem que é como vir à China e não conhecer as muralhas."

Nessas longas pausas de espera, pela primeira vez Jango começou a pensar o que seria, na prática, ser Presidente da República. Engraçado ou estranho até: desde o final de 1945 ele estava metido de cheio na política, tinha sido deputado, secretário de Estado, ministro, fora eleito duas vezes Vice-Presidente da República e presidia o Senado, mas — em verdade — jamais lhe ocorrera que poderia chegar à Chefia da Nação. No fundo, sabia que não podia aspirar a isso e que seu teto era a Vice-Presidência, pois sobre ele (e contra ele) ainda pesava o veto de um setor militar, minoritário porém atuante, o mesmo que o tinha forçado a renunciar ao Ministério do Trabalho em 1953. Nessa época, ele muito moço ainda, no governo de Getúlio, invocaram o pretexto de que ele queria implantar uma "república sindical", com os sindicatos de trabalhadores mandando onde nem o governo ousava mandar. Depois, em 1955, às vésperas da eleição em que ele e Juscelino eram candidatos, houve a "carta Brandi", nome de um argentino contrabandista de armas que lhe enviava metralhadoras e fuzis pela ponte Argentina—Brasil, em Uruguaiana. O nome era falso ou fictício, a carta era forjada e as "armas" eram caixas de maçãs.

Agora, o que inventariam?

Nas horas seguintes, em Brasília, o manifesto dos três ministros militares anunciando que o Vice-Presidente não poderia assumir por se tratar de "um comunista" que, além de tudo, estava em visita a duas nações comunistas, mostrou que o pretexto era agora um veto. Um *diktat* num manifesto à imprensa. Um golpe de Estado ditado aos jornais.

Com seu estilo conciliador, de tudo contemporizar sempre e sempre, às vezes raiando a indecisão, nos minutos iniciais ele titubeou. Logo, se dispôs a enfrentar a situação e assumir a Presidência. Como deixar escapar aquele tom de fatalidade que havia em tudo?

Em 24 de agosto de 1954, o suicídio de Getúlio havia abortado o golpe de Estado, transformando-o numa tragédia política pessoal. Agora, no 25 de agosto de 1961, exatos sete anos depois, a renúncia de Jânio Quadros repetia uma situação similar, só que sem sangue. Naquelas 48 horas no Hotel Raffles, Jango vivia o paradoxo brutal de ser obrigado a sepultar a sua propensão de ouvir os adversários e entender-se com eles, mesmo sem abjurar da sua posição.

— Sempre fui um negociador. Aprendi isso com o Dr. Getúlio! — exclamava Jango, entre o espanto e a franqueza. Tinha 42 anos, talvez a idade-limite em que o jeito de ser ainda se pode mudar.

Quando, finalmente, o governador do Rio Grande do Sul, Leonel Brizola, conseguiu encontrá-lo ao telefone na madrugada seguinte, ele já sabia qual o caminho a seguir. Faltava, no entanto, convencer-se para tomar a decisão definitiva.

— Volto ao Brasil para assumir a Presidência! — garantiu a Brizola, que insistia em que ele se definisse abertamente e que regressasse "o mais rápido possível", desembarcando "diretamente em Brasília" ou, então, em Porto Alegre. O Rio Grande do Sul estava mobilizado e apelaria às armas para garantir a posse. Era o empurrão necessário para convencer-se e para que o convencimento se transformasse em decisão.

Era o empurrão frente ao abismo, para salvá-lo da queda.

## 3

— E agora, Francês? — perguntou Jango a João Etcheverry, o único do grupo que lhe dizia tudo sem rodeios, frontalmente, e "o Francês" sugeriu que pensasse "desde já no ministério". Dali de Cingapura, não havia outra forma de influir que não fosse mostrando como iria governar.

Dos dois ministérios fundamentais, um deles, o das Minas e Energia, argumentou Etcheverry, "entregue-o a um nacionalista, mas a um nacionalista da UDN, como Gabriel Passos". A chave de tudo, porém, era o Ministério da Fazenda.

— Não pense em dar a Fazenda para a nossa área, não! O ministro deve ser um conservador que não levante suspeitas nos Estados Unidos, mas também um honesto e correto patriota que não entregue o Brasil. Alguém que os norte-americanos conheçam e respeitem. Você não pode dar pretexto a outro veto mais! Basta já o dos ministros militares!

Estranho que isso viesse do "Francês", que tinha sido comunista na juventude (e, por isso, estivera preso cinco anos, no Rio, durante o Estado Novo), que admirava Mao Tse-tung e era um crítico acérrimo do imperialismo norte-americano. Ou, por isso mesmo, só "o Francês" podia dizer-lhe isso?

— Mas quem nessas condições? — indagou Jango, enquanto a comitiva inteira punha os olhos em Etcheverry.

— Só há um nome: Walter Moreira Salles, banqueiro, foi embaixador nos Estados Unidos, mas não é um entreguista!

Jango nada disse, nem sequer sorriu. Fez que não ligou. Mas o governo em cuecas começava a ganhar roupa.

*(Alguns dias depois, nas 48 horas seguintes à chegada de Jango a Porto Alegre, não entendi absolutamente nada quando soube que Walter Moreira Salles estava na ala residencial do palácio do governo rio-grandense, à noite, numa reunião sigilosa. Tão sigilosa, que ele havia vindo de São Paulo num pequeno avião que conseguira "furar" o isolamento aéreo em que se achava a capital gaúcha, cujos vôos iam no máximo até Curitiba, área do III Exército, que — junto a Brizola — tinha tomado posição a favor da Legalidade. Ou seja, pela posse de João Goulart. O que faria um banqueiro e ex-embaixador reunido noite adentro com Jango?*

*A situação militar ainda não estava totalmente resolvida no Rio, São Paulo e no Nordeste; os chefes do Exército, Marinha e Aeronáutica tinham sido esmagados pela mobilização civil-militar de Brizola, mas ainda opunham obstáculos à posse; em Brasília não havia ainda solução política para o impasse, portanto, o que faria esse banqueiro com Jango?*

*E, com ele, o que tinha vindo fazer o general Amaury Kruel, amigo e compadre de Jango, mas um conservador e militar enfim?*

*O Rio Grande do Sul estava sublevado, Porto Alegre e todos nós embriagados por essa rebelião em defesa da legalidade, que escrevíamos Legalidade, com maiúscula, pois já era marca dentro e fora de nós. Na embriaguez, ébrios de revolução, nos situávamos além da realidade e não poderíamos entender a sensatez do "Francês" em Cingapura.)*

## 4

Com aquela intimidade que só o exílio dá, nos anos em que convivi com Jango em Buenos Aires de 1974 a 1976, conversamos certa feita sobre sua viagem à União Soviética e à China, e da breve-longa espera em Cingapura. (Mais do que tudo, recordávamos um amigo comum, "o Francês", que morrera pouco antes no Rio.)

Não lhe saía da memória, por exemplo, a impressão que lhe havia deixado Nikita Kruschev, o Primeiro-Ministro soviético e secretário-geral do PC, que, risonho, recebeu toda a comitiva no seu gabinete no Kremlin, sentado à cabeceira de uma mesa longa, muito longa, onde até os mais próximos sentiam-se distantes. Risonho e afável, muito afável, Kruschev falava sem prestar atenção no interlocutor, "consciente de que era o líder de uma superpotência" e que, portanto, não lhe viessem dar conselhos. Nem sugestões.

— Quando saímos do Kremlin, o Francês comentou: o Kruschev continua um camponês rude que enriqueceu e se educou, mas não perdeu o hábito de humilhar a vizinhança! — recordou Jango.

A República Popular Chinesa, como ele costumava dizer, com o nome por extenso, é que ocupava as suas melhores lembranças. Seu encontro com Chu En-lai tinha durado mais de duas horas, o Primeiro-Ministro compenetrado, esmiuçando detalhes do que ouvia ou dizia. Depois, entre sorrisos e cigarros, o Presidente Mao Tse-tung recebeu-o na antiga Cidade Proibida (aquele conjunto de palácios de mármore, residência do Imperador e dos mandarins, que a revolução transformou em sede do governo) e festejou o fato de que, em 12 anos de regime comunista, pela primeira vez uma delegação oficial do Brasil ia à China. Mao fumava muito, em rápidas pitadas sem tragar, e os dois ficaram trocando cigarros um com o outro, todo o tempo, como filantes mútuos, e isso os aproximou humanamente. No dia anterior à saída da capital chinesa, ocorreu o insólito: o Presidente Mao foi visitá-lo pessoalmente no *Hotel Pequim*, para agradecer a visita e despedir-se.

Nem antes nem depois, jamais Mao Tse-tung fez isso com nenhum chefe de Estado. Nem sequer quando, na década de 1970, recebeu o presidente da França, Georges Pompidou, que foi a Pequim já enfermo de câncer, numa visita que lhe exigiu esforço e determinação. Mao o homenageou com uma longa conversação, falando continuamente de Napoleão como estrategista político-militar, mas não saiu da Cidade Proibida para retribuir-lhe a visita.

Jango festejava com ironia até mesmo um pequeno incidente ocorrido na visita a Chu En-lai: após o encontro privado, o Vice-Presidente brasileiro apresentou de um a um os membros da sua comitiva. Postados em fila, Jango dizia o nome e o cargo, o Primeiro-Ministro dava a mão, sorria e — em chinês — pronunciava algo como "bem-vindo à China", e logo ficava à frente do seguinte, que Jango voltava a apresentar e ele novamente estendia a mão, repetindo a saudação. Quando, em português, Jango pronunciou "Aqui, o deputado André Franco Montoro", Chu En-lai limitou-se a um leve movimento de cabeça (como quem diz "Ah, então é esse!") e, sem cumprimentá-lo, deu um passo e saltou até o seguinte da fila, aí recomeçando o ritual de saudações.

"Boas-vindas" para todos, menos para Montoro.

O que havia ocorrido? O democrata-cristão Montoro adorava convites para viagens e, meses antes, havia estado na Ilha de Formosa (Taiwan) e, no programa internacional da rádio local, em ondas curtas, disse que o governo de Chiang Kai-chek tinha "o direito" de "retomar a China continental". Os chineses prestavam tanta atenção à contrapropaganda do inimigo que não se esqueceram do fato. Além disso, defender a antiga tirania corrupta de Chiang Kai-chek era uma afronta tão indesculpável na China Comunista que o Primeiro-Ministro tinha guardado e entendido o nome do defensor até mesmo na prosódia brasileira.

Da viagem, porém, parecia ter ficado a síndrome do pavão-real, ave-símbolo de Cingapura, belo como nada no mundo. Mas, cuidado, é perigoso encontrá-lo, pois o pavão-real acompanha o tigre e, enquanto nos extasiamos com a plumagem, o tigre sai da mata e nos devora.

Li em Malraux essa história do pavão-real de Cingapura e contei-a a Jango, em 1974, no nosso exílio comum em Buenos Aires. Ele pensou e pediu que eu repetisse. Logo, silenciou.

## 5

A viagem de volta ao Brasil foi longa e sinuosa. A ordem dos ministros militares era prendê-lo ao desembarcar. Seu único porto de entrada, o Rio Grande do Sul rebelado, uma espécie de "território livre", estava isolado lá no sul. De Cingapura, Jango foi a Paris, de lá telefonou a Barcelona, onde os dois filhos pequenos e sua mulher, Maria Thereza, passavam as férias. Logo, viajou a Nova York para, daí, pela rota do Pacífico — sem passar pelo Brasil —, chegar a Buenos Aires, onde pernoitou no hotel do aeroporto para ancorar em Montevidéu, no dia seguinte. Uma volta ao mundo, literalmente, sempre em vôos comerciais. Na capital uruguaia, o embaixador brasileiro era um diplomata cunhado de Getúlio Vargas, e ele instalou-se na Embaixada do Brasil pela primeira vez. De lá, inteirou-se da marcha dos acontecimentos e o susto cresceu.

Agora, ele tinha de contornar duas frentes, não apenas uma, como acreditava. De um lado, o golpe de Estado. De outro, a rebelião popular. Não apenas o veto da direita militar e de parte do Congresso solidário com o golpe, que tentavam impedir a sua posse, mas também o estado de insurreição que tomara conta do Rio Grande do Sul, em favor da posse. Ali, o governador Leonel Brizola comandava um movimento que, em poucos dias, tornara-se uma questão de honra ou um estado de espírito em cada habitante, mesmo naqueles que, um ano antes, haviam votado contra ele como Vice-Presidente.

Jango não estava em nenhum dos lados. Estava, obviamente, contra os que apoiavam o golpe, mas nada tinha a ver com aquela insurreição espontânea em que os gaúchos do interior, de bombacha e lenço ao pescoço, chegavam armados a Porto Alegre para juntar-se aos civis engravatados ou às mocinhas de saia, também de revólver à cintura ou sob o sutiã. A insurreição era a seu favor, mas podia ser a fragmentação. E ele queria a unidade.

## 6

E a rebelião se alastrava. Tudo havia começado ao amanhecer do domingo, 27 de agosto, com uma edição extra da *Última Hora* de Porto Alegre (de 12 páginas e sem anúncios), redigida nos porões do Palácio e que circulou sob proteção dos soldados da Brigada Militar estadual, convocando o povo "a resistir ao golpe de Estado". Depois, o governo gaúcho requisitou as emissoras de rádio e formou uma cadeia, a Rede da Legalidade, que transmitia dos porões do palácio, 24 horas ao dia, e, em ondas curtas com potência aumentada, era ouvida no Brasil inteiro e mundo afora.

Para calar a rádio e silenciar Brizola, os três ministros militares mandaram bombardear o palácio, mas as palavras de Brizola tinham o poder de um furacão. E a mobilização de centenas de milhares de pessoas pelas ruas de Porto Alegre mudou o rumo da guerra: os sargentos da Base Aérea furaram os pneus e desarmaram os aviões que lançariam as bombas, os tanques do III Exército, deslocados do arrabalde da Serraria para o bombardeio, postaram-se à frente do quartel-general, dando sinal de que não iriam adiante. E se com eles insistissem, os oficiais bombardeariam o QG, não o Palácio Piratini. A Legalidade passou a ter até um hino,[1] e os acordes da única música transmitida pela Rede da Legalidade mobilizavam ainda mais multidões. O eco das ruas entrou quartéis adentro. No cassino dos oficiais ou na cantina dos sargentos discutia-se de que lado deviam estar as Forças Armadas: era o sinal de que a cúpula militar do eixo Brasília-Rio havia perdido o controle e o comando.

Sob pressão dos generais nacionalistas, o comandante do III Exército, com QG em Porto Alegre, general José Machado Lopes, ficou "com a Constituição", o que significava apoiar a posse do Vice-Presidente e, assim, somar-se a Brizola, o primeiro a tomar a iniciativa.[2] Na Base Aérea de Canoas, pistola em punho, o coronel-aviador Alfeu Monteiro depôs o comandante e assumiu o controle, com o apoio dos sargentos e dos poucos oficiais legalistas.

Em Curitiba e todo o Paraná, as guarnições do III Exército ficaram com a Legalidade, mas na capital de Santa Catarina a situação era inversa: a única base da Marinha no Sul recebia e reabastecia a esquadra que, com o porta-aviões à frente, tinha zarpado do Rio para bombardear a capital gaúcha e "livrá-la do domínio comunista".

Só em Montevidéu, Jango foi conhecer a dimensão do movimento em seu estado natal, ao mesmo tempo em que o Congresso, em Brasília, tentava uma solução intermediária e conciliatória: implantar o parlamentarismo. Em qualquer das duas hipóteses, o poder lhe fugiria das mãos. Mas os donos do poder em Brasília eram conhecidos, e ele estava habituado a tratá-los desde os tempos em que o Rio

---

[1]Com letra da poetisa Lara de Lemos, música de Paulo César Peréio e arranjo de Hamilton Chaves, o *Hino da Legalidade* foi gravado, em horas, pelo coral da Rádio Farroupilha, então a mais importante do Sul.

[2]Os generais Pery Bevilácqua, Oromar Osório, Santa Rosa e outros comandantes de grandes unidades no interior gaúcho, foram fundamentais para a posição do comandante do III Exército a favor da Legalidade.

era a capital. E os rebeldes de Brizola, desconhecidos, inda que mais próximos e mesmo que o aplaudindo e lutando por ele.

Nenhuma desconfiança tinha ele de Brizola, amigo de anos, correligionário e casado com a sua irmã Neuza, mas o ímpeto dinâmico e ágil, às vezes arrebatado, do jovem governador contrastava com o seu estilo conciliador e paciente. E quando todos pensaram que ele ficaria apenas horas em Montevidéu (e logo seguiria para Porto Alegre), Jango instalou-se na capital uruguaia para, de lá, informar-se do que ocorria no Brasil. Quando todos no país inteiro prestavam atenção ao Rio Grande do Sul, Jango pôs os olhos em Brasília: na Câmara dos Deputados, por inspiração do PSD, haviam desarquivado um projeto instituindo o sistema parlamentarista e o puseram em discussão urgente.

O projeto fora apresentado anos antes por Raul Pilla, deputado inatacável, dos mais respeitáveis do Parlamento, dirigente do pequeno mas homogêneo Partido Libertador (forte apenas no Rio Grande do Sul), e buscava terminar com o poder quase monárquico do Presidente da República, algo tão sério e profundo que teria de ser debatido com calma em momentos de normalidade. A emenda parlamentarista, porém, ressurgiu em Brasília como um remendo, no aceso de uma crise motivada pelo poder imperial dos ministros militares. Um remendo malfeito: ao podar os poderes do Presidente numa emergência, acabava dando razão aos chefes militares que tinham "rasgado a Constituição" vetando a assunção de Jango Goulart. Além disso, os três ministros militares haviam perdido a contenda armada, ao não conseguirem impor suas ordens ao III Exército, no Sul, e o Congresso saía, indiretamente, a auxiliá-los na derrota.

Jango, porém, prestou atenção em Brasília. E o Congresso, pondo os olhos no Vice-Presidente, decidiu enviar um emissário plenipotenciário para ouvi-lo e sondá-lo na capital uruguaia. Em Porto Alegre, todos andavam ainda de revólver à cintura ou fuzil às mãos, quando se soube no Palácio Piratini que o deputado Tancredo Neves tinha ido a Montevidéu no *Viscount* presidencial, e o semblante de Brizola, o grande vitorioso daqueles dias, fez-se acabrunhado e triste:

— O Jango assina, sempre, o primeiro papel que lhe puserem na frente! — disse-nos, preocupado.

Tancredo retornou a Brasília e, em seguida, Brizola tratou de apressar a chegada de Jango a Porto Alegre: enviou a Montevidéu o advogado Ajadil de Lemos, intelectual do *social-trabalhismo* no Sul, que fora o oráculo de Alberto Pasqualini e estava por trás de muitas das grandes decisões do governo. Ajadil viajou num avião com 30 jornalistas e parlamentou 24 horas com Jango antes de com ele chegar a Porto Alegre, ao anoitecer da sexta-feira, 1° de setembro de 1961. Na Praça da Matriz, junto ao palácio, Jango encontrou uma multidão jamais vista em lugar algum, com faixas, retratos, gritos e aplausos. Das sacadas do piso superior, ao lado de Brizola e do general Machado Lopes, acenou para a multidão. Quase sem sorrir, acenou. Só isso.

A multidão pedia que Jango falasse. As únicas palavras, porém, vinham do locutor oficial, um radialista e *adhemarista* que era secretário da Saúde do governo estadual, no estilo de animação dos programas de auditório. Era o oposto de tudo o que a Rádio da Legalidade transmitira naqueles dias. O oposto de tudo o que havia mobilizado aquela multidão. Antecipei-me à inquietação geral e, num gesto espontâneo, tomei o microfone e disse uma frase breve e neutra — "O povo que aqui está quer ouvir a palavra do Presidente João Goulart!" —, mas não houve qualquer repercussão. O locutor conhecia os segredos da transmissão e havia desligado o microfone. No alarido, minha voz tinha chegado apenas a meia dúzia de pessoas...

Mas Jango estava de volta ao Brasil.

## 7

O sigilo e a desinformação (ou a informação falsa) cercaram a viagem de Montevidéu a Porto Alegre. Temia-se uma ação dos recalcitrantes da FAB ou até mesmo da aviação naval: os aviões de cor preta da Marinha decolavam de Florianópolis e soltavam panfletos sobre Porto Alegre, prometendo "libertar os gaúchos do domínio comunista", e quem se dispunha a propalar essa tolice poderia tentar ir adiante.

No meio da tarde, a Rádio da Legalidade começou a informar que "o Presidente João Goulart deixou a capital do Uruguai e, de automóvel, numa comitiva, se encaminha à fronteira". Repetiu a informação a cada dez minutos e, ao final da tarde, anunciou: "O automóvel do Presidente Jango Goulart cruzou a fronteira e já está no território do Brasil. Em pouco tempo chegará a Porto Alegre."

Não havia por que duvidar, e os jornalistas, mais de uma centena, receberam a sugestão de aguardar Jango no Palácio Piratini. E assim foi feito. Nesse meio tempo, porém, recebo no palácio um telefonema de Montevidéu, em que Alfredo Muñoz Unsaín, diretor da agência cubana *Prensa Latina*, me diz laconicamente que "Goulart acaba de subir ao *Caravelle* da Varig", como testemunhou seu repórter no aeroporto. Para evitar a censura das ligações internacionais via Rio, fazia-se a chamada pelo interior gaúcho e do Uruguai, em pontes de cidade em cidade, com várias telefonistas, e a informação daquele telefonema difícil me confundiu. Nos corredores, encontro João Caruso e Francisco Brochado da Rocha, as duas principais figuras do secretariado de Brizola, que me "confirmam", no entanto, que "o Jango está chegando pela estrada, sim!".

Junto-me aos demais jornalistas que esperam ordeiramente, observando a multidão aglomerada para receber o automóvel de Jango. Quem sai do palácio, porém, é Brizola, numa comitiva com vários carros, e volta em 30 minutos, já trazendo Jango, que havia desembarcado no aeroporto.

Pessoalmente, Brizola foi comunicar, então, aos jornalistas que Jango havia chegado de avião e que, após breve descanso, "em meia hora" iria à sacada. Decepcionado e nervoso, Daniel Garric, enviado do conservador *Le Figaro*, de Paris, gritou:

— Governador, o senhor nos enganou!

Com o ar tranqüilo de travessura bem-sucedida, Brizola respondeu:

— Não! Eu enganei a FAB!

## 8

Isso, no entanto, não era travessura, mas tática de guerra.

*(Travessura mesmo, e bem-sucedida, tínhamos feito, Tarso de Castro e eu, seis dias antes, às 6 da manhã do domingo, 27 de agosto, depois de concluirmos a edição extra da* Última Hora *de Porto Alegre, conclamando à resistência. Insones e cansados, sentamo-nos num banco da praça, defronte da catedral e do palácio, e tive a idéia: telefonar ao arcebispo dom Vicente Scherer em nome do general Machado Lopes e ao general como se fosse o arcebispo. Um trote inocente, só para rir, como estávamos acostumados a dar pelo telefone, sempre que a alegria pudesse substituir a angústia. Eu costumava arrancar gargalhadas ao imitar a pronúncia das regiões alemãs (tinha 27 anos, e Tarso, menos de 20), e essa especialidade cênica vinha a calhar naquele momento, em função do sotaque de dom Vicente.*

*Voltamos ao palácio e, da sala de imprensa vazia, telefonei para a Cúria: disse que era do comando do III Exército e o pároco da catedral deu-me o telefone da câmara do arcebispo, onde ele estava nas orações matinais. Na ligação seguinte, atendeu o próprio dom Vicente, surpreso. Imitei um sotaque acariocado, fui educado mas incisivo, ao estilo militar, e, dizendo ser ajudante-de-ordens do comandante do III Exército, e falar em seu nome, perguntei se dom Vicente havia ouvido o discurso do "senhor governador", na madrugada.*

*Apesar do "avançado da hora", tinha escutado, sim. Disse-lhe que o general considerava "muito grave" a situação, mas queria também "a normalidade e a paz", como o governador. O arcebispo explicou que não se lembrava desta parte do discurso, "era muito tarde".*

*— Que pena que Vossa Reverendíssima não tenha ouvido essa parte, pois o general também quer a normalidade e a paz! — retruquei, convidando-o a visitar o quartel-general "daqui a 60 minutos", para expor a opinião da Igreja.*

*Dom Vicente indagou como iria fazer, já que "o rádio informa" que toda a zona do quartel está cercada de arame farpado e fechada ao trânsito. Disse que o general mandaria buscá-lo num jipe (com o que o trote terminaria ali) e ele titubeou por frações de segundos. "Um padre de batina em cima de um jipe já é demais, quanto mais um arcebispo", deve ter raciocinado, pois, em seguida, frisou que tinha automóvel.*

*— Então o seu carro terá ordem de livre passagem. Diga apenas que vai ver o general! — assegurei.*

*Em seguida, ligamos para o gabinete do comandante do III Exército. Pelo sotaque, o capitão atendente percebeu, "logo, logo, que era sua eminência, o arcebispo". O general acabava de chegar, veio ao telefone com polidez e ouviu sem comentários a rápida menção sobre "o discurso do governador a favor da normalidade e da paz".*

*— O delicado da situação exige que eu converse com o senhor general pessoalmente. Em menos de uma hora, aí estarei, se puder atender-me, é claro — disse eu, com o estilo educado e a germânica pronúncia espichada de dom Vicente.*

*Naquela época, num domingo à hora da primeira missa, ninguém deixaria de receber um arcebispo!*

*Depois, Tarso e eu voltamos à praça e nos postamos à saída da Rua Espírito Santo, junto à catedral, à espera. Demorou, mas por fim surgiu o Chevrolet preto, modelo 1941, com placa especial do arcebispado, conduzido pelo coadjutor da Cúria. Ao seu lado, dom Vicente, rumo ao quartel-general.*

*No dia seguinte, soube-se que o comandante do III Exército e o arcebispo metropolitano tinham se reunido no QG. Nunca, porém, o que conversaram, mas só pode ter sido sobre "a normalidade e a paz", pois dom Vicente — sempre arredio a tudo o que viesse de Brizola — foi bem mais dúctil nos dias seguintes.*

*O trote havia triunfado muito além do riso e da galhofa.)*

## 9

Jango trancafiou-se na ala residencial do palácio e lá não recebia praticamente a ninguém. Com sua chegada a Porto Alegre e, assim, ao Brasil, ele é que passava a ser o núcleo dos acontecimentos e o gerador de decisões — já não Brizola —, mas o seu silêncio gerava interrogações e suspeitas. O Rio Grande sentia-se ainda mobilizado e todos andávamos armados pela rua e em todos os lugares. Sabíamos que tínhamos ganho o maior combate, mas desconhecíamos o resultado final da guerra, pois os fatos haviam passado a correr mais velozmente em Brasília do que no Sul.

O ministros militares tinham sido derrotados, e a ordem de "prender João Goulart ao entrar no país" transformava-se em papelucho ridículo, mas a emenda parlamentarista aprisionaria o futuro Presidente. E, paradoxalmente, significava também a derrota dos que haviam triunfado. A derrota de todos nós, milhares de pessoas, que estávamos sem dormir desde o dia seguinte à renúncia de Jânio Quadros. Nem sequer ter ganho a batalha principal — impedir o golpe de Estado — nos servia de consolo.

Não sabíamos bem o que queríamos, mas queríamos mais do que a entronização formal de Jango como um Presidente da República que não seria chefe do Governo. E, pior do que tudo, não sabíamos exatamente o que pensava Jango. O ambiente da cidade em guerra, porém, contagiava a todos e até os jornalistas estrangeiros recém-chegados, inclusive os conservadores, entravam no clima febril e queriam ir adiante e lutar também. Não tínhamos clara a finalidade da luta, mas estávamos mobilizados, revólver à cintura, e, na cabeça, a idéia de seguir rumo a Brasília.

Por volta das 10 da noite do sábado 2 de setembro de 1961, João Goulart redige "um manifesto à Nação" e manda distribuí-lo para ser lido na Rádio da Legalidade. Estamos nos porões do palácio, no estúdio da rádio, quando Hamilton Moojen Chaves, secretário de Imprensa de Brizola, chega nervoso e lívido com duas cópias do manifesto.

— Isto, dá vontade de rasgar! — balbucia.

Leio numa vista-d'olhos, como ele, e tenho a mesma idéia. O manifesto, na nossa interpretação rápida, é uma aceitação tácita do parlamentarismo por parte de Jango. E com esta impressão, os vinte ou trinta jornalistas de plantão no palácio e na rádio decidem não ler o manifesto. Um grupo menor, mais ligado ao PTB, protesta: "Se é do Jango tem de ser lido."

Enquanto discutimos à frente dos microfones, a emissora toca o *Hino da Legalidade*, sem pausas. Hamilton me encara, cúmplice, e eu o entendo. Ele é secretário de Imprensa, tem alto posto no governo, e não pode fazer o que eu posso. Com os olhos pergunto e ele entende o que eu pergunto:

— Faz, e agora! — sussurra incisivo.

Trêmulo, para vencer o medo, levanto a voz em meio aos gritos de todos e digo o que diz a maioria:

— Isto não vai se ler na Rádio! — e rasgo a cópia do manifesto.

Rasgar não era um gesto simbólico mas concreto e prático, para evitar ou impedir que os "pelegos" decidissem divulgá-lo, pois era grande a rotatividade de locutores. Além disso, todos exaustos, eram capazes de ler qualquer coisa que encontrassem à frente. Não existiam ainda as fotocopiadoras xerográficas de hoje, e tudo se fazia com máquina de escrever e papel-carbono. Tirar novas cópias era um processo demorado.

Em seguida, em tropel, saímos todos em direção à ala residencial, para falar com Brizola. O tumulto foi tanto, porém, que Jango (informado de que seu manifesto fora "vetado" na Rádio da Legalidade) veio ao encontro do grupo e topou-se conosco no meio do caminho, no saguão. Afável e desculpando-se por "não ter tido tempo" de nos encontrar, tenta acalmar a turba enfurecida e ganhá-la na lábia, fazendo elogios "aos países adiantados" que havia visitado, numa alusão à URSS e China Comunista, já que — deve ter pensado — com aquele ardor nós só poderíamos ser "comunas". Diz que estamos "tirando ilações", pois ele não se comprometeu com o parlamentarismo, e pergunta "onde está escrito isto no documento?".

Guardo no bolso outra cópia do manifesto e leio "um trecho suspeito", com o que Tarso de Castro e Norberto Silveira — os mais moços e mais inquietos do grupo — acrescentam, numa martelada, que "isto é um apoio claro ao parlamentarismo!".

Rápido, Jango toma o documento das minhas mãos e o amassa, dizendo:

— Bem, se dá essa impressão, fica anulado. Este documento não vale. Vou redigir outro!

Todos aplaudem. Devia beirar a meia-noite de sábado, e Tito Tajes, do matutino gaúcho *Correio do Povo*, protesta:

— E eu, como é que fico? Mandei o documento para o jornal, que já está rodando a edição de domingo. Vou ser desmoralizado. Assim não pode ser!

O tumulto toma nova feição e cresce. Com o documento amassado ainda nas mãos, Jango inventa a saída:

— Quem quiser, publique este, mas o que vai valer será o outro!

Em seguida, retornou à ala residencial do palácio, de onde não havia saído desde a chegada a Porto Alegre.

O manifesto nunca foi lido na Rádio da Legalidade. E Jango jamais redigiu outro documento.

## 10

Ao correr da noite, madrugada adentro, a posição de Jango correu de boca em boca. Dentro do palácio ou na praça, nos abraçávamos uns aos outros, entre o pranto e a raiva, em condolências mútuas. O chefe da Casa Civil do governo estadual, Ney Brito, um homenzarrão de quase dois metros de altura, abraçou-se a mim e a Norberto Silveira, e choramos os três, soluçando em lágrimas. Bem mais velho, Ney era um moderado do conservador PSD, mas se identificava conosco e nós com ele — eu, socialista; Norberto, de 19 anos e comunista. Na praça, as duas mil pessoas acampadas em voluntário plantão noturno passaram a gritar desaforos contra Jango: "Co-var-de! Co-var-de!"

Subitamente, a praça escura ardeu: ateavam fogo às faixas com o nome de Jango.

Na manhã seguinte, os jornais noticiam a iminente adoção do parlamentarismo pelo Congresso. A *Última Hora* de Porto Alegre estampa na primeira página as fotos das faixas em fogo numa manchete garrafal: "A Legalidade foi traída." Nenhum texto além do título, só a seqüência fotográfica, sem qualquer legenda.

Implantado naquelas circunstâncias, o parlamentarismo significava a mutilação dos poderes do Presidente da República. Mas, se o mutilado aceitava, por que todos nós continuávamos inflexíveis? Talvez por uma única razão: Jango o aceitava sem dar nenhum tipo de explicação ou justificativa àqueles que, armas na mão e o perigo rondando, haviam tornado possível o seu retorno, anulando na prática a ordem de que ele fosse preso "ao pisar o solo do Brasil".

E Jango aceitava porque, com parlamentarismo ou presidencialismo, ele é que ia para a Presidência e teria de enfrentar os problemas que já se mostravam difíceis. A sua tática e técnica política consistiam em abrandar os adversários, mostrar-lhes que não era o "bicho-papão" e demonstrar que, ao contrário, era homem dúctil, mais sensível aos que o criticavam do que submisso aos que o apoiavam. O seu estilo de fazer política era o dos arranjos e da conciliação. Nunca o dos ímpetos.

A mobilização da Legalidade, ao expandir-se pelo país inteiro, tinha derrotado o golpe de Estado, mas se dobrava ao parlamentarismo. Brizola ainda pressionou para que Jango insistisse (e conseguisse) que o "ato adicional", instituindo o parlamentarismo, previsse um futuro plebiscito, para que o povo desse a palavra final sobre o novo sistema de governo. Mesmo assim, o vitorioso do Sul acabava vencido na vitória.

*(Só muito tempo depois, já abrandado o ardor das noites insones da Legalidade em Porto Alegre, quando adentrei no jogo de poder maior do país e conheci o Congresso e as pressões que nele desembocam, fui perceber que Jango Goulart estava muito à nossa frente naqueles dias em que pensávamos que ele retrocedia ao aceitar o parlamentarismo. O golpe frustrado dos ministros militares tinha fragmentado o país e Jango se dispôs a reunir os cacos ou estilhaços e colá-los com paciência, num governo de coalizão, mesmo com o sacrifício dos poderes presidenciais.)*

João Goulart viajou de Porto Alegre a Brasília na tarde de 4 de setembro de 1961 e tomou posse dia 7, data da Independência. Brizola não o acompanhou no vôo, nem compareceu às solenidades. No discurso de posse ante o Congresso, Jango fez apenas uma menção rápida ao governador gaúcho e ao movimento da Legalidade, sem citá-lo pelo nome com que ficara conhecido. Citou nominalmente, porém, "o Presidente Ranieri Mazzilli, cujas virtudes cívicas desejo proclamar" — disse ele —, o que era uma mentira, pois Mazzilli demonstrara não ter qualquer "virtude cívica" e, como chefe interino do governo, fora apenas o "boneco de ventríloquo" dos ministros militares.

Tancredo Neves, do PSD de Minas, é escolhido Primeiro-Ministro, Chefe do Governo: no ministério, nenhum nome do Rio Grande do Sul, onde nascera o movimento que tinha tornado possível tudo aquilo, que havia levado ao poder tanto Jango quanto Tancredo. Ao assumir, Jango assumiu-se como um contemporizador. O ministério de Tancredo é de coalizão e união nacional, mas nele não há ninguém ligado a Brizola.

O conciliador Jango se esforça para governar com todos e não assustar mas, mesmo assim, fica na mira de dois adversários, ocultos ou escancarados: o pequeno mas atuante setor militar de direita que tentou o golpe e foi derrotado naquele agosto de 1961, e os Estados Unidos, que continuam a encará-lo com desconfiança.

O grupo militar derrotado age como inimigo camuflado e escondido. Seu coordenador, o coronel Golbery do Couto e Silva (que, voluntariamente, deixou a ativa e se reformou no posto de general), é um hábil insuflador de boatos, um soldado municiado de intrigas e rumores falsos na guerra psicossocial iniciada em surdina. À sombra da derrota, forma uma espécie nova de sociedade secreta, o Instituto de Pesquisas Econômicas e Sociais (IPES) e começa a conspirar pelo golpe de Estado, juntando empresários e políticos com aprendizes de intelectuais ou oportunistas em busca de sol e dinheiro, em nome da democracia "contra a ameaça comunista". O IPES é um corpo fechado e não se mostra em público. O sujo trabalho de rua é feito pelo chamado Instituto Brasileiro de Ação Democrática (IBAD), criado anos antes, em 1959, com o apoio da Embaixada dos Estados Unidos e que, abertamente, esbanja dinheiro em rádios e jornais para financiar candidatos "comprometidos com o combate ao comunismo e a defesa da família e da propriedade".

Desde 1947, o Partido Comunista não tem registro legal, não existe formalmente nem disputa eleições. A sua denominação não aparece sequer nos jornais e a jurisprudência dos tribunais impugna as candidaturas de "cidadãos comunistas" em qualquer partido ou circunstância. Portanto, chamar alguém de "comunista" não significa uma definição política mas um jeito de excluir do processo eleitoral, ou da própria convivência em sociedade, todas as pessoas que incomodam por suas idéias. Nesses tempos em que a "guerra fria" marca posições e delimita o mundo, o IPES e o IBAD fomentam o fantasma da "ameaça vermelha" e, assim, semeiam a confusão interna e alimentam a desconfiança norte-americana em face do governo.

E, como corolário do teorema que criaram, os membros do IPES e do IBAD se alimentam das dádivas financeiras geradas pelo medo ao fantasma.

## 11

O governo João Goulart-Tancredo Neves não teve qualquer ato agressivo ou sequer ríspido com relação aos Estados Unidos e, inclusive, procurou sanar as controvérsias que já encontrou em andamento ou que surgiram depois, mas em Washington a desconfiança pouco a pouco tendia a transformar-se em hostilidade.

O reatamento das relações com a União Soviética e outros países comunistas (menos a China) tinha sido decisão de Jânio Quadros, que Jango e Tancredo apenas implantaram. Mas Washington não gostou (mesmo tendo embaixadas naquelas nações) pois significava uma mudança de rumo no maior país latino-americano, que já não pedia licença quanto aos caminhos a tomar. O móvel de tudo, no entanto, era a posição brasileira em favor da "autodeterminação de Cuba", interpretada como um desafio à postura norte-americana, que já cercava os cubanos por todos os lados.

Em janeiro de 1962, o Brasil votou contra a expulsão de Cuba da Organização dos Estados Americanos, e o chanceler San Thiago Dantas (um jurista sem nuanças de esquerda) havia desmantelado a proposta de Washington, ao demonstrar que a medida violava o estatuto da OEA. Foi preciso que os EUA remendassem a proposta, às pressas, para que surgisse a fórmula da "suspensão" de Cuba, contra a qual o Brasil também votou.

Na volta da reunião da OEA (realizada em Punta del Este), o Presidente de Cuba, Osvaldo Dorticós, reuniu-se com Jango durante duas horas no aeroporto de Florianópolis e previu o futuro: a CIA pressionaria Kennedy e o Presidente dos EUA pressionaria os governos latino-americanos a romperem relações com Cuba, para isolá-la. Jango ouviu-o quase em silêncio e, ao final, disse-lhe em espanhol:

— Temos e teremos, sempre, boas relações com os Estados Unidos, mas quem decide os caminhos do Brasil é o governo brasileiro. Jamais tenha dúvida disso!

Desde então, como num castelo de cartas que se desfaz ao primeiro toque, um a um os governos da América Latina romperam relações com Cuba. Ficaram de fora apenas o Brasil, o Uruguai e o México. E a animosidade de Washington se expandiu pouco a pouco.

Tanto a Aliança para o Progresso, no papel, como Kennedy, nos discursos, insistiam na necessidade duma reforma agrária na América Latina, mas, quando o governo Jango-Tancredo mencionou pela primeira vez a idéia de realizá-la, Washington desconfiou que o Brasil queria "cubanizar-se". Explodiam conflitos de terra por todo o Nordeste ou pelo Paraná, e, além disso, no Rio Grande do Sul se havia formado o Movimento dos Agricultores Sem Terra (*Master*), com o ostensivo apoio do governador Brizola e de alguns prefeitos: para resolver tudo isso, Tancredo (mais do que Jango) tinha acreditado no "programa de reformas" da Aliança. De boa-fé, convencera-se de que o simples enunciado da reforma agrária brasileira atrairia a ajuda maciça dos Estados Unidos, como exemplo para o resto do continente.

Os grupos de pressão norte-americanos — bancos, grandes empresas, imprensa — pensavam, no entanto, de outra forma e anteviam "o dedo comunista" no único governo que se dispunha a executar aquilo que Kennedy "exigia" através da Aliança para o Progresso. E, paulatinamente, a Casa Branca deixou de lado essa "exigência" e concentrou-se em outras mais acordes com o que pensavam e queriam os que, fora do governo, mandavam no país.

A desconfiança de Washington fez com que Jango apressasse a visita oficial aos Estados Unidos. Na manhã de 3 de abril de 1962, ao sétimo mês da Presidência, João Goulart desembarcou na capital norte-americana e John Kennedy estava ao pé da escadinha do avião, na pista, e o recebeu de forma amistosa. Já na conversa informal, porém, a bordo do helicóptero em que ambos viajaram do aeroporto à hospedaria da Casa Branca, a primeira indagação a que teve de responder foi sobre se a projetada reforma agrária era "comunizante". Os informantes da CIA já haviam antecipado a Kennedy a classificação daquilo que nem sequer fora ainda esboçado em Brasília!

— A idéia que me ficou é que Kennedy, honestamente, tinha boa vontade com o meu governo, mas era pressionado e forçado a agir de outra forma —, disse-me Jango 13 anos depois, em 1975, na intimidade do exílio comum em Buenos Aires.

O raciocínio de Jango partia de alguns fatos concretos. Ele tivera um recebimento cordial ou, até mesmo, caloroso nos EUA. Em Washington, em discurso ante o Congresso, sustentou que os financiamentos da Aliança para o Progresso deveriam ser desburocratizados e chegar aos níveis do Plano Marshall, e foi elogiado pelos *democratas* e *republicanos*. Em Nova York, ao lado do prefeito, desfilou em carro aberto sob papel picado caindo dos arranha-céus, em sua homenagem, e ainda visitou Chicago. Nas conversas a sós, Kennedy mostrou-se franco e compreensivo. Chegou, por exemplo, a criticar o Brasil "por subestimar o perigo da penetração comunista" nas relações com a União Soviética, mas admitiu que a resposta-explicação de Jango podia ser correta:

— Não somos superpotência e não medimos força com a União Soviética. A penetração comunista no Brasil não crescerá pela influência soviética mas, sim, pelos problemas sociais do país!

— *May be! May be!* — disse Kennedy, somando ao "pode ser, pode ser" um gesto pensativo de quem concorda.

Nas reuniões amplas, quando Jango, San Thiago Dantas ou Walther Moreira Salles tentavam abordar a ampliação dos acordos do café ou do açúcar brasileiros, o secretário de Estado Dean Rusk falava dos mísseis balísticos soviéticos ou chamava de "mera propaganda" a reunião de cúpula para o desarmamento proposta por Kruschev e pedia a solidariedade do Brasil aos EUA na ONU. Aquecer a "guerra fria" era mais importante que esfriar a quentura dos trópicos.

Essa obsessão pela "guerra fria" fez com que, no penúltimo dos seis dias da visita, Jango fosse levado aos inexpugnáveis subterrâneos secretos da Base de Offut, perto de Omaha, em Nebraska, onde conheceu as maravilhas tecnológicas do Comando Aéreo Estratégico, que de lá controla os mísseis nucleares de longo alcance e os famosos bombardeiros B-52, que se revezavam, na época, 24 horas ao dia no ar pela Europa e Ásia, cheios de bombas atômicas. Durante duas horas, andou de um lado a outro naqueles túneis debaixo da terra, como um tatu de casaco e gravata, conhecendo salões com telas e aparelhos exoticamente modernos ou desconhecidos, ouvindo explicações sobre aquele poder destrutivo inigualável e absoluto que, com o simples acionar de um telefone, era capaz de desencadear o apocalipse.

Minucioso nas explicações, o comandante da base, general Thomas Power, mostrou-lhe um imenso mapa-múndi num painel luminoso em que alguns pontos da Europa e da Ásia pulsavam como num eletrocardiograma planetário, e Jango chegou a ter medo de que esse homem decidisse fazer uma demonstração prática do poder ofensivo que trazia inclusive no "Power" do nome.

— Não precisa acionar, general, eu acredito no que vocês estão me dizendo! — exclamou numa irônica brincadeira que fez o general rir pela única vez e refrigerou o ambiente carregado de números sobre a capacidade de destruir, matar e arrasar.

Mas aí, Power se entusiasmou com o visitante e, numa homenagem especial, meteu-o num helicóptero e o levou ao "silo" subterrâneo (ou túnel-fortaleza) do míssil balístico intercontinental *Atlas*, a alguns quilômetros de distância, cruzando o Rio Missouri, no estado de Iowa. E, de memória e em voz alta, o general começou a narrar os atributos daquela maravilha do progresso científico e da modernidade: com carga nuclear na ogiva, 500 mil mortos em Moscou no instante exato da explosão inicial, outro tanto nas horas seguintes e milhões de feridos letais; na geografia urbana de Pequim, os mortos instantâneos irão a 700 mil, e chegarão a quase um milhão em Xangai!

Na visita à base, Jango tornou-se, sem dúvida, o primeiro brasileiro ou latino-americano a conhecer um computador, na época um aparelho de tamanho gigantesco (descrito apenas em revistas científicas) que, em poucos segundos, estabelecia comunicação telefônica conjunta com a meia centena de bases militares dos EUA espalhadas pelo mundo. Em maio de 1876, em visita aos EUA, o Imperador Pedro II tinha conhecido o telefone e, maravilhado com aquele recentíssimo invento, perguntou a Graham Bell: "Isto fala?" Em abril de 1962, 86 anos depois, entontecido pelas novidades eletrônicas (quando nem se conhecia ainda a palavra "eletrônica"), Jango nada perguntou ao atencioso general Power, mas não entendeu por que lhe mostravam tudo aquilo, com tantos números e tantas minúcias, tanta morte e tanto horror.

Foi preciso que se passassem dois anos para que entendesse tudo, a 1° de abril de 1964.

## 12

Ao retornar dos Estados Unidos, Jango aproveitou um feriado e foi descansar em São Borja. Viajou no turboélice presidencial de Brasília a Porto Alegre, para aí tomar um avião menor que pousasse na sua fazenda à beira do Rio Uruguai, como fazia sempre. Nós, os jornalistas políticos, uns oito ou nove, fomos esperá-lo na pista do aeroporto e ele festejou o recebimento, até porque só lhe perguntamos sobre a saúde (no México, na volta dos EUA, ele tinha tido um problema cardíaco), e, ao se despedir, no trasbordo para o outro avião, o secretário de Imprensa do governo gaúcho, Hamilton Chaves, tomou a palavra em nome de todos:

— Muito obrigado, Presidente, por não haver convidado para a viagem aos Estados Unidos a nenhum dos que expuseram a vida para defender a sua posse, enquanto levava até o Ibrahim Sued e outros jornalistas de fofocas!

Jango desconcertou-se, coçou a sobrancelha e só pôde dizer:

— O Itamaraty é que organizou a comitiva. Quem se encarrega do protocolo é o Itamaraty, eu nem sabia quem viajava!

Respondia com a verdade. Mais exposta ao murmúrio dos "colunáveis" do que às idéias político-sociais, a burocracia diplomática preferia Ibrahim Sued aos jornalistas da Rádio da Legalidade, que já nem existia mais...

Sempre que havia um feriado longo, Jango "fugia" para São Borja. Na maioria das vezes, eu para lá viajava horas antes, noutro avião, e conversávamos na fazenda, quase sempre de pé e caminhando, ele inspecionando o gado ou observando o pasto, pois aí se descontraía e o diálogo era solto. Antes que tentasse sentar-se, para que não se sentisse "presidente" nem eu "jornalista", via um jeito de me retirar e voltar a Porto Alegre ainda com dia claro, no aviãozinho sem rádio nem radar, a tempo de escrever para o jornal. (No início de 1963, fui ser o colunista político da *Última Hora* em Brasília, e, paradoxalmente, na capital complicou-se conversar com o Presidente da República de modo tranqüilo e informal.)

Aqueles campos de São Borja nos aproximavam mais do que tudo, talvez, porque lá havíamos sofrido um acidente de avião — Jango, ainda Vice-Presidente, Brizola, governador, eu e outras 10 pessoas mais — tempos antes, a 24 de agosto de 1960. Ali tínhamos provado a sensação do estremecimento da morte durante longos segundos. E Jango sabia que ele fora o culpado, pois tivera a idéia de mandar pousar na relva molhada e macia da fazenda, como alternativa à pista de terra da cidade, interditada pelas poças d'água da chuva. O piloto do DC-3 da Varig se limitara a seguir suas instruções. Jango tinha pressa: no sexto aniversário da morte de Getúlio, ia homenageá-lo no seu túmulo e queria voltar ao Rio para presidir o Senado no dia seguinte e, depois, engajar-se na campanha eleitoral de Lott.

O avião pousou mas, semivazio, derrapou e deslizou no relvado úmido sem parar, levou por diante cercas, galpões e baias de cavalos, e só não se incendiou nem se espatifou totalmente porque o piloto fez a manobra do "cavalo-de-pau" e enterrou uma das asas no solo. Todos ilesos e mudos, Jango foi o primeiro a descer e correu, correu mesmo, direto à casa da fazenda. Ali se trancafiou e só saiu para visitar o cemitério, onde não discursou e não falou com ninguém nem mencionou o acidente.

Descobri o seu *ego* profundo ao regresso de uma dessas viagens, em 1962, quando ele chegou a Porto Alegre e foi informado de que o avião presidencial estava imobilizado no Rio, em pane, e que teria de seguir para Brasília no vetusto bimotor C-47 da FAB, que o trouxera de São Borja.

— Vais a Brasília nesse avião? — perguntou-lhe o governador Brizola.

— Vou. É lento mas seguro e chega bem!

Na cabeceira da pista, ao anoitecer, pronto para decolar, está o *Caravelle* da Varig, o jato mais moderno em operação no Brasil, no vôo Buenos Aires-Rio. O governador gaúcho pede que a torre de controle o chame e que os passageiros desçam. (Lembro-me de um argentino típico, gordo e de bigodes, vindo pela pista com o cálice do *champagne* servido à saída.) O comandante se apresenta e Brizola lhe comunica que o Presidente João Goulart vai embarcar no avião.

— É uma honra! — responde o piloto, sorrindo.

— Obrigado! — diz Jango, e Brizola atalha, indagando se o vôo termina no Rio. O piloto confirma que sim e, enquanto Jango diz ao ajudante-de-ordens que avise a Casa Militar para que um avião da FAB esteja pronto para levá-lo do Rio a Brasília, de novo o governador atalha:

— Comandante, mude a rota. Vá direto a Brasília, deixe lá o Presidente e, depois, viaje ao Rio e conclua o vôo!

— Perfeito, governador! — exclama, contente, o piloto. E o Presidente, tímido e encabulado, para mostrar que não tinha nada a ver com aquilo, baixou os olhos e só pôde aceitar e agradecer de novo.

Naquele momento, quando lá se foram todos direto à capital, entendi por que aqueles dois homens, tão próximos um do outro, tinham dificuldades para entender-se. Os estilos se atritavam. Para Jango, sempre tudo estava bem.

## 13

O parlamentarismo implantado às pressas era um remendo tão mal cosido que, em junho de 1962, Tancredo Neves teve de "desincompatibilizar-se" e renunciar ao posto de Primeiro-Ministro para poder candidatar-se a deputado e continuar no Parlamento. Jango indicou, então, San Thiago Dantas, do PTB de Minas, o nome mais brilhante do ministério, culto e sagaz, capaz de apontar soluções para tudo. Conservador em política, San Thiago não era de esquerda nem "progressista", mas advogava com tanto rigor as causas que lhe davam que, como ministro do Exterior, seus argumentos tinham encurralado os Estados Unidos na reunião que expulsou Cuba da OEA. A direita o tachou de "comunista perigoso" por isso, e, com essa pecha, o PSD e a UDN votaram maciçamente contra a sua indicação como Primeiro-Ministro, rejeitada por 174 a 110 votos na Câmara dos Deputados.

Jango apelou, então, para o PSD e convidou o paulista Auro Moura Andrade, presidente do Senado, que recebeu, fácil, o voto de confiança por 223 a 52, mas agarrou o cargo com mãos e pés e começou a convidar ministros por conta própria na área da direita. Os sindicatos ameaçaram com uma greve geral, e o Primeiro-Ministro "renunciou" antes ainda de governar.

A verdade, porém, foi outra: tanta foi a ansiedade de Auro ao ser convidado, que deixou com Jango uma carta-renúncia, sem data, a ser usada no futuro, em caso de eventual fricção insanável entre ambos e o Presidente decidiu divulgá-la muito antes do previsto. Jango não tinha sido consultado sobre o ministério e, suspeitando da lealdade do novo Primeiro-Ministro, resolveu antecipar o futuro e difundir a "renúncia" sem o avisar. Auro foi saber que havia "renunciado" por um discurso do líder *trabalhista* na Câmara dos Deputados, Almino Affonso.

(A manobra foi astuta mas de astúcia pueril e, com ela, Jango antecipou o futuro trágico de 20 meses mais tarde: o sisudo Auro Moura Andrade passou a ter todas as razões íntimas e públicas para tornar-se seu inimigo frontal. Implacável, Auro vingou-se na madrugada de 2 de abril de 1964, como presidente do Congresso, "ao declarar vago o cargo de Presidente da República" e convocar o titular da Câmara dos Deputados a assumir a chefia do governo, encerrando a sessão de imediato, sem debate nem votação.)

O vácuo da "renúncia" do Primeiro-Ministro foi resolvido rápido, com a indicação de Francisco Brochado da Rocha, especialista em Direito Constitucional, secretário da Justiça do governo de Brizola no Rio Grande do Sul, que tinha ido a Brasília para ser ministro de Educação no frustrado gabinete de San Thiago Dantas. Para os deputados, Brochado da Rocha (com raízes no conservadorismo do PSD) era "um provinciano", desconhecido no plano nacional e, portanto, fácil de ser manipulado: a 8 de julho de 1962, seu nome foi aprovado pela esmagadora maioria de 215 a 58 votos.

Ocorre que "o doutor Chico" — como os amigos o chamavam — não era nada do que dele pensavam. Sua única fraqueza era um defeito físico, um aleijão no pé direito, decepado por uma rajada de metralhadora na revolução de 1930, quando assaltou o quartel-general do Exército em Porto Alegre, à frente de um grupo de estudantes. Nascido numa família tradicional, sério e estudioso, já era catedrático de Direito quando o filho Otávio lhe sugeriu que ambos lessem Hegel e, depois, *O capital*, de Marx, para suprir a lacuna de não conhecer algo que temiam e combatiam. Na leitura, inclinaram-se para a esquerda. Não se tornou um socialista, mas somou aos gestos finos e educados uma sensibilidade social profunda que o fazia ainda mais terno e compreensivo no trato individual.

— Entendi a *plus-valia* e descobri a classe operária! — disse-me ele, antes ainda de ser Primeiro-Ministro. Continuou, porém, no conservador PSD, onde estavam seus velhos amigos, mas já não pensava nem agia como eles.

E naqueles tempos povoados de preconceitos, todos se surpreenderam (inclusive os que aplaudiram) com o alto número de "figuras de esquerda" que integravam o governo do "conservador" Brochado da Rocha...[1]

O governo do "doutor Chico" durou apenas 67 dias e teve um dinamismo inversamente proporcional à sua brevidade: da sua cabeça de jurista nasceram as "medidas delegadas", em que o Congresso deu-lhe poderes para levar adiante os atos de governo, evitando a paralisação dos tempos de campanha eleitoral, com Brasília deserta. Elaborou os projetos de reforma agrária e reforma bancária; criou a Embratel (criticada como "iniciativa exótica e desproporcional", num tempo em que os telefones eram um luxo, não um hábito); estruturou a Eletrobrás; esboçou um "programa de planos setoriais" (que redundou no Ministério do Planejamento, entregue mais tarde a Celso Furtado) e concluiu o projeto de convocação do plebiscito sobre a continuidade do parlamentarismo ou o retorno ao presidencialismo. A 13 de setembro de 1962, o Congresso recusou-se a lhe delegar poderes para implantar as reformas agrária e bancária e ele renunciou na mesma noite, de acordo ao rito do parlamentarismo.

Por trás de tudo, porém, havia o desgaste de uma oculta crise militar, em que o ministro da Guerra, general Nelson de Mello, tinha se atritado com o Primeiro-Ministro. Açambarcado pelos atacadistas, o

[1]O jurista João Mangabeira, presidente do Partido Socialista, nas Minas e Energia, e Hermes Lima, outro socialista histórico, no Trabalho e Previdência Social, além dos "independentes de esquerda" Cândido de Oliveira Neto, na Justiça, e Roberto Lira, na Educação. Na Indústria e Comércio, José Ermírio de Moraes, que construíra seu império industrial enfrentando os grandes grupos norte-americanos.

arroz desaparecera do público, no Rio, e Brochado da Rocha — ao comandar uma ponte-aérea que trazia o produto do Sul para vendê-lo aos varejistas ou direto na rua — mandou que o Exército vigiasse os descarregamentos, mas o general achou que aquilo não era função de soldado. No rádio e na televisão, o governador carioca Carlos Lacerda fechou o círculo e disparou insultos: "Esse homem Brochado é um mascate manco, vendedor de pentes, que assaltou o poder."

Além disso, os comandantes do I e III Exército[2], orientados pelo general Amaury Kruel, chefe da Casa Militar da Presidência, queriam forçar o Congresso a marcar a data do plebiscito com urgência. Naquele início de setembro de 1962, Kruel chegou a sugerir "fechar o Congresso" e dar posse imediata aos novos parlamentares escolhidos na eleição de outubro. Jango achou a idéia "dura demais" e Brochado foi peremptório:

— Se tocarem no Congresso, eu me declaro prisioneiro e peço asilo no Uruguai!

Na mesma madrugada da renúncia, o "doutor Chico" viajou a Porto Alegre, junto com a mulher, dona Jurema. Esperei-os no aeroporto, num amanhecer de frio intenso, e os acompanhei até a residência.

— Sabes qual foi o meu último ato? Abri aquelas gaiolas imensas dos jardins da granja do Ipê (residência do Primeiro-Ministro) para soltar os pássaros. Mas era noite escura e nenhum deles saiu. Deixei ordem aos criados, por escrito, para não fecharem as gaiolas! — contou-me ainda no carro e olhou a rua, como para certificar-se de que também em Brasília já começava a clarear e os passarinhos tinham se animado a provar a liberdade.

---

[2]Os generais Osvino Ferreira Alves, comandante do I Exército, no Rio, e Jair Dantas Ribeiro, do III Exército, em Porto Alegre, pertenciam à corrente nacionalista, identificada com as reformas e com a devolução de plenos poderes a Jango.

Onze dias mais tarde, morreu de um aneurisma cerebral. A quase-revolucionária e rápida passagem pelo poder o havia fulminado.

Em seguida, o socialista Hermes Lima, que fora preso político durante o Estado Novo, assumiu como Primeiro-Ministro. Jurista, não se interessava pela politicalha e só queria governar. Assim, era o homem ideal para Jango e, também, para os deputados, preocupados apenas com as eleições parlamentares daquele final de 1962. Governou até início de janeiro de 1963, quando o triunfo do presidencialismo no plebiscito extinguiu o cargo de Primeiro-Ministro e devolveu plenos poderes ao Presidente da República.

## 14

Jango não era religioso. Vinha de uma abastada família católica da região missioneira do Rio Grande do Sul, mas daquele catolicismo dos fronteiriços ricos, em que as mulheres sabem de rezas, santos e festas de padroeiros e os homens apenas acompanham de longe, sem muita crença. Ou até crença nenhuma, apenas crendo, pelas dúvidas, quando o perigo aperta. Tinha, no entanto, tão boas "relações formais" com a Igreja Católica que o arcebispo de Porto Alegre, dom Vicente Scherer, um conservador tão conservador que beirava o direitismo, celebrou ele próprio o casamento de João Goulart e Maria Thereza Fontella sem tomar em consideração que o noivo, fazendeiro milionário, além de não se confessar, tinha fama de viver metido com muitas mulheres bonitas e muitos comunistas feios.

Tempos depois, com o Concílio Vaticano II, o Papa João XXIII deu nova óptica à Igreja, e falar de reformas sociais — como ele falava — passou a ser coisa também dos católicos, e por extensão dos luteranos ou cristãos em geral, e não só dos diabólicos comunistas e seus primos socialistas. Ou dos trabalhistas, já menos aparentados com o demônio.

No início de junho de 1963 o governo de Jango enfrentava a pressão externa dos Estados Unidos e a interna da oposição conservadora quando João XXIII morreu. No Palácio do Planalto, o Presidente fez celebrar solenes exéquias religiosas e, num avião especial, levou do Rio a Brasília todo o corpo diplomático, inclusive o embaixador soviético, representante de um Estado "comunista e ateu", que pela primeira vez na vida assistiu a uma missa. Quando tudo parecia resumir-se a isso, "o Francês" sugere, do Rio, que o Presidente da República assista, em Roma, à coroação do futuro novo Papa.

João Goulart responde que não pode viajar: está mudando o primeiro ministério presidencialista. Quer fortalecer "o dispositivo militar" e controlar algumas áreas com maior intimidade. Doente, com um câncer, San Thiago Dantas deixa o Ministério da Fazenda, e o pretexto não pode ser melhor para tirar também Almino Affonso, que abriu o Ministério do Trabalho aos independentes ou aos sindicatos do PCB, sem entender que lá é um território feudal de Jango. Mudará tudo. Evandro Lins e Silva vai para o Ministério do Exterior e deixa a Casa Civil nas mãos de Darcy Ribeiro. O ex-governador paulista Carvalho Pinto irá para a Fazenda, como uma rolha na boca furiosa da direita opositora. Além disso, o esquema antigolpista se ampliará com três novos ministros do PSD, "conservadores mas decididos", como o paraibano Abelardo Jurema, na Justiça.

Na área militar, o general mais próximo de Jango em termos pessoais, seu compadre Amaury Kruel, deixa o Ministério da Guerra para ocupar o estratégico comando do II Exército, em São Paulo. O general Jair Dantas Ribeiro, nacionalista histórico e defensor público da reforma agrária, será o novo ministro, fechando o círculo de ferro antigolpista. Para coordenar tudo isso, ele não pode deixar o triângulo Brasília-Rio-São Paulo para ver, em Roma, o futuro novo Papa.

Mas "o Francês", João Etcheverry, insiste. Como em Cingapura, aponta o que ninguém havia percebido — pela primeira vez em muitos anos, os Estados Unidos têm um Presidente católico, John Kennedy, que irá à coroação do novo Papa — e pergunta:

— Por que os presidentes das duas maiores nações católicas do mundo não podem encontrar-se em Roma após a cerimônia no Vaticano?

Jango entendeu de imediato. Por que não aliviar a pressão norte-americana e evitar que alimente a oposição interna e a transforme em conspiração? Por que não amainar Kennedy num novo encontro pessoal?

A primeira missão do novo chanceler foi preparar a viagem ao Vaticano. E, em surdina, acertar a reunião com Kennedy em Roma, no final daquele junho de 1963.

## 15

Jango gostava de João XXIII. Tinha lido as conclusões do Concílio e as novas encíclicas sociais (como tudo o que lia, apenas numa rápida vista d'olhos) e se sentia identificado "com os propósitos" do Papa.

— Uma figura humana maravilhosa e simples, além de tudo! — exclamava, lembrando quando estivera com ele na Santa Sé, anos antes.

Havia sido uma visita pessoal, numa viagem a Roma com a mulher e os dois filhos pequenos, em 1959, ele ainda Vice-Presidente no governo Juscelino Kubitschek. Na audiência privada, Maria Thereza — a cabeça coberta com uma mantilha escura — agarra a mão da filhinha Denize, de dois anos, e ele a de João Vicente, de três, que está inquieto e se mexe de um lado a outro como nunca. No momento em que entram à biblioteca do Papa, o menino diz baixinho que precisa "fazer pipi". E insiste:

— Tem que ser agora; me leva, pai!

Sua Santidade está sozinho, o secretário a alguns metros de distância, como sucede nas audiências privadas, e não há a quem dirigir-se senão a ele. A inquietação dos pais, porém, é tão visível que João XXIII sorri de riso amplo e bondoso, intuindo e entendendo tudo e abrindo os braços. E naquela trindade masculina em que todos se chamam João, em poucos segundos tudo se descontrai e todos ficam tão à vontade que Jango descobre um jeito de perguntar ao Papa onde o menino pode urinar. E o Sumo Pontífice, sorrindo como um avô em festa, toma-lhe a mão e leva o menininho pelos corredores do Vaticano.

Em poucos minutos, ambos estão de volta e a audiência prossegue: com os pais encabuladíssimos, pedindo desculpas, e o avoengo João XXIII enternecido e maravilhado, contente como nunca.

— Uma figura humana maravilhosa e simples!

Agora, porém, quem vai a Roma é o Presidente da República, numa visita solene e de pompa, para a coroação do Papa Paulo VI, no domingo 30 de junho de 1963. Tudo diferente. E por trás de tudo, o encontro com Kennedy. Em poucos dias, Jango e Evandro preparam os temas da reunião. O núcleo da relação dos Estados Unidos com a América Latina é a Aliança para o Progresso e eis aí o ponto de partida para o debate: as verbas chegam dos Estados Unidos diretamente a determinadas prefeituras do interior do Nordeste e do Sul, todas "casualmente" em mãos da direita mais radical, ou financiam obras do governo de Carlos Lacerda no estado da Guanabara, como se Washington fosse a capital brasileira. O "programa de ajuda" dos EUA começa a transformar-se num punhal.

Num jato *Coronado* da Varig, Jango levou a Roma uma comitiva de 31 pessoas — o arcebispo de Brasília, o presidente do Supremo, parlamentares do governo e da oposição[1], dirigentes empresariais e de trabalhadores —, não só para o afago de uma viagem ao exterior mas, principalmente, para mostrar a Kennedy (e não só ao Papa) que ali estava a representação do Brasil inteiro. Depois da cerimônia no Vaticano, João Goulart e John Kennedy reuniram-se na Embaixada dos Estados Unidos em Roma. O chanceler Evandro Lins acompanhou o Presidente mas o aguardou na ante-sala, já que seu par norte-americano, o secretário do Departamento de Estado, não estava presente.

A reunião durou cerca de três horas, mas Jango quase não conseguiu falar sobre a Aliança para o Progresso. Kennedy monopolizou as queixas, pois mais se queixou do que conversou durante todo o tempo. De entrada, disse que estava com um problema na coluna, "*horrible back pains*", com dores insuportáveis, talvez agravadas por aquele intermitente ficar de pé e ajoelhar-se durante a cerimônia na Catedral de São Pedro. (Não disse, mas passava a ser evidente que estava sob o efeito de fortes sedativos.)

E essa intimidade, que parecia uma concessão ao entendimento, em seguida transformou-se numa marretada: sem qualquer rodeio, perguntou quando o governo brasileiro daria "uma solução adequada" à situação da American Foreign and Power (Amforp) e da International Telephone and Telegraph (ITT), cujas empresas haviam sido encampadas no Rio Grande do Sul pela administração estadual.

— Uma solução adequada, com justa e rápida indenização! — acentuou, levantando-se da poltrona e caminhando de um lado a outro, como se quisesse abrandar a coluna vertebral ou a irritação.

A nacionalização da Amforp, do setor elétrico, tinha ocorrido em 1959, nos tempos de Juscelino Kubitschek no Brasil e do republicano Dwight Eisenhower nos Estados Unidos, mas a da ITT era re-

[1]Entre eles, o general Juarez Távora, deputado e ex-candidato presidencial da UDN.

cente, de fevereiro de 1962, pouco antes da visita de Jango Goulart a Washington. Em ambos os casos, o autor era o estado do Rio Grande do Sul, no governo de Leonel Brizola. No Brasil ou no exterior, para pressionar João Goulart (sempre que Brizola estava em liça) lembrava-se que o governador gaúcho era seu cunhado, como se isso significasse uma cumplicidade de "cartas marcadas" entre os dois, mas Kennedy omitiu essa tolice.

Ele era um "irlandês" educado e fino de Boston e, além de tudo, tinha argumento mais forte e convincente:

— Lembre-se, *Mr. President*, que a *emenda Hickenlooper*, se aplicada, pode excluir o Brasil de qualquer tipo de ajuda norte-americana!

A emenda do senador republicano Bourke Hickenlooper à lei de investimento e ajuda externa dos EUA proibia todo tipo de auxílio ou empréstimos a governos que houvessem expropriado empresas norte-americanas sem "correta e adequada compensação" e fora motivada pelas nacionalizações realizadas pelo governador Leonel Brizola. O estado do Rio Grande do Sul tinha indenizado nominalmente as duas empresas pelo valor dos seus acervos, mas descontou do pagamento os milhões de dólares correspondentes a lucros que, em vez de serem reinvestidos, haviam sido enviados irregularmente às matrizes nos Estados Unidos, ao longo de dezenas de anos.[2]

Nem Jango, na sua paciente ação de moderador, nem Brizola, na audácia e arroubo dos seus 40 anos, sequer vislumbraram o poder da

[2]Na subsidiária gaúcha da ITT, por exemplo, os auditores fiscais descobriram "fraudes gritantes", como quadras de tênis ou residências para os diretores contabilizadas como "reinvestimentos". Além disso, a empresa sentia-se literalmente desmoralizada ante seus acionistas nos EUA: já que os lucros enviados de forma irregular à matriz superavam o valor do acervo, o governo de Brizola depositou em juízo a quantia de Cr$ 1,00, um cruzeiro, a unidade monetária vigente no Brasil, em "pagamento simbólico" da indenização.

Amforp e, principalmente, da ITT em mobilizar grupos de pressão nos EUA.

*(Ambos estavam já há quase dez anos no exílio quando, em 1973, fez-se público a força e o poder da ITT, financiando a conspiração e atuando como apoio da CIA na derrubada do Presidente Salvador Allende, no Chile.)*

Nessa noite de 1963, na Embaixada dos EUA em Roma, no entanto, nem mesmo Kennedy — que havia enfrentado a máfia e o crime organizado em seu país — conhecia a dimensão dos poderes por trás do trono. Naquele momento, como presidente de uma superpotência, não percebia que estava a reivindicar e exigir para favorecer aqueles que, cinco meses mais tarde, aplaudiriam o atentado de Dallas e festejariam o seu assassínio. Em nome deles e por eles, brandia a "emenda Hickenlooper", como numa extorsão. Em junho, não sabia que exigia em nome dos que iriam matá-lo em novembro.

O encontro esvaiu-se com as queixas de Kennedy tentando encurralar o Presidente brasileiro. Defendeu-se bem Jango. Podia ter lembrado que os Estados Unidos do Brasil eram — já o dizia o nome — uma federação de estados, e que o Rio Grande do Sul tinha usado suas atribuições autônomas nas encampações, mas não o disse. Paciente, preferiu recordar que a Amforp e o governo federal já haviam "rubricado" um acordo indenizatório e que a situação da ITT estava em mãos do poder judicial.

Kennedy investia e atacava, mas não parecia cômodo. Pelas dores na coluna? Ou por saber que estava sendo ríspido e que a rispidez era própria dos déspotas, não de um estadista como ele? Ou porque o intérprete o fitava fixamente, como a lembrar que faltava ainda o golpe final?

(O intérprete não era um simples intérprete, conhecedor apenas de idiomas, mas o coronel Vernon Walters, que sabia mais dos encontros entre os presidentes do Brasil e dos Estados Unidos do que cada um dos protagonistas. Sim, porque ele tinha sido intérprete nos encontros de Truman com Dutra, de Eisenhower com Kubitschek, de Kennedy com Goulart em Washington e, agora outra vez entre estes dois, em Roma. O Brasil fazia parte da carreira militar de Walters: em 1944, durante a II Guerra Mundial, fora "oficial de ligação" do Exército dos EUA com a Força Expedicionária Brasileira na Itália, e nessa condição fez-se íntimo do capitão Humberto Castello Branco, seu par no Exército do Brasil.

Nesse 1963, de novo na Itália, desta vez como adido militar norte-americano, Walters continuava atento ao Brasil, onde Castello Branco, já general, era naquele momento uma pedra no sapato do Presidente Goulart, que se aprestava para removê-lo do comando do IV Exército, em Recife, e colocá-lo na chefia do Estado-Maior, posto superior mas sem contacto direto com a tropa. Muito talvez pelo que tenha ouvido naquela noite de 30 de junho de 1963 em Roma, Walters desembarcou no Rio de Janeiro meses depois, como novo adido militar dos Estados Unidos. Trocava o Capitólio romano pela Praia de Copacabana e conheceria de um a um os conspiradores de 1964, a fim de animá-los para o golpe final.)[3]

Durante alguns segundos, Kennedy e o coronel-intérprete fitaram-se um ao outro, como numa indagação mútua, até que o presidente dos EUA retomou a iniciativa e, num ríctus forçado, marcou as palavras lentamente:

— Temos informação, *Mr. President*, de que há comunistas no seu governo! *Mr.* Lins e Silva e *Mr.* Riff, por exemplo!

---

[3]Já como general, Walters foi também o intérprete no encontro do presidente Richard Nixon com o general Garrastazu Médici, na visita do ditador brasileiro a Washington em 1971. Em fevereiro de 1972, foi nomeado *diretor de operações* da *CIA*, oficializando seus vínculos com "a companhia", da qual foi diretor-geral, mais tarde.

Era o *coup de grâce*, o golpe de misericórdia (que os norte-americanos dizem sempre em francês, como se isso atenuasse o impacto), só que desfechado em alvo errado. Velho amigo de Jango, Raul Riff, secretário de Imprensa da Presidência, tinha pertencido ao Partido Comunista, no Sul, mas estava afastado há muitos anos. O chanceler Evandro Lins e Silva era de esquerda mas nunca havia pertencido ao PCB e, como advogado, tinha defendido capitalistas ou comunistas com o mesmo e igual brilho. Ambos acompanhavam João Goulart na viagem a Roma, e o chanceler estava na sala ao lado, e conversava com os assessores de Kennedy.

## 16

Talvez por tudo isso, e depois disso, naquela noite Jango preferiu esquecer o Presidente dos EUA e pensar no novo Papa. A coroação de Paulo VI havia tido, ainda, todo o fausto da opulência do poder medieval da Igreja, em meio àquele catolicismo que, ao renovar-se com João XXIII, voltava às origens para tentar ser o que era: finda a cerimônia, o Papa recebeu, em audiência privada, a cada um dos chefes de Estado e deles recebeu presentes.

Jango ofertou-lhe uma caixa-estojo para as jóias vaticanas, esculpida em madeira nobre da Amazônia, austera e bela, sem dúvida o mais original dos presentes dados ao Papa.

O agnóstico Darcy Ribeiro teve a idéia e desenhou a caixa-estojo, executada na marcenaria da Universidade de Brasília pelas mãos hábeis do "seu" Manuel, "o gordo" Manuel Oliveira, que ele havia trazido de Minas Gerais. Em poucos dias, com a sua equipe de artesãos, o chefe da marcenaria concluiu tudo e o *superego* de Darcy cresceu ao ver aquela beleza. Católico na infância em Minas, fora comunista na mocidade em São Paulo e, depois, se transformara num agnóstico sem deuses marxistas, mas agora sentia-se iluminado pela Providência Divina com essa preciosidade nascida do seu desenho. (Na época, ninguém usava palavras em inglês para substituir as portuguesas e se dizia "desenho", mesmo, para o desenho que hoje chamam de *design*.)

Na biblioteca do Vaticano, ao recebê-la das mãos do Presidente do Brasil, o asceta Paulo VI olhou-a fascinado e pousou a mão direita sobre a tampa, como para tocar a maior selva do Planeta, transformada pela mão humana em caixa de jóias do Papa.

— Imploro a Deus para que continue a inspirar o autor desta obra de arte magnificamente bela! — disse o Papa, ao reter o olhar em cada detalhe, fazendo no ar o sinal-da-cruz sobre a caixa, como bênção.

No ano seguinte, Jango Goulart e Darcy Ribeiro já haviam partido para o exílio e eu estava ainda em atividade como professor da Universidade de Brasília, nos primeiros tempos da ditadura militar, quando "seu" Manuel contou-me "o segredo" da caixa de jóias de Paulo VI.

O chefe da marcenaria da UnB tinha orgulho do seu trabalho: durante três dias, quase sem dormir, havia serrado e esculpido um toro de pau-ferro, madeira dura das mais duras, resistente e insensível a cinzel e formão, para conseguir a forma e os traços. Os aprendizes lixaram, "o Darcy trouxe o veludo vermelho-roxo do forro", as costureiras coseram as pregas. Antes de prender o forro com tachas de ouro, porém, "seu" Manuel teve a idéia de escrever "uma coisa" debaixo do pano almofadado, no fundo da caixa, uma espécie de marca.

— Aí eu me lembrei que, daqui a 150 ou 200 anos, as traças vão roer o forro de veludo e da caixa só vai restar a madeira, pois o pau-ferro é duro como aço, e o Papa e os cardeais vão ler tudo, lá no futuro. Fiz, então, um desenho com uma frase e gravei a fogo no fundo da caixa, num traço fino, parelho e nítido. Toda a equipe gostou e combinamos que era um segredo — disse.

Fez uma pausa e continuou:

— E fiquei imaginando a correria lá no Vaticano, daqui a uns séculos, com Papa, cardeal, padre, freira e até a Guarda Suíça espantados — explicou "seu" Manuel.

Perguntei, por perguntar, qual era o desenho e qual a escrita.

— A fogo, fiz bem bonita a foice e o martelo e escrevi "Viva o Partido Comunista", logo embaixo! — respondeu.

No encontro de Roma, Kennedy se havia equivocado. Comunista, mesmo, era o marceneiro-chefe da Universidade de Brasília.

(Mas só vão descobrir daqui a 150 anos.)

## 17

No mesmo dia em que Jango Goulart assumiu a Presidência da República, a 7 de setembro de 1961, os conspiradores militares começaram a organizar-se e a tramar o golpe de Estado.[1] A conspiração, no entanto, só se expandiu e penetrou nos setores civis da direita, assumindo cara adulta, a partir dos resultados do plebiscito de 6 de janeiro de 1963: quase nove milhões e meio de votos a favor do presidencialismo, e apenas dois milhões contra. Mais do que a rejeição do parlamentarismo, era um tonitruante voto de confiança a Jango. No fundo, ele é que havia sido "plebiscitado" e isto alarmou a oposição. Até 31 de janeiro de 1966, quando terminava seu mandato, o que poderia fazer esse homem que falava em reformas?

[1]O general Olympio Mourão Filho, que deflagrou a sublevação golpista de 1964, contou os detalhes nas suas memórias.

Mas, não era ele um demagogo, que falava por falar, só para conquistar votos?

— Mesmo que tudo seja só demagogia verbal, o compromisso público penetra ou fica nas mentes e o povo irá exigir, amanhã, o cumprimento das promessas. E vai exigir de quem as fez! — disse-lhe João Etcheverry, na minha frente, com a sua precisão castiça de linguagem e franqueza, como uma advertência naqueles dias de 1963, e Jango baixou os olhos como se indagasse a si próprio.

O Brasil daqueles anos era timorato. A classe média, cheia de vergonhas ou preconceitos, espantava-se com quase tudo e transmitia esse espanto aos pobres-pobres. Os estratos mais altos não eram diferentes. Nas universidades e na escola, em geral, no entanto, havia uma brisa nova, um bafejo inventivo em busca de um país novo que encontrasse suas velhas raízes culturais. Via-se isso a olho nu nas artes: o cinema, o teatro, a música popular ou erudita, a dança, a pintura, a poesia, os ensaios de sociologia ou história, tudo refletia o país ou a vida da sua gente. Com apoio financeiro do poder, a UNE e nela o CPC (Centro Popular de Cultura), dirigido pelo poeta Ferreira Gullar, atuavam como ponto de partida da busca da "nação autônoma" entre a juventude.

A partir de janeiro de 1963, a reforma agrária foi o assunto dominante e recorrente na imprensa e no Parlamento (que ainda tinha poder e prestígio) e chega aos lares e botequins, quartéis e escolas. Logo, surge a reforma urbana e as "reformas de base" passam a ser a palavra de ordem do governo. E, ao mesmo tempo, o instrumento de pressão das esquerdas.

O núcleo quase único do debate gira em torno da mudança do artigo da Constituição que exige "indenização prévia e em dinheiro" para as desapropriações agrárias. O governo e as esquerdas estão afoitos: os reformistas "moderados" reúnem-se em torno de Jango, do PTB e do Partido Comunista (clandestino mas ideologicamente presente) e se enfrentam aos "radicais", capitaneados por Brizola, que congregam nacionalistas, socialistas, trotskistas e cristãos-marxistas. A "bandeira das reformas", como se dizia, cresce de tal forma que os dois grandes partidos de centro-direita, passam a ter, também, sua ala de esquerda, que se integra à Frente Parlamentar Nacionalista e ombreia com os "radicais". No conservador PSD são os "invisíveis". Na direitista-liberal UDN, o movimento se alastra, com vida própria e nomes jovens, e é batizado de "bossa nova" pela imprensa, pois soa tão atraente e inovador quanto a música de Carlos Lyra e Vinicius de Moraes.[2]

O pensamento reformista cresce mas os conservadores estão tranqüilos no Congresso: os dois grupos reformistas brigam entre si e não se entendem em lugar algum. A rádio Mayrink Veiga, do Rio, porta-voz dos "radicais", tem a maior audiência do país nas noites da palestra semanal de Brizola, de uma ou duas horas de duração, em que critica o governo quase com o mesmo ímpeto com que fustiga a oposição conservadora que se opõe às reformas. Brizola lança os "Grupos de Onze" e a emissora recebe um milhão de cartas de adesão.

Em Pernambuco (onde governa Miguel Arraes), na Paraíba e em parte do Nordeste, a reforma agrária agita o campo em forma direta, mas a divisão é tríplice. Os sindicatos rurais organizados pelos comunistas, com Gregório Bezerra à frente, competem com os do Padre Mello, que a Igreja Católica espalha pelo sertão. Contra ambos, as Ligas Camponesas, com o beneplácito e verbas de Cuba, organizam pouco (quase nada mesmo) mas ganham noto-

---

[2]Na Câmara dos Deputados, a "bossa nova" da UDN teve nomes destacados: Celso Passos, José Aparecido de Oliveira e Simão da Cunha, de Minas; Ferro Costa, do Pará; Seixas Dória, de Sergipe (depois eleito governador); José Sarney, do Maranhão; Wilson Braga e José Meira, da Paraíba; José Carlos Guerra, de Pernambuco, o caçula do Congresso; Wilson Martins, de Mato Grosso e outros mais. Após o golpe militar, todos foram cassados, menos Sarney e Meira, que no final de 1963 voltaram ao conservadorismo.

riedade pela linguagem incendiária que, quanto mais assusta, mais espaço obtém na grande imprensa. Seu mentor, o advogado Francisco Julião, chega a ser capa da revista norte-americana *Times*. Com a palavra-de-ordem de "reforma agrária na lei ou na marra", volta-se mais do que tudo contra o governo: chama o Presidente da República de "patrão latifundiário" e ataca o governador pernambucano Miguel Arraes que, em 1962, tinha levado a esquerda ao poder num estado secularmente dominado pela oligarquia rural do açúcar.

Com tanta divisão assim, os conservadores do Congresso estão atentos mas tranqüilos: a Superintendência de Reforma Agrária (Supra) está maniatada e, nos termos da Constituição, pouco pode fazer além de ensaios esparsos ou planos-pilotos de distribuição de terras.

Em meados de 1963, no entanto, um fato inesperado se acrescenta ao panorama: o prefeito de Natal, Djalma Maranhão, chega ao Palácio do Planalto para reivindicar verbas e expõe ao presidente da República os detalhes de um "revolucionário método de alfabetização conscientizadora" desenvolvido na periferia do município e Jango se interessa pelo assunto. Em poucos dias mais, um desconhecido educador do Rio Grande do Norte chega a Brasília. O Ministro da Educação, Paulo de Tarso Santos, é do PDC mas da "ala avançada" (seu gabinete reúne a meninada da UNE, cristãos-de-esquerda da Ação Popular e comunistas) e é o primeiro a maravilhar-se com a exposição que o professor Paulo Freire faz ao presidente da República.[3] Nascia o plano para transformar um país de analfabetos marginais em adultos alfabetizados e conscientes de seu pa-

[3]Herbert José de Souza (Betinho) e Aldo Arantes, ambos da AP, Ferreira Gullar e Almir Gajardoni, do PCB, eram assessores do ministro democrata-cristão.

pel na sociedade. O "Plano Paulo Freire" passa a ser o instrumento para o salto do analfabetismo à cidadania. O método tem uma dinâmica acelerada, é a comunidade inteira que aprende e, em seis meses, milhões de pessoas poderão estar aptas não apenas a ler e escrever, mas a ter idéias e opinar.

Emerge "a pedagogia do oprimido". Cada grupo de analfabetos escolhe a própria "palavra chave", aquela que explica a sua vida e preocupações, e em torno dela aprenderá a ler, escrever e, também, a raciocinar. O velho método com crianças e adultos soletrando sílabas que nada expressam ("*Ivo viu a uva da vovó*") já prestou demasiados serviços e se aposenta.

— Isso muda o mapa eleitoral! — exclamou Paulo de Tarso, eufórico, a Jango. Num tempo em que os analfabetos não votavam, o método faria surgir milhões de eleitores novos e conscientes, já no primeiro ano de implantação.

Milhares de pessoas, boa parte voluntários, se integram ao Movimento de Educação de Base. No Distrito Federal, nas cidades satélites, as primeiras experiências-piloto obtêm resultados além das previsões. Os políticos e os politiqueiros (no governo ou na oposição), mais do que tudo, porém, se interessam pelas previsões sobre a avalanche do crescimento eleitoral. Os governistas, radiantes e confiantes. A oposição conservadora, em pânico, tacha o método do luterano Paulo Freire de "diabólico" e "comunista".

— O absurdo é que o Ministério da Educação e Cultura patrocine um método que comuniza as consciências — disse-me o senador Mem de Sá, homem lúcido e correto, meu antigo professor na Faculdade de Direito na PUC do Sul, e do qual, antes, jamais tinha ouvido inigualável disparate.

A consciência de cidadania assustava. Povo alfabetizado, sim; mas apenas o suficiente para assinar o título eleitoral, sem as filigranas de entender o significado das coisas, inclusive o da eleição. Formar cidadãos soava a "doutrinação comunista"!

O susto ia muito além do Congresso e chegava aos coronéis e generais da Escola Superior de Guerra (ESG), velho núcleo da UDN-militar, na prática vedado aos nacionalistas das Forças Armadas. Minha condição de colunista político da *Última Hora* tornava-me a ESG impenetrável, mas foi de lá que, em outubro de 1963, recolhi os primeiros indícios da profundidade da reviravolta criada pelo plano de alfabetização.

O Congresso debatia o pedido de decretação do estado de sítio — uma jogada desatinada de Jango, sugerida pelos generais Jair Dantas Ribeiro, ministro da Guerra, e Amaury Kruel, para conter as investidas do governador da Guanabara, Carlos Lacerda, e da qual a esquerda parlamentar forçou o Presidente a desistir — quando o senador Daniel Krieger, da UDN gaúcha, chegou do Rio e lhe indagamos se estava preocupado.

— Eu não! O estado de sítio não passa. Quem está muito preocupado e desconfiado é o Osvaldo, mas com o método Paulo Freire! — disse e logo estancou a voz, sem ir adiante, com o que os ouvintes (Benedito Coutinho, de *O Cruzeiro*, Otacílio Lopes, do *Diário de Notícias*, do Rio, Napoleão Sabóia, do *Correio Braziliense* e eu) perceberam que se tratava de algo grave.

O general Osvaldo Cordeiro de Farias era o mentor político da ESG, o estrategista-mor que fazia dela a Sorbonne militar, uma espécie de "cérebro castrense sigiloso", acima dos chefes do Exército, Marinha ou Aeronáutica. Tudo o que ele e seu grupo pensassem, virava objeto de pesquisa, e a Sorbonne militar criou grupos de análise sobre "os alcances" do método Paulo Freire como "instrumento de ação subversiva psicossocial e de guerra revolucionária".

*(Com os direitos políticos suspensos, perseguido e vilipendiado no Brasil após o golpe militar, Paulo Freire refugiou-se numa embaixada estrangeira no Rio em 1964 e teve de exilar-se durante a ditadura. No exílio, ouvido e respeitado nos grandes centros culturais da Europa e da América do Norte, foi reconhecido como o grande educador e pedagogo da última metade do século XX no Ocidente. A sua "pedagogia do oprimido" descobriu e renovou conceitos ou situações sobre as relações que regem a educação, mas esteve vedada e proibida na terra natal.)*

## 18

A "alfabetização e conscientização" do Movimento de Educação de Base assustava ainda mais do que a reforma agrária, pois era interpretado apenas como uma engenhoca hábil para formar comunistas e ensinar-lhes a ler para transformá-los em eleitores. No Congresso, o deputado Último de Carvalho, do PSD mineiro, resumia em duas frases o pensamento do conservadorismo, do qual era o intérprete público. A primeira: "A reforma agrária do Jango é apenas o primeiro passo para abolir a propriedade privada." A segunda: "Com a alfabetização do Paulo Freire, o governo quer aumentar o eleitorado para ganhar as eleições e mudar a Constituição."

A direita-conservadora convenceu-se de que Jango pretendia instituir o comunismo por lei do Congresso. De onde surgia o convencimento? Seria ilusão óptica, equívoco da afobação, ingenuidade da boa-fé ou astúcia de má-fé?

Não havia medo apenas dos comunistas, mas também dos capitalistas. Dos chamados *capitalistas avançados* ou *capitalistas nacionais*. E, aí, todo o temor se concentrava em Mário Simonsen que, após enriquecer com a exportação de café, teve a ousadia de comprar a

Panair do Brasil, tirando-a das mãos da Pan American World Airways, com o que reverteu o hábito de as empresas nacionais se tornarem estrangeiras e fez uma empresa norte-americana tornar-se brasileira. Ligado a João Goulart, em 1963 Simonsen abriu um jornal no Rio e lá montou a *Rede Excelsior de Televisão*, com emissoras também em São Paulo, Belo Horizonte, Porto Alegre e Recife e passou a competir com a cadeia dos *Diários Associados*, de Chateaubriand, encabeçada pela TV Tupi. Tal qual em 1954, os *Associados* outra vez estavam na oposição frontal ao governo e, mesmo sem o poder de outrora, eram influentes ainda em todos os estados.

O capitalismo nacional de Mário Wallace Simonsen começou a assustar mais ainda quando ele decidiu montar na Europa (para, mais tarde, chegar aos Estados Unidos) uma distribuidora de café brasileiro torrado e moído, quebrando o monopólio das grandes empresas multinacionais de alimentos. Para diferenciar-se delas e tentar vencê-las ou ter longa vida como empresa, Simonsen montou um esquema de entrega a domicílio, num momento em que as grandes cidades européias não conheciam os supermercados e o comprar à porta era um método tradicional de consumo.

"O café brasileiro só é brasileiro até o porto de Santos", tinha escrito João Etcheverry, com a sua experiência de dois anos à frente do entreposto de café do Brasil em Trieste, na Itália, e a frase passou a ser o guia de Simonsen.

No comércio mundial, só o petróleo superava o café em volume de negócios naqueles anos. Os lucros, porém, cresciam em progressão geométrica à medida que o produto se distanciava do Brasil, beneficiando unicamente empresas não-brasileiras. O plano de exportar café torrado e moído, pronto para consumir (em vez do simples grão), passa a ter o apoio do governo por meio do Instituto Brasileiro do Café. As grandes empresas, como a Nestlé, American Foods, Rothfuchs, Gramble ou Bunge & Born e outras, sentem-se "prejudicadas" e vêem "o inimigo" não apenas em Simonsen, mas no governo que o apóia e que ele apóia. E, discretamente, somam-se dentro do Brasil à campanha de críticas ao governo e à figura do Presidente da República.

*(Após o golpe de 1964, o governo ditatorial fez um cerco econômico a Mário Simonsen. Primeiro, a Panair perde as concessões de vôo para o exterior e é levada à quebra. Depois o café, logo a TV Excelsior. Em 1968, acuado pelas pressões, Simonsen se suicida no seu quarto do Hotel George V, em Paris.)*

## 19

O país está imerso num grande debate, com dimensão e profundidade tão amplas que, às vezes, tudo parece caótico. Como o caos bíblico do Gênesis, começam a separar-se o dia e a noite, as águas e a terra.

O debate sobre as reformas divide, e o Brasil de 1963-64 está dividido. Existem dois lados, mas o debate é aberto e às claras. Tudo desemboca num grande estuário público: no Congresso (integrado ainda por grandes nomes, em ambos lados) e na imprensa (formada ainda por grandes jornalistas).

Tão-só o círculo estreito da conspiração oculta sabe que se conspira e quem conspira. Para ampliar "a sensação de tensão psicossocial" que o general Golbery do Couto e Silva (repetindo o que diz a Sorbonne militar) menciona nas reuniões do IPES com empresários e militares, a propaganda conspirativa deve chegar às frentes civis de massa, a começar pela música.

Mas, tal qual Nelson Pereira dos Santos e Gláuber Rocha no cinema, os grandes novos nomes da música popular estão engajados na campanha das reformas, no Centro Popular de Cultura (CPC), como Carlos Lyra, Zé Kéti, Nara Leão e muitos mais. Ou Vinicius de Moraes, declama em público o seu "Operário em construção" e mostra de que lado está.

Há a exceção, porém: Juca Chaves está sozinho no lado oposto, mas tem voz melodiosa e passa a ocupar todos os espaços possíveis nas rádios do país inteiro com uma canção pegadiça e fácil, que faz as delícias da direita-conspirativa: "*Dona Maria Thereza/ diga ao seu Jango Goulart/ que tudo está uma tristeza/ e que a vida está de matar...*"

A crítica é subliminal e astutamente inteligente. Não insulta, apenas ironiza. Exagera, mas consegue alegrar. Por onde haja frestas, dispara-se contra Jango. Ou se abrem frestas para o disparo. Até pelo lado cômico e galhofeiro, como na televisão, onde Chico Anísio interpreta o leniente "coronel Limoeiro", marido de uma astuta namoradeira "Maria Tereza", cujo nome ele repete mil vezes em cada cena. O quadro é tolo, mas arranca gargalhadas.

E mostra o que pretende: criar a atmosfera da dúvida e do constrangimento.

Há muito dispara-se sobre o casal presidencial. Maria Thereza Fontella Goulart é jovem e bela, de corpo esguio e rosto de anjo meigo de pintura da Renascença. Aos 17 anos de idade casou-se com João Goulart e aos 24 tornou-se primeira-dama. Desde que se casou, acompanha a política, mas de longe, pois está dedicada, mesmo, aos dois filhos pequenos, que em 1963-64 têm seis e sete anos e andam o dia inteiro ao redor da saia da mãe. Em função deles, o casal abriu mão da suntuosidade do Palácio da Alvorada e permaneceu na Granja do Torto, residência do Vice-Presidente, mais simples e sem aquelas imensas paredes de vidro, sedutoras às travessuras de qualquer criança.

Como primeira-dama, Maria Thereza é recatada, tímida até. Não se exibe nem exterioriza deslumbramento com o poder. Em 1962, quando João Goulart visitou os Estados Unidos, devia encontrar-se em Washington com Jacqueline Kennedy (também bonita e muito moça), mas desistiu da viagem em função dos filhos pequenos. Em termos pessoais, porém, é espontânea, sorri, ri e conversa, faz o que lhe vem à cabeça. E, além do mais, é uma jovem senhora de vinte e poucos anos que chama a atenção pelo seu jeito de menina. Ou seja: como mulher de político, dispõe do necessário e do suficiente para despertar fantasias ou bisbilhotices, mexericos e intrigas. Se fosse deselegante, feia e desajeitada, não despertaria nada do que desperta, nem inveja, e dela — no máximo — iriam rir com piedade.

Ao ser jovem, é o que é. E o mais suave que se diz dela é chamá-la de fútil ou avoada. E o mais duro? Contar supostos detalhes de brigas conjugais, sempre tão detalhadamente minuciosos que só podem ser inventados, já que não foram filmados por nenhuma câmara oculta nem tiveram testemunhas. A atmosfera da dúvida, porém, não exige a verdade e se espalha como "atmosfera".

Algumas vezes, ela ingenuamente dava pretextos, sem saber nem perceber que aquilo eram pretextos: em três ou quatro ocasiões, desfilou pelo saguão do Hotel Nacional (então ponto de reunião elegante de Brasília) de braço dado com o costureiro Denner, arrancando exclamações e olhares escandalizados de homens e mulheres. Educado e gentil, Denner era famoso como costureiro e como homossexual e, em qualquer lugar, aquilo seria apenas um gesto fidalgo de sua parte, menos na provinciana Brasília de apenas três anos de idade, mas que já começava a ser caixa de ressonância das miragens da solidão do Planalto Central.

Os disparos começaram ainda no governo Juscelino Kubitschek e ganharam o contorno de "fofoca", gíria recém-surgida, quando a revista *Manchete* publicou na capa a foto do Vice-Presidente com os dois filhos pequenos e, dentro, um rápido texto sobre suas qualidades de "pai dedicado". Não se mencionava a mãe e esposa. No imaginário popular era o suficiente para selar aquelas separações em que o marido retém a guarda dos filhos, já que "a culpa de tudo" só podia ser da esposa jovem e bonita... Não havia a enxurrada de revistas hoje dedicadas a vulgaridades e intrigas, nem havia por que duvidar daquela publicação que elogiava Juscelino como estadista e Jango como pai extremoso, e, assim, a *Manchete* esgotou-se rápido.

Havia mulher pelo meio, sim, mas noutro endereço. Tempos antes, tinha ocorrido o incidente das mocinhas quase analfabetas que o deputado Armando Falcão fazia nomear "tesoureiras federais" e que marcou sua ruptura pessoal e política com João Goulart[1] e aí podia estar a origem de tudo. Foi preciso, no entanto, esperar alguns anos até que, em 1967, Carlos Lacerda revelasse, em artigos no *Jornal da Tarde*, que "desafetos e adversários políticos" assopravam intrigas sobre a vida conjugal de Jango e o serviço secreto do Exército se encarregava de espalhar.

## 20

Em julho de 1963, o ex-governador paulista Carvalho Pinto, recém-nomeado Ministro da Fazenda, tornara-se a figura mais acatada no governo e João Goulart vivia uma relação de esplendor com o empresariado conservador, quando o deputado *trabalhista* Rubens Paiva chega a Brasília de São Paulo e me segreda, preocupado:

— No Clube Paulistano, a rapaziada do CCC está se exercitando em tiro ao alvo. E se diz que também no Harmonia e no Pinheiros!

O Comando de Caça aos Comunistas nos parecia, até então, apenas um grupo de meninos ricos arruaceiros, a "juventude transviada", massa de manobra de velhos policiais do DOPS, e demoro a atinar com o significado político daquilo. Sério e incapaz de propalar boatos, Rubens é meu velho companheiro dos tempos dos Congressos da UNE, conhece os salões da plutocracia paulista e o que conta é

[1]O episódio está no capítulo IV, Juscelino, página 127.

alarmante: a organização é paramilitar, com "grupos de defesa de quarteirão" nos bairros ricos, em treinamento intensivo com modernas armas leves. Em suma, prepara-se a insurreição civil.

Dois amigos deputados, o *trabalhista* Almino Afonso (meu companheiro na UNE) e Plínio de Arruda Sampaio, do PDC (articulador do Plano de Metas do ex-governador Carvalho Pinto), sugerem que eu "denuncie tudo" na *Última Hora*. O assunto, porém, soa tão escabroso — "inverossímil", segundo meus próprios colegas — que evito mencioná-lo no jornal carioca e só o publico na edição paulista, mas em cuidadoso tom jocoso, apenas para que os envolvidos soubessem que haviam sido descobertos.

Os jornalistas, por um lado, os políticos pró-governo, por outro, todos, enfim, subestimávamos o poder do ressentimento e do rancor e desconhecíamos a audácia dos ultraconservadores. (Alguns anos depois, o general Mourão Filho, que em 1963 comandava a 2ª Região Militar em São Paulo, descreveu em minúcias a organização dos grupos paramilitares disfarçados de equipes de "tiro ao alvo" e espalhados nos diversos clubes da cidade e não apenas em três.[1])

Ao longo de 1963, os audazes cresceram em audácia. Um grupo "militar-lacerdista", composto por oficiais da Marinha e do Exército, planejou e preparou o seqüestro do presidente João Goulart em sua chácara de Jacarepaguá, onde passava os fins de semana com a mulher e os filhos, sempre que estava no Rio. O plano incluía "eliminá-los" e só não foi posto em execução porque o comando do Exército descobriu o arsenal dos seqüestradores, escondido no sítio de um português *salazarista*, escolhido como base de operações, ao lado da chácara de Jango. Lacerda alegou que as armas eram da polícia carioca

[1]Em Olympio Mourão Filho, *Memórias: a verdade de um revolucionário*. Porto Alegre, L&PM Editores, 1978, p. 201 e seguintes.

"para prevenir invasões de propriedades rurais" e o inquérito militar (chefiado pelo *lacerdista* general Paulo Torres) abafou as pistas e os nomes dos implicados.[2]

Os nacionalistas-reformistas do Exército reagiram. O general Jair, Ministro da Guerra, levou Jango a pedir ao Congresso o Estado de Sítio "por 30 dias" para intervir na Guanabara, enquanto o general Alfredo Pinheiro, comandante dos pára-quedistas, decidiu prender Lacerda por conta própria. Com o fato consumado, queria "presentear o Brasil com a paz", dizia. A improvisação, porém, foi tanta que um dos oficiais destacados para a operação avisou ao próprio Lacerda e tudo falhou.

Antes, em setembro de 1963, Jango está em visita ao Sul quando um grupo de sargentos da Base Aérea de Brasília, com o apoio de uma unidade de fuzileiros navais, se rebela num destrambelhado protesto contra a inelegibilidade dos subalternos das Forças Armadas, e prendem, por acaso, o ministro Víctor Nunes Leal, do Supremo, além do vice-presidente e o secretário da Câmara dos Deputados, que passavam pela "área conflagrada". Por ordem direta de Jango, o Exército reage rápido e prende os rebelados, mas o governo se desgasta: desde 1961 os sargentos eram tidos como um dos pilares de sustentação da legalidade e do próprio Jango.

Pouco depois, a visita oficial do presidente da Iugoslávia, Josip Broz Tito, e sua mulher Jovanka, realimenta a ofensiva da direita, que protesta contra a "acolhida a um comunista". Em Brasília, Tito é festejado com honras, mas o governo cancela sua visita ao Rio e a São Paulo, onde os governadores Lacerda e Adhemar de Barros se negam a recebê-lo.

[2]No sítio, foram apreendidas 10 metralhadoras Thompson, calibre 45, com 20 carregadores; 72 caixotes de munição; 10 granadas de alta potência e um radiotransmissor com a insígnia de doação dos EUA, através da Aliança para o Progresso.

A "atmosfera" se expandia. Quanto mais se falava em golpe, porém, mais se falava em opor-se ao golpe. Dois movimentos contrários e iguais levam à inércia e a "atmosfera" aquietou-se, mesmo em expansão.

## 21

João Goulart começou a cair, mesmo, nas vésperas do Natal de 1963, um mês depois do assassínio de Kennedy, em Dallas. Até então, havia conspiradores de direita e idéias conspirativas, algumas delas insufladas pelos Estados Unidos, mas sem o apoio ostensivo, direto, material e até militar de Washington. Dias antes do Natal, no entanto, dois atos presidenciais eriçaram Lyndon Johnson na Casa Branca, entonteceram o embaixador Lincoln Gordon e puseram de sobreaviso o novo adido militar dos EUA, coronel Vernon Walters.

Primeiro, um decreto mandou rever as concessões das áreas de exploração das jazidas de minérios. Apenas uma "revisão", sem nenhum objeto confiscatório ou de reversão automática das concessões, mas a Hanna Corporation ou o Grupo Antunes, associado a canadenses, e outros mais, sentiam-se ameaçados, mesmo a longo prazo. Estava em jogo o futuro do cobiçado "quadrilátero ferrífero". No fundo, ao se eternizarem nas áreas de concessão, a Hanna e outras companhias queriam patentear a natureza, "conseguir patentes da natureza, como se houvessem criado o subsolo do planeta", argumentava o octogenário João Mangabeira, socialista e agnóstico, mas com uma visão da Criação que os capitalistas "ocidentais e cristãos" desconheciam. (Ele esboçara o decreto, quando ministro das Minas e Energia em 1962, 15 meses antes.)

Logo, revela-se que o decreto de regulamentação da Lei de Remessa de Lucros das empresas estrangeiras já está pronto (o jornal *Última Hora* diz que será "o grande presente de Natal aos brasileiros"), mas o embaixador Gordon age rápido e se queixa diretamente ao ministro do Exterior e ao secretário particular de Jango, Eugênio Caillard Ferreira. No ano anterior, Jango não tinha se animado a sancionar a própria lei, aprovada pelo Parlamento, e deixou que vigorasse por promulgação automática, assinada pelo presidente do Congresso.

— Por que fazer agora o decreto de regulamentação? — quis saber Gordon.

A intervenção do embaixador sustou "o presente de Natal", mas a 12 de janeiro, finalmente, Jango assinou a regulamentação, no Palácio Rio Negro, em Petrópolis. Sem o decreto, era como se a Lei de Remessa de Lucros não existisse, pois não podia ser aplicada.

Esvaíram-se rápidos os primeiros meses de 1964. A 1° de março, a mensagem do Presidente da República ao Congresso sugere "a necessidade" de uma reforma constitucional para "a modernização da reforma agrária" e anuncia a preparação de um projeto para legalizar todas as tendências políticas, com o que o Partido Comunista poderia sair da clandestinidade.

A oposição conservadora, porém, alega que a pretendida reforma constitucional busca permitir a reeleição do Presidente da República, para o "continuísmo" de Jango. Ou busca mudar as regras eleitorais para que Brizola — inelegível por ser cunhado do Presidente — seja candidato em 1965, junto a Juscelino e Lacerda. Em qualquer dos casos, para a oposição, tudo é "um golpe continuísta".

Os reformistas, porém, estão divididos: Brizola e o governador de Pernambuco, Miguel Arraes, de um lado, exigindo pressa; de outro, Jango, pedindo calma, com o apoio público do líder comunista Luís Carlos Prestes.

As águas revoltas dos reformistas desembocam no dia 13 de março no comício junto à Central do Brasil, no Rio, que reúne de 200 a 250 mil pessoas, e sela a reaproximação entre o governo de Jango e a esquerda radical de Brizola e Arraes. Nessa noite, o conciliador João Goulart transmutou-se. À tardinha, sentiu palpitações cardíacas e teve uma queda de pressão arterial, que solucionou com duas doses de *whisky*, mas deixou Maria Thereza preocupada. E ela, que pouco aparecia em público e não ia a comícios, decidiu acompanhá-lo. Não sabia que ali, naquele largo, Brizola e Arraes, reunidos, disputavam com Jango a liderança da "área popular", nem sequer que a sua simples presença inclinava emocionalmente a balança da multidão a favor do seu marido.

Brizola e Arraes já haviam falado quando Jango e a primeira-dama chegaram. Ele, de traje escuro, ela, de claro, davam ao palanque iluminado na penumbra da praça a decoração de um cenário diferente e de festa. E nesse tom discursou Jango: anunciou que acabara de assinar decretos declarando as propriedades rurais de mais de 100 hectares, à margem das rodovias e açudes federais, sujeitas à desapropriação para reforma agrária, por um lado, e nacionalizando as refinarias privadas de petróleo, por outro. Anunciou, ainda, o envio ao Congresso de um projeto dando direito de voto aos analfabetos e frisou que continuaria a insistir na supressão da indenização prévia em dinheiro nas desapropriações para fins de reforma agrária.

Jango se sobrepunha a Brizola e Arraes e ganhava a batalha na "área popular". Outras surgiam, porém, noutras áreas. E de imediato.

A 19 de março, "em protesto contra a penetração comunista", a direita conservadora organiza em São Paulo a "Marcha da Família, com Deus e pela Liberdade", e ataca Jango reunindo um caudal de manifestantes igual ao do comício no Rio. A TFP, a ultramontana *Sociedade pela Tradição, Família e Propriedade* e o governo paulista estão na crista da manifestação, à qual se somam o CCC e dezenas de organizações de bairro, muitas só de mulheres, formadas sob o temor do fantasma da "baderna comunista". Como uma "nova Cruzada", a passeata chega à Praça da Sé com os louvores de dom Agnello Rossi, recém-designado arcebispo. Mesmo com os progressistas ainda em minoria na Igreja, a Ação Católica paulistana protesta "contra a utilização política da religião", somando-se ao cardeal Carlos Motta, que, no entanto, já perdeu o poder formal na diocese e, idoso, está de mudança para o Santuário de Aparecida. Dom Hélder Câmara está saindo do Rio para assumir o arcebispado de Recife e nem tem como interferir, mas profetiza: "Essa marcha soa a guerra, ódio e horror."

Até aí, por maior que fossem as emoções e os exageros de parte a parte, tudo se circunscrevia às regras da sociedade civil. Cada lado com grupos de pressão e pontos de apoio, mas num aberto jogo de forças. O pêndulo militar não fora chamado a inclinar-se para nenhum lado. A vaca sagrada não fora tocada. A diferença, porém, é que a direita-militar conspirava e o "dispositivo militar" legalista se expressava mais em palavras-de-ordem nos jornais do que em proselitismo nos quartéis.

O chefe da Casa Militar da Presidência, general Argemiro Assis Brasil, de uma família de latifundiários gaúchos, com fama de "comunista", era tido como o coordenador do "dispositivo". Em verdade, não era nem uma coisa nem outra. Fizera-se próximo de Jango e do ministro da Justiça, o boêmio Abelardo Jurema, do PSD da Paraíba, ao redor de uma mesa de *whisky* e era um general recente, de poucos meses. O PCB fazia galas do seu passado, mas, de fato, destemido, valente e comunista, mesmo, havia sido seu irmão Hermenegildo, morto na guerra civil espanhola ao lutar nas Brigadas Internacionais. Os políticos e a imprensa, no entanto, lhe atribuíam um poder de coordenação de baixo para cima tão grande que, sem dúvida, ele jamais havia tentado ter. E, por inércia, as situações insolúveis se acumulavam nas mãos de Assis Brasil, como as contas dos devedores insolventes se acumulam nas gavetas.

A primeira situação insolúvel rebentou dia 25 de março de 1964, em plena Semana Santa. Os marinheiros reúnem-se em assembléia, na sede do Sindicato dos Metalúrgicos, no Rio, por um problema interno: pedem a libertação de quatro dirigentes da Associação dos Marinheiros e Fuzileiros, detidos por reclamarem das pesadas normas de disciplina ou trabalho impostas aos praças inferiores nos navios. Nenhuma conotação política tem a assembléia, mas lá comparecem, "em solidariedade", dirigentes sindicais e deputados. Sob pressão dos oficiais conservadores, o ministro da Marinha, Silvio Motta, manda um pelotão de fuzileiros desalojar o local da reunião e, aí, a nave muda de rumo: a tropa depõe as armas e adere à assembléia, que se transforma em motim.

Da noite da quarta até a sexta-feira Santa, a sede do sindicato vira fortim da rebelião nascida como assembléia. O vazio da Semana Santa, com Jango descansando no Sul e os oficiais e comandantes de folga, complica uma solução rápida e tudo explode com uma sensação de caos nos jornais sem notícias. Jango volta às pressas do Sul e muda o ministro da Marinha. Os amotinados se entregam, mas não são presos. Recebem ordem de voltar aos seus postos, em disciplina "e obedientes". Jango é aconselhado a não os punir. Sabe que a hierarquia "está abalada", mas nunca gostou de punir, muito menos a quem faz uma reivindicação que pode ser justa. O novo ministro da Marinha, almirante Paulo Mário Rodrigues, pensa igual.

Na divisão vertical interna da Marinha, porém, as decisões do presidente são malvistas. O almirante Paulo Mário, presidente do Tribunal Marítimo, está fora do serviço ativo há tempos e, além de tudo, cometeu algo que a elite naval não desculpa: está casado com uma negra. A informação chega à imprensa e, durante a posse, o repórter de uma rádio lhe pergunta se "é verdade" que sua mulher é negra:

— Sim, é negra e honesta! — responde o almirante.

Mais do que tudo, o motim dos marinheiros desgastava o governo (como, antes, a rebelião dos sargentos da FAB) porque boa parte do "dispositivo militar" legalista se sustentava nos subalternos das Forças Armadas. Essa era a teoria vigente entre os políticos "pró-reforma" que, assim, ignoravam a estrutura militar, fundada na obediência e na hierarquia. Num quartel ou num navio, mandam as graduações, não se debatem as razões. As Forças Armadas não têm estrutura democrática em nenhuma parte do mundo. Não são horizontais, mas verticais. Os subalternos estão dispensados, apenas, de cumprirem as ordens iníquas ou aberrantes, como a matança indiscriminada ou a tortura. Mesmo assim, mais como um preceito moral baseado nas Leis de Deus do que como norma do regulamento militar.

Por tudo isso, já naquele 30 de março de 1964, foi difícil entender por que o conciliador e cuidadoso João Goulart aceitou participar da assembléia comemorativa dos sargentos, à noite, na sede do Automóvel Clube, no centro do Rio. Cinco dias após o motim dos marinheiros, as feridas estavam ainda à mostra e o almirante Paulo Mário e seus auxiliares encontravam desligados os telefones no Ministério da Marinha. O general Jair Dantas Ribeiro, ministro da Guerra, estava doente no hospital e a situação militar, no mínimo, era delicada.

Hoje, 40 anos depois, persiste a dificuldade para entender o gesto de Jango. A única explicação é psicológica, não política: o ímpeto o levou à reunião, confundindo as conseqüências, tomando a euforia como vitória. (Já o comício de 13 de março tinha sido um exibicionismo das diferentes tendências reformistas, ou da esquerda, mas era explicável: em plena época das grandes mobilizações, o Rio estava nas mãos da direita *lacerdista* e aquilo foi a forma de desafiar Lacerda e mostrar que ele não era dono político da cidade.) A reunião no Automóvel Clube era promovida pelos sargentos da Polícia Militar da Guanabara, aos quais se somaram os das Forças Armadas, e isso pode ter contribuído para acender a mecha de um novo desafio para um novo triunfo. O setor militar *janguista* via em Lacerda o grande e quase único adversário. Ser aclamado pelos subordinados do governador era sobrepor-se a Lacerda.

Nesse ímpeto, Jango compareceu e discursou com paixão em favor das "reformas de base" mas buscou aquietar as Forças Armadas frisando que, na crise dos marinheiros, agira "para impedir a violência contra brasileiros que erraram, mas que, por errar, não podiam ser massacrados".

Em boa parte da hierarquia militar, porém, isso soava como uma inversão de valores. E na madrugada seguinte, como fora acertado dias antes com o governador mineiro Magalhães Pinto, as tropas do general Mourão Filho se rebelaram em Juiz de Fora. Antes dele, porém, na noite de 30 de março e sem saber do discurso de Jango aos sargentos, o general Carlos Luis Guedes consultou o horóscopo e avisou ao governador que ia começar "imediatamente" a rebelião em Belo Horizonte "por ser noite de lua cheia". Nos dias seguintes, como fora combinado, seria perigoso — frisou — pois vinha quarto-minguante "quando tudo mingua e não se deve fazer coisa nova".

Jango e seu "dispositivo militar" interpretaram o levantamento do general Mourão como uma simples rebelião, dessas que terminam por falta de suprimentos e apoio logístico em horas ou dias, e não se alastram. Pensavam assim, também, os "grandes" da Sorbonne militar, como os generais Cordeiro de Farias e Humberto Castello Branco, ou o pessoal do IPES, comandado pelo coronel Golbery, que se comunicaram com Magalhães Pinto sugerindo-lhe que "desse um jeito" de voltar atrás pois "a aventura de Mourão e Guedes ia apenas fortalecer João Goulart".

(Em março de 1967, em Brasília, logo após assumir o Ministério de Relações Exteriores no governo Costa e Silva, Magalhães Pinto contou-nos detalhes do ocorrido:

— Primeiro, Cordeiro telefonou e, depois, um emissário dele e do Castello Branco veio me dizer que não tínhamos coordenação nacional e que devíamos esperar, pois no mês seguinte é que ia estourar um movimento em todo o país!

Outros jornalistas estavam presentes também — Carlos Castello Branco, Benedito Coutinho, Otacílio Lopes, Evandro Carlos de Andrade, Napoleão Sabóia, Fernando Pedreira e Murilo Mello Filho — e, como eu, publicaram na época as revelações do ex-governador de Minas, feitas na *suite* em que se hospedava no Hotel Nacional.)

## 22

Não é só isso, porém, que explica a "não-resistência" de Jango ou sua inação para opor-se à rebelião e derrotá-la, o que teria sido fácil nas primeiras doze horas da sublevação. O comandante da Base Aérea de Santa Cruz, coronel Ruy Moreira Lima, chegou a sobrevoar as tropas que se deslocavam de Minas para o Rio e solicitou "autorização para atacar" com seu caça a jato. Não foi autorizado. Fez, então, um vôo rasante e observou como os soldados fugiam espavoridos pela estrada ou se embrenhavam mato adentro.

Meia dúzia de bombas, lançadas sobre "as posições", nem sequer sobre a tropa, levariam os rebeldes a negociar, invertendo a ordem dos fatores em jogo.

O temperamento de Jango, sua obstinação em negociar e evitar o confronto, ajuda a entender porque nunca ordenou usar a força ou atacar em termos militares. A explicação mais profunda da "não-resistência", porém, se encontra em duas conversas com dois mineiros, na tarde de 31 de março de 1964, no Palácio das Laranjeiras: tanto Juscelino Kubitschek como San Thiago Dantas deram-lhe indícios ou informações concretas de que o governo dos Estados Unidos se havia comprometido em apoiar os rebeldes, não só reconhecendo o eventual "governo provisório" que Magalhães Pinto se aprestava a formar, mas intervindo militarmente. E Juscelino tinha ido além, inclusive, negando-se a apoiar publicamente o Presidente, "para não ficar contra Minas Gerais".

Nos anos de exílio comum com Jango em Buenos Aires, nunca me animei a indagar-lhe sobre o golpe de Estado. No fundo eu ainda o culpava pela não-resistência, por aqueles recuos constantes da "hora final" e me inibia. Num entardecer no final de 1974, porém, no bar de um hotel da Avenida Corrientes, em meio a uma conversa, ele soltou:

— O professor San Thiago me preveniu que a esquadra norte-americana chegaria a Santos e que iriam reabastecer os bombardeiros em vôo para atingir Brasília. E o Juscelino também...

Referia-se ao seu último dia no Rio, mas evitou continuar o assunto, como se aquilo lhe fizesse mal às entranhas.[1]

Ainda não se conheciam os documentos da Operação Brother Sam, nem o teor das comunicações do embaixador Lincoln Gordon com a Casa Branca, a CIA e o Comando em-chefe do Atlântico no dia do início da rebelião em Minas, liberados (em parte) pelo governo dos Estados Unidos somente em 1976. Neles, a 31 de março de 1964 a Casa Branca mandava executar o Contingency Plan 2-61, elaborado em Washington no dia 20 — antes do motim dos marinheiros e da assembléia dos sargentos — para deslocar à zona marítima de Santos uma "força-tarefa" da Esquadra do Atlântico, em auxílio aos revoltosos.[2]

---

[1]Presente também, além de João Vicente, filho de Jango, seu secretário, o pernambucano Cláudio Braga.

[2]Em 1976, Marcos Sá Correa revelou no *Jornal do Brasil* parte dos primeiros documentos sobre a *Operação* Brother Sam, liberados do acervo do governo Lyndon Johnson, nos EUA, com as ordens e operações de deslocamento da esquadra norte-americana em direção ao Brasil.

Na tarde de 31 de março de 1964, San Thiago Dantas havia conversado com Afonso Arinos, "Ministro do Exterior" do "gabinete nacional" que Magalhães Pinto constituíra em Minas e esteve com Gordon antes de encontrar-se com Jango no Palácio das Laranjeiras. Juscelino trilhou caminho inverso: conversou com Alkmin, também "ministro" de Magalhães, esteve com Jango e, depois, encontrou-se com o embaixador norte-americano. Mas "todos os caminhos levavam a Roma": Washington apoiava os revoltosos tão ostensivamente que a Esquadra do Atlântico, com o porta-aviões *Forrestal* à frente, já navegava rumo a Santos.

Jango pouco sabia sobre o *Forrestal*, mas conhecia em detalhes o poder de destruição e morte dos aviões que estavam a bombordo e estibordo. Sabia disso melhor que qualquer general do exército brasileiro. Dois anos antes, em abril de 1962, em Nebraska, o general Thomas Power tinha-lhe mostrado e explicado tudo. Agora, neste 1° de abril de 1964, naqueles painéis luminosos que ele viu pulsar na Base de Offut como se fosse um eletrocardiograma planetário, os "pisca-pisca" estariam indicando como alvo o Rio de Janeiro, Brasília ou o porto de Santos. Ou marcavam a rota da "força-tarefa" pelo Atlântico, com o *Forrestal* e seus aviões.

Resistir? O coronel Moreira Lima era um herói da campanha da Itália na II Guerra Mundial, sim, mas o que poderiam fazer os seus jatos *Gloster Meteor* contra os modernos supersônicos escondidos na pança do porta-aviões *Forrestal*? Por outro lado, se Juscelino (que tinha sofrido duas rebeliões militares em seu governo) se negava, agora, a apoiar o Presidente, o que faria o resto do PSD no Congresso?

No Palácio das Laranjeiras, Jango requisitou, então, um jato *Coronado* da Varig para levá-lo a Brasília. Lá, foi direto ao palácio, telefonou a Maria Thereza na granja do Torto para que preparasse as crianças e viajassem urgente a Porto Alegre. Tudo foi tão rápido que ela não percebeu que saía para jamais voltar. Arrumou uma mala pequena, poucas mudas de roupa, como fazia sempre nas viagens de improviso. O cabeleireiro Virgílio chegava para penteá-la e ela o dispensou. Ele insistiu com seus trejeitos efeminados, perguntou se não podia penteá-la no Sul e pediu carona no avião da Presidência. E voou também, sem perceber que a passagem era só de ida.

Jango continuou em Brasília. Pelo serviço de radiofonia da Casa Militar, conversou com Brizola e com o general Ladário Pereira Telles, que na véspera assumira o comando do III Exército em Porto Alegre.

— Temos problemas a resolver, mas venha, pois a grande maioria do III Exército está unida ao Presidente da República — disse-lhe Ladário, enquanto Brizola insistia em que instalasse o governo na capital gaúcha.

Quando chegou à Base Aérea de Brasília para viajar ao Sul, percebeu que as lealdades começavam a mudar de lugar: subiu ao jato que o trouxera do Rio e foi informado que o avião estava em pane. Uma espécie de mal súbito, não exatamente do avião, mas do seu velho amigo Rubem Berta, presidente da Varig, que mudava de cavalo no meio do rio e passava para o lado oposto de onde sempre estivera. Teve de esperar mais de duas horas até que um *Avro* turboélice da FAB iniciasse uma lenta viagem ao Sul. No trajeto, soube da adesão do general Amaury Kruel ao golpe e chegou a Porto Alegre quase à mesma hora em que, em Brasília, o presidente do Congresso declarava "vaga a Presidência da República", como se ele houvesse viajado ao estrangeiro e estivesse fora do país.

Resistir? No Sul, o povo estava nas ruas e armado, quase como em 1961, para defender o seu mandato, e a maioria do III Exército continuava ao seu lado. Em São Paulo, porém, Kruel mudara de lado e no Rio os golpistas controlavam o Exército. Também em Recife, onde Arraes fora preso. E mais: na madrugada, o presidente da Câmara dos Deputados, Ranieri Mazzilli, tinha "tomado posse" como Presidente da República interino e já ocupava o seu gabinete no Palácio do Planalto.

No início da tarde de 2 de abril de 1964, em Porto Alegre, num manifesto, João Goulart "liberou" os civis e militares, trabalhadores e povo que se dispunham a defendê-lo, frisando que seu gesto buscava "evitar a luta fratricida, a guerra civil". Nada mencionou sobre a intervenção militar dos EUA, talvez porque a verdade que sabia iria ecoar, naquela hora, como mentira no desespero. Calou-se.

A não-resistência era incorreta e absurda em termos políticos, mas correta e acertada em termos humanos. Em seguida, voou para São Borja e, dois dias depois, para o exílio no Uruguai.

João Belchior Marques Goulart, o Jango, o sensato extremado em busca da conciliação permanente, nunca voltou do exílio. Morreu na madrugada tórrida de 6 de dezembro de 1976, de um enfarte agudo, na sua fazenda no interior da província de Corrientes, na Argentina, a 150 quilômetros da fronteira com o Brasil. Tinha 57 anos.

# SEGUNDA PARTE

*"No hay nada más vivo que un recuerdo."*

F. García Lorca
*Doña Rosita, la soltera*

## Capítulo VII

# PARIS

## LA "BELLE VUE"

### 1

No dia 14 de junho de 1940, as tropas alemãs entraram em Paris e desfilaram vitoriosas pelos Champs-Elysées. As fotos e o filme dos soldados da *Wehrmacht* de Hitler passando pelo Arco do Triunfo se repetem tanto que, hoje, mais de 60 anos depois, o episódio ainda soa como doméstico e próximo. Na casa dos meus pais aquele dia foi aterrador. Em Arroio do Meio, em plena região de colonização germânica no interior do Rio Grande do Sul, sentia-se a derrota da França ante Hitler como se tudo se despedaçasse. Minha avó paterna, Malvina, tinha morrido pouco antes, e, naqueles dias, o luto misturava dor e afronta.

Eu tinha apenas seis anos e foi a minha primeira experiência com a força do poder político. Não sabia ao certo onde ficava Paris ou a França e não tinha qualquer idéia do significado de tudo aquilo, mas senti nas entranhas algo opressivo. A impressão foi tão forte e profunda que, ainda hoje, recordo que corri até os fundos do quintal imenso para observar o matagal de grama alta onde eu pensava me esconder quando a guerra chegasse até nós. A guerra, no entanto, já estava na casa paterna, escondida naquele comentário da minha mãe, com as palavras balbuciadas num tom grave, fazendo eco no vestido negro, de luto-fechado pela sogra morta:

— Foi até bom que a dona Malvina tivesse morrido antes. Ela iria sofrer muito e sentir-se humilhada!

Sério e em silêncio, como se não quisesse ouvir falar daquilo, meu pai (também todo de preto) aprovava o comentário meneando a cabeça para cima e para baixo.

## 2

A queda da França monopolizava a informação dos jornais, que tudo noticiavam com detalhes: à hora do jantar, à cabeceira da mesa meu pai lia as notícias, em voz alta, para a família reunida em torno do silêncio. Em suspiros, minha mãe dizia e repetia que ainda sobrava a Inglaterra e que "a calma britânica" haveria de nos salvar: um hipotético consolo, pois só a França interessava.

Numa das madrugadas seguintes, Hitler chegou a Paris num trem blindado. Desembarcou ao amanhecer e caminhou com o seu séquito alguns quarteirões, pelo meio da avenida dos Champs-Elysées, e passou sob o Arco do Triunfo, como suas tropas haviam feito pouco antes. Finalmente, Hitler estava na cidade que durante a juventude, nos seus tempos boêmios de pintor, aprendera a admirar como centro da arte, da cultura e da vida. A cidade que ele aprendera a amar, habitada por gente que ele aprendera a odiar.

Logo, foi levado ao Palais de Chaillot e lá plantou-se durante horas e horas para ver a cidade que havia conquistado e que as suas tropas ocupavam. Haviam-lhe dito que aquele era o único lugar de onde se podia ver a beleza de Paris numa única mirada, como se o olhar fosse uma vertigem de luz naquela "Cidade Luz". Depois, embarcou no trem blindado e retornou a Berlim.

De Paris, Hitler só conheceu aquele palácio. Viu a Paris que "a melhor vista de Paris" lhe mostrou. Era o suficiente. Só do Palais de Chaillot pode-se ver Paris inteira de uma só vez, como se os quatro pontos cardeais convergissem num único lugar.

## 3

Minha avó chamava-se Julie Malvinne Hailliot, havia nascido no sul do Brasil de pais franceses que fugiram da França, perseguidos pelas mudanças políticas com que as revoluções marcam a História, e, lá, tinham deixado tudo: os títulos de baronato — lá eles eram *"les barons de Belle Vue"* —, os castelos da *campagne* com seus vinhedos e, muito mais, tudo o que tinham, absolutamente tudo. Na perambulação da fuga pela Europa, para chegarem ao Brasil perderam o nome, ou parte dele. Num estratagema guardado em segredo e que só eles entendiam, modificaram o nome de família e dele conservaram apenas o som.

Seria por isso que aquele Chaillot soava tão íntimo na casa dos meus pais? E, por isso, tão desonrosa era aquela visita noticiada nos jornais, capaz de quebrar a calma e a inteireza do meu pai e fazê-lo emudecer de fúria?

Até hoje me pergunto o que o Hailliot que ficou no registro civil no Brasil tinha que ver com o Chaillot que deu nome ao palácio? Aquele palácio que Hitler habitou por algumas horas, o único lugar do qual se tem a vista inteira daquela Paris que a vovó Malvina guardara na retina sem jamais ter estado em Paris.

O lugar da "*Belle Vue*".[1]

[1]Em francês significa "Bela Vista" O palácio foi concluído em 1936 nos terrenos das Colinas de Chaillot.

## Capítulo VIII

# MOSCOU

## STALIN, DE AZUL-ESCURO

### 1

Conheci Lenin e Stalin mortos. Embalsamados, um ao lado do outro no Mausoléu da Praça Vermelha, em Moscou. Assim, em verdade não os conheci, só os vi estirados. Mas vê-los dessa forma — mais do que os conhecer — era participar do mito, entrar nele, representar a morte como se estivesse viva e fosse vida.

Milhares de pessoas esperavam pacientemente ao sol na extensa fila de entrada ao mausoléu, que contornava os muros do Kremlin e se expandia por um parque imenso, naquele final de agosto de 1954. Os dois ônibus que transportavam os participantes do Conselho Mundial da União Internacional de Estudantes, vindos direto da Universidade de Moscou, tinham parado a uns 300 metros do mausoléu: éramos mais de 50 e furamos a fila. Deviam estar à nossa espera (na União Soviética sempre alguém estava à espera dos visitantes) ou, então, a autoridade do nosso guia-intérprete era total com sua carteirinha do Partido Comunista, pois levamos poucos minutos para entrar. "Vocês vieram de longe e têm primazia", explicou-nos o russo Marat, no seu impecável castelhano.

Sim, mas aqueles velhinhos da fila, com gorros do Usbequistão e do Casaquistão, de botas e rosto circunspecto de quem espera há muitas horas no calor do verão, também não tinham vindo de longe, tal qual aquelas mulheres de vestidos e turbantes coloridos e caras asiáticas? Não era essa uma sociedade igualitária e sem privilégios?

Contornamos a lateral em granito escuro e, em grupos de cinco, entramos ao mausoléu: o ambiente é solene mas despojado, com uma luz tênue e difusa, como se estivéssemos debaixo da terra. Primeiro, passamos pelo corpo de Lenin, com a cabeça levemente iluminada na penumbra. Ao seu lado, em posição de sentido e rifle de baioneta calada, um soldado do Exército soviético monta guarda como um imperturbável anjo alado. Com seu austero traje de "camarada", numa túnica *beige* abotoada ao pescoço e sem gravata, Lenin tem a barba levemente crescida, como se a morte tivesse chegado com mais vagar, tardiamente, ao seu rosto plácido. As mãos se tocam sobre o corpo, em diagonal, na posição tranqüila de quem repousa, muito diferente daquelas mãos que ele descreveu numa carta a Gorki: "...hoje, quando as mãos se baixam é para fender os crânios, fendê-los de meio a meio, sem piedade, embora nosso último fim seja o combate a toda violência".

Nenhuma flor nem coroa, nenhuma decoração. Só o corpo que, de tão perfeito, não parece um cadáver. Só o corpo, as paredes de granito, a luz tênue e o imperturbável soldadinho. Caminho solenemente devagar, passo pelo lado direito do corpo e, junto aos pés cobertos, na distância vejo Lenin inteiro. Observo-lhe de novo o rosto com a barba levemente à mostra e passo, então, ao longo do lado esquerdo e saio com a sua cabeça calva na memória, no mesmo momento em que meus passos dobram à direita, duas vezes, e me levam, metros adiante, à cabeceira de Stalin.

De cabelos negros agrisalhados e bastos, tal qual os bigodes cheios, Stalin mostra uma solenidade e uma pompa que contrastam com a singeleza de Lenin. Ambos estão ao mesmo nível e na mesma altura, um esquife ao lado do outro, mas o de Stalin parece maior e ele próprio parece maior, avantajadamente mais comprido, ainda que sejam iguais e exatamente do mesmo tamanho e forma.

Mas há uma diferença: Stalin veste um vistoso uniforme de gala, azul-escuro, e isso lhe dá a pompa que a austera vestimenta de Lenin encobre ou não deixa aparecer. O vistoso uniforme militar mostra que ali repousa o "marechalíssimo Stalin", título e condição que ele próprio se atribuiu durante a II Guerra Mundial como comandante supremo dos exércitos soviéticos contra Hitler. Ele não era apenas "marechal", mas o superlativo disso — "marechalíssimo". O "camarada" tinha desaparecido há muito, a partir de 1930, ainda bem antes da invasão alemã, ao comandar os expurgos e a perseguição aos velhos camaradas comunistas da revolução ou ao criar os "*gulags*". (Seria por isso que, desde então, na União Soviética os militantes do partido eram encarados como soldados e já não participavam nem influíam nas decisões, mas apenas obedeciam aos chefes para levar o povo a segui-los na obediência? Por isso seria?)

Esse corpo que os bálsamos tinham transformado em múmia vivente não estava ali para que nos despedíssemos dele, como nos velórios em que damos o derradeiro olhar ao defunto. Esse Stalin morto em março de 1953 e que eu observava ali intacto nesse final de agosto de 1954, estava assim tão ostensivo, pomposo e forte — mesmo estirado e imóvel — para que todos recordassem que continuava vivo no poder e poderoso na morte. Estava ali como um recado público de que, morto Stalin, o stalinismo ainda vivia e gozava de boa saúde.

A barba despontando no rosto de Lenin. O impecável uniforme azul-marinho de Stalin. Os detalhes chamam a atenção e diferenciam esses cadáveres, que só não falam porque dormem. Milhares de pessoas, no entanto, os escutam cada dia naquelas longas horas de espera na fila, compungidas e silenciosas, divisando de longe os nomes "Lenin-Stalin", esculpidos no granito do monumento-sarcófago. Depois, irão ouvi-los ainda mais de perto ao contornarem os dois corpos naqueles silenciosos minutos dentro do mausoléu.

Na saída, contemplo o segundo soldadinho, cabeça erguida, baioneta calada, em guarda junto à cabeceira do esquife. Erecto, nem sequer os olhos vivos se movem: vela pelo marechalíssimo e está em posição de orgulho.

## 2

Outra vez ao sol da Praça Vermelha, quem me espera é Irina, estudante de Letras da Universidade de Moscou e que consegue fazer-se entender com as 300 palavras que sabe de espanhol. Olhos negros, cabelo escuro levemente encaracolado, rosto moreno claro, poderia ser uma brasileira típica mas é da Geórgia, como Stalin. De mãos dadas, puritanamente seduzidos na amizade (como aqueles soldadinhos do Exército Vermelho que encontramos de mãos dadas passeando na rua), ela me leva pelos muros do Kremlin, a um lado do mausoléu, e chego ao túmulo de John Reed. Apenas uma lápide, de pé no próprio muro, com o nome em alfabeto cirílico e duas datas: a do nascimento nos Estados Unidos e a da morte na União Soviética.

Nossas mãos, que se agarram mutuamente e não querem desprender-se, devem fantasiar intimidades nesses nossos pós-adolescentes 20 anos. Mas Irina sabe que eu viajo no dia seguinte e que esse encontro junto ao mausoléu é o derradeiro, e me homenageia com o que tem à mão de mais doce, dando-me uma bala de mel. Logo, mostra-me as torres da Igreja de São Basílio, tão bela, tão bela que o czar que a mandou construir ordenou que furassem os olhos do arquiteto para que jamais pudesse planejar outra igual. Conta-me que "*krasnaya*", que em russo quer dizer "vermelha", também significa "bonita, linda". E que aquela praça não é vermelha pela revolução, mas por ser *krasnaya*, bonita e linda.

Irina orgulha-se de Stalin, georgiano e tez amorenada como ela, nascido onde ela também nasceu:

— Mas há uma diferença: Stalin falava um russo capenga, com sotaque georgiano, e eu falo russo com perfeição!

Só muitos anos mais tarde, fui entender que, na Rússia soviética de 1954 — com Stalin morto mas ainda vivo —, essa indiscrição de Irina tinha a dimensão de uma intimidade absoluta, daquelas que só atingimos na pureza juvenil do amor. Nunca fomos além daqueles poucos minutos de mãos dadas na rua, junto ao mausoléu ou depois no ônibus, na volta à universidade, e o endereço de Irina eu extraviei, nem sequer conheci o seu nome completo e nunca mais soube dela.

Mas aquela revelação, feita a "um estrangeiro", soava como uma confidência íntima, como um segredo de Estado revelado como um segredo de amor.

## 3

Stalin, que desde a revolução em 1917 até a morte em março de 1953 tinha vivido ininterruptamente em Moscou, e que de lá nem sequer saiu durante a II Guerra Mundial, quando as tropas nazistas chegaram aos arredores da cidade, esse Stalin que tudo fazia magistralmente, que sabia de tudo e tinha livros publicados até sobre lingüística, esse mesmo sabichão Stalin falava russo aos solavancos, com o sotaque de um intruso. Como um estrangeiro.

(Também só muitos anos depois fui saber que, por haver comentado em público uma das debilidades de Stalin — não muito diferente daquela que me confidenciava Irina —, o tenente Alexander Soljenitsin, logo após a II Guerra, foi enviado a um *gulag* e lá permaneceu 11 anos.)

Ao desconhecer o terror do stalinismo, eu não podia entender o gesto de amor profundo que Irina demonstrava com aquele comentário, feito a sós, sem testemunhas. Ela me revelava uma debilidade de Stalin, um dos defeitos desse homem que não tinha defeitos e era quase perfeito. Sim, Stalin tinha dificuldades de movimento no braço esquerdo e todos sabiam disso porque estava à mostra nos noticiários cinematográficos, em que ele aparecia caminhando e só o braço direito era ágil. Mas ninguém falava disso nem mesmo fora da Rússia, e, entre os russos, nem sequer agora que ele jazia no mausoléu como um monumento.

Irina me dava ali, gratuitamente, o seu segredo melhor guardado, e mais protegido, apenas porque nossas miradas se cruzaram dias antes, na universidade, naquele flechaço quase pueril do inocente amor da juventude. Dizer que Stalin não falava bem o russo talvez já não significasse prisão, pois o degelo já começava na URSS, mas propagálo a quem o levaria para fora do país era uma ousadia punível e que podia significar a desgraça por algum tempo. Stalin era intocável.

## 4

Irina tinha se exposto, só agora percebo. Mas por que, se ela era comunista e se orgulhava do seu conterrâneo Josef Djugaschvili Stalin?? Pelo amor juvenil, que necessita exteriorizar tudo mas que só se revela pelo segredo que revelar?

Pelo amor juvenil que tudo precisa exteriorizar — afagar, cheirar, beijar, tocar, abraçar na frente de todos, não importa o volume da multidão — para que o amado saiba que ela está ali impassível, mas que só no segredo da intimidade conta os segredos que sabe?

O Stalin que falava mal, errando como os estrangeiros erram na prosódia e na pronúncia, este segredo ela reservava para o amor.

Naquela tarde no mausoléu aprendi que a morte, com seu rito, consegue ter mais vida do que a vida. E que toda ilusão é mais forte que a realidade.

Stalin de azul-escuro. Irina de vermelho, Irina *krasnaya*, bela Irina.

# Capítulo IX

# FRIDA KAHLO

## A PRIMEIRA VEZ

### 1

Há trivialidades que passam à História, como há banalidades que adquirem a hierarquia de descobrimentos. Ou horrores que viram heroísmo. (E vice-versa.) Basta que o momento os propicie ou que haja, de permeio, um marco de grandiosidade ou emoção. Ou paixão. Ou de estupidez absoluta.

Nos meus anos de exílio, na exuberância de contrastes do México, observei essas situações pela primeira vez. Na cidade de Guanajuato, por exemplo, mostraram-me a prisão onde esteve encerrado o Imperador Maximiliano de Habsburg, após ser deposto pela revolução de Benito Juárez. Um quartinho com grades, direto para um pátio, em que o puseram para permitir que fugisse. Como lá permanecesse imóvel, um intermediário ofereceu-lhe concretamente a fuga, mas ele respondeu que um Habsburg não fugia.

Depois, uns metros adiante, mostraram-me o pátio em que ele foi executado frente a um muro, junto aos mais altos membros do seu governo. Com boa vontade e perfeita ilusão óptica, podiam-se descobrir dezenas ou centenas de orifícios de bala nas paredes, nas quais o tempo fizera mais buracos do que o furor dos revolucionários vitoriosos. Era ali o lugar exato do episódio que tornou célebre o austríaco feito Imperador do México: houve gestos, gritos e um pequeno tumulto quando os condenados foram postos em fila e um deles, ao lado do Imperador, perguntou se aquilo era o sinal para a execução.

— Não sei, é a primeira vez que me executam num muro! — esclareceu Maximiliano.

## 2

Pronunciada na afobação ingênua ou alienada do medo, a frase tornou-se célebre, correu mundo, virou lugar-comum e passou a ser mais importante do que o seu autor. Ouvi-la ali, no lugar em que foi pronunciada, era como senti-la retumbando no ar ou saindo em baforadas pelos lábios daquele homem pessoalmente correto, mas que a cobiça das grandes potências da época tinha transformado em fantoche para governar um país distante e totalmente desconhecido para ele. Um país, porém, repleto de ouro, prata e outras riquezas que apareceriam pouco a pouco, como o petróleo. Tudo para manter a supremacia colonial da Europa sobre um território cheio de maravilhas escondidas no subsolo ou visíveis ao sol e que, pouco antes, deixara de ser colônia da Espanha.

Maximiliano não era sequer o nosso Pedro I, que viera rapazote de Portugal e se aclimatara tanto à exuberância e aos desmandos do trópico que o único ato de sua iniciativa pessoal, como Imperador, foi abrir a Estrada Rio—Santos, para poder viajar rápido à casa da amante (que ele fez “marquesa”, a Marquesa de Santos), que morava num palácio, mas lá num buraco no meio do mato, longe do Paço. Os amores do nosso primeiro Pedro terão inaugurado a brasileiríssima prática de usar o dinheiro público para o deleite e o benefício pessoal dos governantes?

Ao contrário, Maximiliano era pessoalmente correto mas era um usurpador. Nem sequer conhecia o continente americano e foi trazido de Viena já ungido "Imperador do México" pelas grandes potências européias, que, assim, plantavam um império fronteiriço aos Estados Unidos. Por interesse, num ensaio de primeira vez.

Tudo para ele era a primeira vez. Inclusive a execução.

## 3

Um século adiante, em setembro de 1969, David Alfaro Siqueiros, em seu macacão de pintor, nos recebe junto aos muros e tetos que ele decora em cores e altos-relevos na Avenida Insurgentes Sul, na Cidade do México. Nós tínhamos ido buscá-lo para conhecer não só o grande pintor mas, antes de tudo, "o herói" da guerra civil espanhola, e nos sentíamos extasiados. Em 1937, ele tinha deixado os pincéis e empunhado o fuzil no Batalhão Lincoln das Brigadas Internacionais, que reunia os voluntários comunistas dos Estados Unidos e do México, mas — para nossa surpresa — agora ele é que se dizia "em êxtase" e, literalmente, beijava as mãos de cada um de nós e repetia:

— Pela primeira vez recebo a visita de heróis. Vocês desmoralizaram o imperialismo norte-americano e são heróis!

Siqueiros nos emudecia e seus argutos olhos azuis, como o azul-mexicano dos seus murais, nos paralisavam ainda mais. Éramos nove presos políticos brasileiros que dias antes havíamos chegado ao México num grupo de quinze, libertados em troca do embaixador dos Estados Unidos no Brasil, e conservávamos ainda as seqüelas do horror do cárcere ou da tortura: desabituados ao afago, calávamos a boca. Siqueiros conhecia bem esse mecanismo. Ele era uma figura nacional, respeitada em todo o México, mas tempos antes estivera preso durante cinco anos por "atividades subversivas".

Nos meus anos seguintes de exilado político no México, freqüentei o *atelier* e a casa de Siqueiros, e lá, para começar a conversa, ele repetia sempre a mesma e invariável alusão ao Brasil:

— Ah, *usted que es brasileño*, minha primeira mulher era uruguaia, de uma família que vinha do Brasil, "Brum" era o nome!

E eu lhe explicava, no mesmo e invariável diapasão, que os Brum eram do Sul, do meu estado natal. Ele se esquecia do que me dizia e também do que eu lhe respondia, e nossos inícios de conversas eram sempre iguais.

Não foi isso, no entanto, que me fez voltar tantas vezes ao *atelier* e à casa de Siqueiros, onde a última vez, em 1972, desavisadamente o encontrei enfermo, quase sem fala, com um câncer que o matou no início de 1974. Não o procurava pela sua pintura, até porque a maioria da sua obra está na rua, em imensos murais públicos. Voltei a vê-lo, ouvi-lo e observá-lo para descobrir quem era: não o pintor — mas o homem que tinha tentado matar Trotski.

Na terceira ou quarta visita, animei-me e lhe fiz a pergunta clássica, já lugar-comum, indagando se ele voltaria a metralhar Leon Trotski.

— *Por supuesto que sí!*

Com a resposta lacônica, baixou os olhos, talvez recordando aquela madrugada de 1939 em que, à frente de um grupo armado, entrou à casa do exilado russo que havia feito a revolução comunista ao lado de Lenin. Seus acompanhantes se encarregaram dos custódios da casa, enquanto Siqueiros, chapéu à cabeça e metralhadora em punho, chegou ao quarto onde Trotski dormia com a mulher e o neto. Abriu a porta e, dedos exímios no pincel e no gatilho, na penumbra metralhou a larga cama do casal. Primeiro em traços horizontais, várias vezes. Logo num círculo perfeito de um mural, que desenhou duas vezes sobre o lençol.

O organizador do Exército Vermelho não tinha armas no dormitório. Intuitivamente, porém, no gesto mais simples de defesa, ele e a mulher, Natália Svedova, meteram-se debaixo da cama, com o neto Istvan, que dormia com eles, mais para proteger o menino de seis anos do que a eles próprios. E, assim, salvaram-se os três.

## 4

Quando conheci a casa de Trotski, que Siqueiros assaltou, na Rua Viena, em Coyoacán, tudo para mim complicou-se ainda mais. Como entender que esse homem afável, educadíssimo, com gestos atentos de ternura, que vivia imerso nas cores e nas figuras humanas, houvesse metralhado o culto e profundo Trotski, tão comunista quanto ele e dedicado, no exílio mexicano, a pensar caminhos e apontar os erros e omissões do regime que ambos queriam consolidar e expandir?

Só o horror do fanatismo podia explicar Siqueiros metralhando Trotski. E Trotski, se pudesse, talvez mandando matar Siqueiros. E cada um deles, seres individualmente superiores, dedicados no dia-a-dia à solidariedade mas, por ela, envolvidos no ódio. Como alguém tão grande, como Siqueiros, se dispôs a acabar com aquele imenso e grandioso Trotski? Como era possível, duas grandes figuras reunidas no mesmo drama, uma como algoz, outra como vítima?

A essa indagação simples surge, sempre, a resposta conhecida e também simples, mas que pouco explica: o *stalinismo*, os expurgos para limpar terreno e entronizar o poder pessoal e transformá-lo de dogma inventado em verdade única e absoluta. ("Ninguém matou mais comunistas que o comunista Stalin; nem Hitler", dizia-me um colega de faculdade, comunista que admirava Trotski e hoje desculpa Stalin.)

O fanatismo, no entanto, será suficiente para explicar o que se faz movido por ele? Que espécie de visão mórbida e incontrolável o fanatismo move e exacerba em cada um de nós, com o sabor ácido de primeira vez, sempre que está em jogo o poder?

## 5

No México, caminhei por alguns labirintos do destino trágico de Trotski e me indaguei sobre a subserviência ao fanatismo do poder.

Perseguido por Stalin, só no México do Presidente Lázaro Cárdenas pôde Trotski encontrar refúgio. Viajou num navio-petroleiro mexicano e, no início de janeiro de 1937, desembarcou com Natália no porto de Tampico, próximo aos Estados Unidos. No cais, para recebê-los, estavam Diego Rivera e Frida Kahlo, marido e mulher, comunistas e pintores que, rompidos "com o terror do stalinismo", tinham levado o general Cárdenas a conceder asilo ao casal Trotski. (A filha fora morta na Rússia, o genro em Paris, e a ameaça da polícia secreta soviética pendia sobre toda a família.)

Naqueles anos 1930, o muralismo mexicano dominava a pintura e Diego Rivera dominava o muralismo. Depois, vinham Orozco, Siqueiros e outros mais, numa disputa de formas e cores com apenas um denominador comum: todos eram comunistas militantes e ativos. Diego Rivera, no entanto, tinha qualificado Stalin de "criminoso" e abandonado a direção do partido, integrando-se à dissidência trotskista, junto com Frida, e ambos foram os anfitriões de Trotski e Natália. Na "Casa Azul", no bairro de Coyoacán, o casal morou longos meses, antes de mudar-se para a casa-fortaleza da Rua Viena, uns quarteirões adiante, e Diego virou mais *trotskista* que o próprio Trotski.

As biografias de Trotski e Frida falam do assunto, e nele não toco, apenas recordo como fio da meada: pequenina, frágil e aleijada, a sedutora Frida enamorou-se de Trotski e ele dela. Pouco se sabe dessa paixão mútua. Nem sequer se acabou por chegar à ansiedade do tato e à nudez dos corpos ou se permaneceu amuralhada na intimidade das conversas ou limitada no amor ao proletariado mundial. Existiu, porém, como relação íntima e profunda. E como paixão recíproca.

No entanto, Diego, com a genialidade perturbadora de um homenzarrão-sapo, tão feio e extravagante quanto encantador e cobiçado, um machão daquele México machista, não o podia permitir nem deglutir e assimilar. E, pouco a pouco, afastou-se de Trotski e do trotskismo. E, junto a ele, Frida, sua "siamesa" e, portanto, parte dele.

Eu já havia estado dezenas de vezes na casa de Siqueiros e outras mais na casa-museu de Trotski (em cujo pátio ele foi sepultado), quando — anos mais tarde — visitei a Casa Azul, a residência de Frida Kahlo e Diego Rivera. E aí, numa chispa de relâmpago, tudo estava à mostra.

O quarto de Frida enferma, prostrada na cama e já sem movimentos nas pernas, fica num piso sobreposto e alto, com uma imensa clarabóia envidraçada, para que ela pudesse ver sempre e sempre o céu límpido e diáfano da Cidade do México daqueles tempos, antes que a poluição se apropriasse do azul. Eram os anos 1950 (Trotski fora assassinado há tempos, a 20 de agosto de 1940, pelo espanhol Ramón Mercader) e tanto ela como Diego já haviam voltado ao PC mexicano e à veneração de Stalin, que está já idoso e alquebrado mas ninguém sabe.

Frida já não caminha, faz tudo deitada, pois dos quadris para baixo nada nela se articula nem se movimenta. Recebe visitas deitada sob a clarabóia e, aí, Diego lhe traz aquelas colchas coloridas ou brancas, bordadas com a foice e o martelo, que hoje aparecem nas fotografias ou cartões-postais. Nos dias de calor, sem colchas, a blusa-camisola tem também um bordado com a foice e o martelo.

Aqueles inícios dos anos 1950 permanecem intactos até hoje na Casa Azul: num cavalete ao lado do leito, a última pintura de Frida, um retrato inconcluso de Stalin, em uniforme de gala, branco. Um quadro medíocre, em verdade cópia de uma gravura soviética que se vendia em Moscou nas estações do metrô, mas no qual ela pretendia retratar o marechalíssimo no esplendor do seu domínio total de reencontrado guia e líder.

Pela primeira vez, a sua pintura era uma cópia vulgar, quase desengonçada. Perguntei-me o que teria pensado e sentido Frida Kahlo enquanto seus dedos pintavam a efígie do homem que tinha mandado matar Trotski. O que era aquilo? A definitiva despedida com o tom da ruptura final com Trotski? Ou a exaltação postiça de Stalin para outra vez pensar em Trotski?

Ou extravasava, apenas, o seu amor por Diego, acalmando a morbidez do ciúme pessoal ou do amor-próprio ferido?

— Não sei, é a primeira vez que pinto assim! — teria respondido ela, com certeza, se alguém lhe houvesse perguntado por que pintava assim pela primeira vez.

Sim, pois nem ela, talvez, soubesse explicar por que seu último gesto como pintora fosse aquele retrato do homem que mandou matar o homem que uma vez ela amou, como na primeira vez.

No México, Frida, de pai austríaco, e o austríaco Maximiliano morreram agarrados ao gesto final da primeira vez.

## Capítulo X

# *CHE* GUEVARA

## OS PÉS PELAS MÃOS

### 1

Todos se entreolharam e sorriram com sarcasmo, surpreendidos com a minha pergunta medíocre, que raiava a tolice e nada tinha de doutrinária ou ideológica, naqueles tempos de filosofia e revolução.

Naquele início de agosto de 1961, só mesmo um "*macaquito* brasileiro" podia indagar de algo assim, tão simples e sem sentido, em meio àqueles jornalistas argentinos de fama e prestígio que, sentados ao lado do conterrâneo famoso, falavam do empirocriticismo, da alienação, da identidade dos contrários e exibiam tudo o que conheciam (ou iam até além do que sabiam) para homenageá-lo com o máximo de sabedoria.

Só ele, o anfitrião e entrevistado, não riu nem sorriu e, em voz alta, repetiu-se a si mesmo a pergunta:

— *Qué es lo más importante en un combatiente?*

No inverno úmido, a asma reaparecia e, às vezes, lhe travava a respiração, mas Ernesto *Che* Guevara não titubeou na resposta:

— As extremidades! A extremidade inferior, os pés! — exclamou, e a gargalhada de zombaria foi quase geral.

Outra vez, só ele não riu. E, sem ouvir o riso galhofeiro dos que se riam unicamente por pensarem que ele também ria, tomou um tom ainda mais sério, alongou a explicação e começou a falar da importância das extremidades. Sim, porque os cuidados essenciais são três, e nessa santíssima trindade está o poder de ataque e defesa do combatente, sua condição de céu ou inferno. Primeiro, a cabeça, extremidade superior não só por estar lá em cima no corpo, mas porque conduz tudo. Perder a cabeça é perder-se, seja onde for, não só na guerrilha. Logo, as extremidades laterais, os braços. Ágeis, envolventes e voluptuosos como no amor, ou lentos e inertes como no sono, os braços — e neles as mãos — definem um ritmo, o ritmo do corpo que controla a carabina, movendo-se como uma bailarina na dança ou uma serpente na árvore.

Por fim, as extremidades inferiores, os pés, sustentação do corpo e dos braços. Base da base e de tudo que é básico, os pés definem e guiam o passo da coluna guerrilheira. A velocidade de quem avança, quem marca é o pé mais cansado ou menos cansado. A cadência, é ele que dá, até mesmo na correria do recuo, quando nos atacam e retrocedemos. Se o pé agüenta, tudo se agüenta. Agüenta-se.

— A nossa experiência guerrilheira em Cuba mostra algo simples, rudimentar. Pode-se tratar mal de todo o corpo, menos dos pés. Um combatente pode ficar semanas ou meses sem um banho, mas deve lavar os pés cada dia. A roupa pouco importa, mas o calçado é importante! — completou Guevara, pernas cruzadas, tocando com a mão a própria bota, do cano à sola, numa irrefreável carícia.

O pequeno auditório, já em silêncio, tinha deixado de se preocupar com o exibicionismo das frases e se limitava a ouvi-lo. Os pés são uma bússola, e os sapatos que calçam o pé, uma bússola da bússola. Até mesmo agora, em Punta del Este, nesta conferência da Organização dos Estados Americanos (OEA) em que Ernesto *Che* Guevara representa Cuba, os pés definem posturas e indicam caminhos. Basta olhar os sapatos reluzentes de couro brilhante daqueles ministros da América Central para entender que, neles, todo o brilho e inteligência está nos pés e que a maciez do calçado já é parte integrante do corpo, que se verga e se dobra a tudo o que venha do norte. Do país do norte. Só as botinhas do ministro de Economia de Cuba são austeras e resistentes, e não reluzem a verniz. São coturnos, não um sapato de festa.

Nesta reunião interamericana, só Guevara e Douglas Dillon, o secretário do Tesouro dos EUA, não usam sapatos brilhantes. E são os únicos que, frente a frente, debatem ou se atritam. Os únicos que não curvam a espinha dorsal. O calçado é bússola, acabou de nos indicar o *Che*.

## 2

Nesse 1961, no hotel modesto em que Guevara e a delegação cubana se hospedam em Punta del Este, nenhum de nós poderia sequer fantasiar que poucos anos depois, em 1965, ele combateria descalço no Congo. Por decisão própria, lá tirou as botas. Dias e dias pisou com os pés as charnecas africanas e levou todos os cubanos a fazerem o mesmo, ao ver que os negros congoleses — ao lado de quem lutava — não tinham botas nem outro calçado qualquer. Tinha que "dar o exemplo da igualdade", que, na extensa pobreza da África, começava pelos pés.

Foi preciso que o *Che* morresse, no final de 1967, para que, tempos depois, lêssemos e soubéssemos, pelo seu "diário" da guerrilha, que ele não calçava botas nem qualquer outro sapato quando foi ferido e capturado na Bolívia. Seus pés estavam envolvidos apenas numa tosca proteção de couro cru de algum pequeno quadrúpede do campo, carneado e secado ao sol, amarrada com tiras e enrolada até as canelas, onde voltava a ser atada com um nó minúsculo para evitar que caísse.

Ele andou assim durante o seu último mês de combatente, desde que a correnteza levou águas abaixo a balsa com o par de botas, a mochila suplementar, algumas armas, munição e rações de alimentos, na travessia de um rio. Ainda nadou para tentar alcançá-la, mas a água foi mais veloz e ele perdeu tudo.

Às noites, naquele dormitar rápido em que o sono vigiava o inimigo, ele sonhava encontrar as botas à margem de um rio qualquer e se sentia outra vez rápido e ágil, libertado daqueles grilhões de couro seco que ele mesmo inventara. O sonho, porém, esbofeteava como um pesadelo e o feria ainda mais. Seus pés, machucados por aquele envoltório de couro duro e sem curtir, não pareciam os dele próprio, como nem ele mesmo se parecia ao que era, com aqueles imensos cabelos desgrenhados.

Quando viu a balsa correndo rio abaixo, sem poder alcançá-la, terá ele vislumbrado que aquilo podia ser o indício do início do fim?

Ou aquela pertinácia de nunca desistir o levou a esquecer-se de que seus pés sem bússola passavam a ser uma extremidade débil que o fazia vulnerável? Quando, porém, o tiro alcançou-lhe a perna e ele quis alongar o passo, mas os pés enrolados no couro cru resvalaram na rocha e ele só pôde arrastar-se alguns poucos metros, como uma criança que engatinha, nesse momento tudo reapareceu na memória.

E ele descobriu que fora derrotado definitivamente muitos dias antes, na travessia do rio. Pela correnteza das águas, lá embaixo no vale, não pelo tiro naquelas alturas da Quebrada del Yuro.

## 3

Nos meus anos de exílio em Buenos Aires, no final da década de 1970, conheci as histórias de dois bolivianos que a vida militar tinha levado a combater a guerrilha do *Che* Guevara.

Um era um ex-recruta, um "*soldadito*". Outro, o coronel Luis Reque Terán, tenente-coronel ao tempo da guerrilha, que na capital argentina se apresentava como "general", talvez para ludibriar a vida modesta, paupérrima mesmo, que levava como asilado. Nos contínuos movimentos golpistas entre militares na Bolívia naqueles anos, ele havia caído em desgraça entre seus pares, que o mandaram ao estrangeiro, à força, para poupá-lo da forca.

Em 1967, as tropas de Reque Terán tinham descoberto um esconderijo subterrâneo de documentos e víveres, na primeira vitória das operações militares contra a guerrilha, mas seu orgulho pessoal era outro: contar como, através de um ardil, tinha enganado Régis Debray e obtido a confirmação da presença do *Che* na selva boliviana.

— O francês Debray era um cabeçudo e, ao ser detido, não deu nenhuma informação importante. Tudo indicava que o *Che* estava por lá, e um argentino preso, Ciro Bustos, chegou até a desenhar os retratos de cada um dos combatentes e sob um rosto igual ao de Guevara, só com menos cabelo e barba, escreveu "Ramón", seu nome na guerrilha — contou.

Faltava, porém, a confirmação, que só podia vir de Debray.

— Fizemos imprimir um exemplar falso do jornal *Presencia*, de La Paz, informando na primeira página da morte do *Che* Guevara em combate, e o levamos a Debray. Ele chorou em prantos durante minutos e começou a elogiar o heroísmo de Guevara e a nos lançar palavrões. Em seguida, gritou: "Podem me matar vocês também. Matem-me. Vamos, me matem!" Depois que se acalmou, pouco a pouco contou dos dias que havia passado com Guevara no acampamento.

O coronel e o *soldadito* jamais se viram nem se conheceram na Bolívia, mesmo lutando do mesmo lado. Ambos, no entanto, encaravam o *Che* Guevara e a guerrilha boliviana de um jeito pragmático e amoral, como uma fonte de dinheiro e lucro.

Em meados de 1976, o exilado Luis Reque Terán me procurou para dizer-me quem era e propor "um negócio jornalístico sensacional". Entrou educadamente no meu escritório na Avenida Corrientes, em Buenos Aires, sabendo apenas que eu era o correspondente do *Excelsior*, "um jornal poderoso num país rico como é o México", e foi direto ao assunto: tinha em seu poder cerca de uma centena de rolos fotográficos em 35 milímetros, com fotos de Guevara e de todo o desenvolvimento da guerrilha. Além disso, cadernos e anotações de diferentes guerrilheiros. Tudo inédito, jamais visto por ninguém, apenas por ele próprio. Tudo encontrado no esconderijo subterrâneo.

No total, haveria mais de mil fotografias, das quais pelo menos 500 mostravam Guevara em diferentes momentos, cabelo raspado, calvo e sem barba, ou já outra vez barbudo. Queria vender tudo ao *Excelsior* e pedia 100 mil dólares, "uma módica quantia, por tratar-se de quem se trata".

Disse-lhe que me interessava, mas teria de consultar o México em função do preço. Literalmente excitado pelo que me oferecia, insisti num pedido: que esperasse uma semana, enquanto me respondessem da direção do jornal, e só depois procurasse os correspondentes do *The New York Times*, do *Washington Post* e da revista *Times*, no mesmo edifício, alguns pisos abaixo ou acima do meu.

— Fique tranqüilo. Não transaciono com ianques! Com eles, não! Prefiro os nossos países sem essa gente!

— Como queria o *Che* Guevara! — retruquei.

— É, sim, é, é...— respondeu, encabulado e já de saída, sem saber se sorria ou apressava o passo.

## 4

Com o *soldadito* Edúlio tudo havia sido mais simples. Como recruta do Exército boliviano, alistou-se nas forças especiais antiguerrilheiras, os "*rangers*" treinados pelos cubanos-norte-americanos de Miami engajados na CIA e subsidiados pela CIA. O soldo era maior e a comida muito melhor. O risco e o perigo eram iguais, mas havia a vantagem de que um *ranger* aprendia a defender-se na selva. Portanto, só tinha a ganhar, nada a perder.

E ganhou. No dia 8 de outubro de 1967, a patrulha de Edúlio deu alguns tiros e recebeu outros. Tinha aprendido a emboscar e a avançar emboscando, tal qual os guerrilheiros, que naquele dia deviam estar cansados e famintos ou sem forças, porque subiram devagar a escarpa rochosa da montanha para proteger-se da fuzilaria intensa, pois os *rangers* eram mais de cem disparando a esmo, para todos os lados, sempre e cada vez mais.

Dois guerrilheiros subiram correndo por uma rocha curva, dispararam e tentaram proteger-se ou escapar, mas a pedra terminava ali mesmo num despenhadeiro, à frente deles. Sempre correndo, pularam para uma rocha mais baixa e, ao correr, um deles escorregou. A carabina saiu-lhe das mãos e, quando tentou agarrá-la, resvalou de novo, foi alvejado e a arma rolou pelo barranco. Com um tiro na perna e aqueles pés sem controle que deslizavam pela pedra lisa, já não conseguiu levantar-se. O seu companheiro era ágil: gritou e tentou resgatá-lo, mas, ao aproximar-se, foi também ferido com dois tiros no pé.

O que escorregou duas vezes e perdeu o fuzil M-1 era Ernesto *Che* Guevara. Seu companheiro era Willi. Na patrulha, Edúlio não era o chefe, nem capturou os dois feridos, mas, como estava por perto, ajudou a tirá-los dali e revisou tudo que eles traziam nos bolsos e nas mochilas. Não se interessou pelos livros e cadernos, pois era analfabeto e não sabia o que aquilo significava, mas ficou com o prato de ágata branca e três montes de notas de dólares, que estavam na mochila de Guevara. Não tocou em nada mais, nem nos outros dólares e dinheiro boliviano guardados no bolso da túnica. Levou o prisioneiro rengo e o entregou, direitinho, para o major Gary Prado, em Valle Grande.

Só horas depois, em segredo e sob uma árvore longe do acampamento, o soldado raso Edúlio foi contar o dinheiro: 32 mil dólares. O prato de ágata ele nem sabe onde deixou. Com aquelas notas de cem dólares, meses depois comprou em Yacuiba uma casa enorme para a família, todos pobres, a mãe idosa e muito doente. E ainda sobrou para instalar uma tendinha de comércio, muito grande também, como ninguém tinha no vilarejo. Um "presente" daquele homem com os pés embrulhados num saco de couro cru, que escorregou duas vezes na rocha da montanha e foi morto no dia seguinte, na escolinha de Valle Grande.

A Bolívia continuou pobre, com os pobres cada vez mais empobrecidos e os altos militares cada vez mais aferrados ao poder. Na década seguinte, em busca de emprego, os irmãos de Edúlio emigraram para a Argentina, o país rico fronteiriço onde havia nascido o homem aquele dos pés de couro cru.

## 5

Em 1970, no meu exílio mexicano conheci o boliviano Antônio Arguedas, que lá também estava como asilado, mas só de passagem, pois temia que a CIA o matasse e se preparava para viajar a Cuba, como de fato viajou.

— Pior do que ser morto, meu temor é que esses filhos *de la chingada* armem um atentado para deixar-me paralítico e mudo — disse-me ele na única vez que o vi, num hotel da Avenida Álvaro Obregón, onde o governo do México o alojava, protegido dia e noite por quatro policiais.

Arguedas opinava do alto da sua experiência. Na ditadura do general René Barrientos, no último ano da guerrilha do *Che* Guevara, tinha sido ministro do Interior da Bolívia, cargo que coordena e controla a polícia e, mais do que tudo, a polícia secreta. Como tal, havia ajudado a reprimir a guerrilha com a ajuda da CIA norte-americana, mas não tinha tido nenhum envolvimento com as operações militares. Muito menos havia opinado ou participado da decisão de matar o prisioneiro.

As mãos do *Che* Guevara, no entanto, o tinham levado a desertar como ministro e pedir asilo à Embaixada do México na capital boliviana.

Primeiro, as mãos do *Che* Guevara vivo: quando o general Barrientos lhe mostrou aquelas duas agendas alemãs, manuscritas em letra miúda, encontradas na mochila do prisioneiro, o ministro levou para ler e leu tudo "*de un vistazo*", uma vista-d'olhos rápida mas suficiente para entender que era o "diário" do *Che*. Logo, aproveitou aquela máquina Xerox recém-introduzida na Bolívia (doada ao serviço secreto pela Embaixada dos EUA) e fotocopiou cada página, antes de devolver os originais ao Exército.

Em seguida, as mãos mortas do morto: depois de exibido uma tarde inteira na morgue do hospital de Valle Grande, antes que o cadáver desaparecesse, deceparam-lhe as mãos. Dois golpes de machadinha, secos e suficientes como aqueles dos açougueiros, separaram as mãos, ao começo do pulso, para cumprir com "as regras legais".

Prova-se a identidade do morto com as impressões digitais — diz a lei —, mas os peritos argentinos que trariam de Buenos Aires as fichas datiloscópicas de Ernesto Guevara de la Serna, constantes ainda da sua primeira carteira de identidade, levariam dois ou três dias, no mínimo, para chegar a La Paz. As mãos decepadas foram postas, então, numa lata com formol e enviadas ao ministro do Interior na capital boliviana. Dois datiloscopistas argentinos chegaram 48 horas depois e levaram um dia inteiro para a identificação, pois o formol tinha desvanecido as marcas do polegar e dos demais dedos. Mesmo assim, puderam concluir: ele era ele, sim!

Repuseram as mãos decepadas na lata com formol e a entregaram ao ministro. Durante semanas, a lata fechada ficou num armário, junto ao gabinete de Arguedas, até que todos se esqueceram dela.

Menos Arguedas, que chamou um homem da sua confiança — daquela gente das minas de cobre, habituada a sacrifícios e perigos — e o mandou ao estrangeiro, com o "diário" e a latinha de formol. O itinerário se desconhece — México ou Europa? —, e o mensageiro e o destinatário perderam-se no sigilo.

Poucos dias depois, porém, as fotocópias do "diário" e a latinha de formol chegavam a Cuba. E Fidel Castro tornou público tudo. Omitiu o nome de Arguedas (que talvez nem soubesse), mas garantiu a autenticidade do "diário" e o publicou em oito dias, simultaneamente em Cuba, no México, Estados Unidos, Itália e França. Em praça pública, anunciou ainda que faria erguer um monumento para expor as mãos embalsamadas, mas a idéia macabra terminou esquecida, felizmente.

A publicação do "diário", no entanto, tocou fundo na alta cúpula militar da Bolívia: os generais estavam vendendo os originais por três milhões de dólares a uma editora norte-americana, e o negócio gorou. E o ministro Arguedas só encontrou como saída pedir asilo à Embaixada do México em La Paz.

Por que mandou tudo a Fidel? — perguntei-lhe.

— *Bueno, lo hice y ya está!* — respondeu Arguedas, e esse "bem, eu o fiz e pronto!" era tudo naquela terrível, contraditória e bela realidade em que pés e mãos desenhavam a anatomia do combatente morto.

## Capítulo XI

# DE GAULLE

## O DISCURSO

### 1

A vinda de Charles de Gaulle ao Brasil em 1964, alguns meses depois do golpe militar, foi uma festa e uma catarse. Ele era general, mas um general diferente ou até oposto a tudo aquilo que os nossos generais tinham passado a representar ou significar.

Alto, muito alto, esguio e ágil, sua figura contrastava com a do seu anfitrião, o baixinho e rechonchudo marechal Humberto Castello Branco. (Nada menos que marechal, um posto acima de general.) E, na imagem das ações, as oposições se acentuavam. De Gaulle comandara a resistência do povo francês à dominação da Alemanha nazista, em favor da liberdade. Castello encarnava o poder autoritário, que sufocava até os gritos dos que já não tinham liberdade.

Na condição de Presidente da República Francesa, De Gaulle esteve no Rio, Brasília e São Paulo, em outubro de 1964, numa viagem programada e acertada ainda no governo João Goulart, com um significado político concreto de paz. Em 1962, a "guerra da lagosta" tinha posto o Brasil e a França frente a frente, num conflito duro, depois que a Marinha brasileira interceptou pesqueiros franceses em nossas águas territoriais do Nordeste. Durante semanas, a lagosta transformou-se numa reivindicação de soberania nacional até mesmo por parte daqueles que sequer sabiam se aquele tal de "crustáceo palinurídeo" tinha tamanho ou sabor de peixe, camarão ou baleia. A França ameaçou enviar duas corvetas e um porta-aviões ao Atlântico Sul mas deu volta atrás e desistiu da batalha naval ao descobrir que os barcos com a sua bandeira trabalhavam para uma empresa norte-americana e levavam a lagosta para os Estados Unidos. E, assim, o mais importante dessa guerra que não houve passou a ser a frase que, na época, dizia-se que De Gaulle dissera, com relação ao Brasil: "Esse não é um país sério."

De Gaulle nunca pronunciou essa nem outra frase similar ou parecida, mas a crônica jornalística registrou como se fosse dele e é até possível que passe à História como fato intocável. Afinal de contas, às vezes é mais perdurável a ilusão de uma frase de efeito do que a verdade de algo sem efeito.

## 2

Festejávamos a De Gaulle pela frase que ele não havia dito e que repetíamos convencidos de que era dele, porque só alguém como ele podia ter antevisto que, para estar nas mãos de quem estávamos, não devíamos ser sérios. Não era só por isso, no entanto, que ele era festejado. Tudo nele era extraordinário, diferente, arrebatador.

A começar pelo idioma: para a minha geração, quem falasse francês tinha a vantagem de falar francês, língua sedutora e doce — máscula ou feminil, de acordo com as necessidades da ocasião, fosse homem ou mulher — e que, nessa sedução de beleza, contrastava com os sons estridentes do inglês do Pato Donald que nos chegavam via Hollywood. Poucos anos antes, ele tinha vencido, na França, a extrema-direita militar e civil que queria seguir matando argelinos para se opor à independência da Argélia, e isso o fazia, de novo, "um libertador".

Em Brasília, o esperamos ansiosos. Era impossível imitar o Rio, primeiro, e São Paulo, ao final, cidades em que De Gaulle desfilou ou ia desfilar em carro aberto, aclamado nas ruas. Na capital isso seria impensável: do aeroporto militar ao Hotel Nacional, ao lado de Castello Branco, ele iria pelo eixo monumental, correndo e sem parar.

Quem teve a idéia foi Christine, mulher do juiz Geraldo Irineo Joffilly (preso e demitido do Judiciário como "subversivo", meses antes), que era francesa e sabia dessas coisas: bordar bandeiras da Resistência e colocá-las às janelas do seu apartamento frente ao eixo monumental. "Sempre que vê a Cruz de Lorena, ele inclina a cabeça", dizia ela, e a mãe idosa, e ainda mais francesa, assentia: "*C'est vrai, vraiment vrai!*".

Durante quatro ou cinco noites, fomos todos — mulheres e homens — ajudar a bordar a Cruz de Lorena sobre pedaços de pano branco, azul e vermelho, no apartamento do casal Joffilly.

Os homens cortavam o pano, as mulheres bordavam. E aí, nas conversas, cada qual retratava o seu De Gaulle preferido. Para uns, o dos anos 1940 contra os nazistas, resgatando a dignidade perdida da França. Para outros, o que em 1958 denunciou os torturadores do seu próprio exército na Argélia e voltou triunfalmente ao poder pregando a "autodeterminação" para a colônia francesa. Outros mais, o de 1961, que tinha vencido um golpe militar ultradireitista da Organização do Exército Secreto (OAS), salvando-se ainda numa dezena de atentados dessa agrupação terrorista chefiada pelo general Raoul Salan.

Outros salientavam o detalhe local: o segundo homem da OAS, o ex-Primeiro-Ministro Georges Bidault, que substituiu Salan no comando e planejou o último atentado contra De Gaulle em 1963, desde então estava asilado no Brasil. Nos primeiros dias de abril de 1964, os jornais publicaram a foto de Bidault, em Campinas, brindando com *champagne* e dançando numa festa para comemorar o golpe militar no Brasil. O amigo do nosso inimigo era inimigo de De Gaulle e, já por isso, De Gaulle era dos nossos.

Fosse o homem que fosse, Charles de Gaulle era a resistência. E, ou porque ele tinha olhos de águia, ou porque os carros de vigilância da vanguarda viram com antecipação e desconfiaram, a verdade é que aquelas bandeiras com a Cruz de Lorena às janelas do apartamento fizeram os carros da comitiva diminuirem a marcha, deixando a polícia brasileira em pânico. E, como se agradecesse a homenagem, naquele trecho o automóvel de De Gaulle passou ainda mais devagar que os outros da comitiva, numa lentidão em que ele parecia inclinar-se àqueles estandartes.

Então, ele virou a cabeça à esquerda, levemente, em direção às bandeiras, e o rosto mostrou-se nítido no torso imenso. No lado oposto do assento, o marechal Castello Branco olhava à frente, imperturbável e pequeno.

## 3

Quanto a nós, só pensávamos nos discursos de Charles de Gaulle, que eletrizavam e comoviam. Despertavam como uma bofetada e enterneciam como um abraço. Esse homem, que se negou a aceitar a capitulação da França ante os nazistas, tinha guiado a resistência pelos ares, com suas palavras transmitidas pelo rádio, da Inglaterra. Dizia-se que, com elas, havia reconstruído a dignidade da França, extraviada em 1940 na rendição à Alemanha de Hitler. Outra coisa, no entanto, e bem mais palpável, era vê-lo e ouvi-lo aqui mesmo, no Brasil, à nossa frente e na nossa casa, poucos meses depois do golpe de Estado de 1964, quando a palavra tinha passado a ser mal-vista e a liberdade política começava a ser um solitário exercício de pensar em silêncio, sem multidões.

Já que não o podíamos ver nem ouvir no banquete oficial, fomos todos à sua primeira aparição pública na Universidade de Brasília, ao ar livre. A programação da visita, feita ainda pelo governo deposto, fora aprovada na França, e o novo governo no Brasil nada pôde mudar e ele foi à Universidade, como estava previsto. Vestido de civil, falou como um general, de improviso. Cadenciado, com pausas. Ora como se fosse um hino, ora uma sonata. Choramos de emoção. Até os que não entendiam francês se emocionavam antes mesmo das palavras do tradutor. Ao final, como um grito, espontaneamente, começaram todos — começamos todos — a cantar a *Marselhesa*, em francês. (Até os que nada sabiam daquele idioma cantavam em francês.) E De Gaulle cantou também. Forte, com aqueles biquinhos nos lábios de quando se canta em francês e que apareciam visíveis lá no palanque, enquanto todos na multidão — absolutamente todos — erguiam o braço e, com os dedos, faziam o "V" da vitória.

## 4

O verdadeiro De Gaulle, de corpo inteiro e radiografado nas entranhas, apareceu no dia seguinte, no discurso ao Congresso. Naquele parlamento decapitado das suas melhores figuras pelo recente golpe militar, houve poucos senadores e deputados interessados em conhecer e ouvir o herói, e nós, os jornalistas, fomos levados a ocupar as bancadas vazias, para dar a impressão de que o plenário estava repleto. E, como se parlamentares fôssemos, antecipadamente recebemos a cópia do discurso.

Olho as folhas que me dão e penso: "Hoje o De Gaulle vai ler, não falará de improviso." E vou pensando assim, lendo o texto do discurso em francês, quando ele começa a falar. Pausadamente. Sem nenhum papel à frente, sem nada às mãos. Logo, levanta o braço esquerdo, num gesto, e vai adiante. Nada lê. Tudo "de improviso", mas igualzinho ao que está no texto distribuído e que as intérpretes vertem ao português, em tradução simultânea, às vezes travando a língua ou embasbacando-se com o giro mais rápido de alguma expressão ou frase, quando a pausa é menor e a aceleração maior.

Mais do que o herói da Resistência e do que o chefe de Estado, ali estava um grande ator da Comédie Française, que representava o discurso que lhe haviam escrito, ou que ele próprio escrevera, e que a memória escancarava em público. Talvez o discurso que, em Paris, André Malraux houvesse ditado às datilógrafas, dias antes.

Desde então, cada vez mais passei a me perguntar se as palavras da História não são um embuste, ou um invisível equívoco geral. Ou uma representação de si própria, na qual os grandes ventríloquos estão ocultos e escondidos detrás dos reis e heróis. Ou até mesmo dos protagonistas mais simples.

Seja o que for, no entanto, com De Gaulle aprendemos também que nada valem as palavras só como palavras. Próprias ou alheias, as palavras do guia da Resistência Francesa valeram porque atrás delas vieram os fatos e os atos. E, nestes, ele mesmo foi o comandante, se envolveu e se expôs. Sua presença decidia o que a palavra tinha exposto. A palavra deixava de ser um som, transformava-se em objeto concreto e o fazia insubstituível.

Quem age é insubstituível. No poder — na paz ou na guerra — é como no amor: o objeto amado é insubstituível.

*(Mesmo assim, desconfio sempre — por trás de toda inteligência política há sempre um secretário ou assessor de talento, um confidente imperceptível mas não silencioso, postado atrás dos biombos do poder. Um De Gaulle e um Malraux. No curso secundário, aprendíamos latim traduzindo os discursos de Cícero no Senado Romano —* "Quousque tandem abutere patientia nostra, Catilina?" *—, que obviamente não eram de improviso e que, só por isso, chegaram aos nossos dias e se imortalizaram.)*

## Capítulo XII

# PERÓN

## O TÔNICO DA VIDA

### 1

Todo-poderoso foi Juan Domingo Perón. No governo, todo poder era dele. Enxotado do poder e da Argentina, nos anos em que foi um proscrito e estava longe, governavam contra ele: tudo o que ele dizia ou fizesse era o oposto do que devia ser feito. E o governo só fazia o que ele criticasse ou dissesse que não devia ser feito. Isto, porém, em vez de alijá-lo da cena política, fazia com que exercesse uma espécie de oculto poder de veto automático e permanente, ainda que às avessas. E, assim, Perón continuava a ser o núcleo e referência do poder.

Na Argentina, ninguém o superou, nem os caudilhos que o antecederam — e que, em parte, serviram-lhe de modelo — nem os militares que o sucederam, déspotas e cruéis mas que só tinham poder pelo despotismo e crueldade. Perón nasceu no século XIX e morreu em 1974, há quase 30 anos, mas ainda hoje, no século XXI, ele é quem mais decide e influi no poder.

Em 1944, quando despontou para a política, era coronel do Exército, e general ao ser eleito Presidente pela primeira vez, no ano seguinte. Mas só soube exercer o poder, e ter o poder à mão, com uma mulher ao lado, ou até acima de si próprio. Não uma mulher qualquer, fosse a que fosse, mas a **sua** mulher, a da paixão e do amor, com a qual saía do leito para o grande feito.

Primeiro, Evita — Eva Duarte de Perón, sua impetuosa musa e sua constante rusga, a única pessoa que ousava divergir dele e, por isso, seu amuleto e sua muleta, era seu esteio. O amuleto o guiava e iluminava. A muleta o apoiava. Sua dependência de Evita durou apenas sete anos: a 26 de julho de 1952 ela morreu, aos 33 anos de idade, jovem, bela, fascinante e poderosa num país poderoso e rico. Em outubro de 1955 ele foi deposto, já com a decadência à vista.

Depois, Isabelita, que nem se chamava assim e era María Estela Martínez, que ele encontrou no exílio na República Dominicana. Quase trinta anos mais moça, sabia dançar bailes folclóricos mas ignorava tudo do poder, e, depois, tudo o que soube aprendeu com ele. Soube e aprendeu, porém, já quando Perón tinha poder por ser um fantasma vivo que provocava medo nos adversários. E, ao contrário de Evita (que encantava pelo afago), o dia-a-dia de Isabelita com Perón exilado, longe da Argentina e atemorizando pelas palavras de ordem e pelas ameaças em sussurro, levou-a a aprender que o poder consistia em ser poderoso pelo medo.

Em 1973, a redemocratização da Argentina restaura o peronismo com a eleição de Héctor Cámpora, que exerce a Presidência da República por dois meses apenas e renuncia para que o próprio Perón possa ser candidato. E os argentinos sufragam a chapa Perón-Perón, na qual o Vice-Presidente é Isabelita, e tudo na cúpula do poder fica em família, literalmente.

Mas a família não é apenas o casal Perón, e inclui José López Rega, o afável e serviçal mordomo dos anos finais do exílio em Madri, cantor "meio barítono e quase soprano" (como ele dizia de si próprio), antigo cabo-chofer da polícia, cultor de um esoterismo primitivo e inédito, em que os astros emitem sinais e sons que se instauram nos seres humanos e lhes guiam a vida. Com essa sapiência astrológica, somada à fidelidade de um faminto cão amestrado, López Rega conquista Perón no exílio e, na volta à Argentina, vira ministro todo-poderoso.

Nove meses depois, a 1° de julho de 1974, Perón morre em pleno exercício do poder e a perda é despedaçante. Os argentinos estavam preparados para tudo, menos para a morte de Perón. Matar ou morrer já não era dramático na Argentina. Ao contrário, para os personagens do drama parecia heróico. Os da direita e da esquerda peronista se assassinavam entre si, uns aos outros. Os peronistas que matavam, matavam "por Perón" e os peronistas que morriam, morriam gritando "Viva Perón" como derradeira frase diante dos fuzis ou das pistolas de outros peronistas. Mas enquanto "*el Viejo*" vivia, até para isto se arranjavam explicações intelectuais, políticas ou psicossociais. O falecimento de Perón, porém, fez ruir tudo.

Em Buenos Aires, pouco depois disso, uma jovem peronista — politizada, lúcida e universitária — me resumiu o espanto da sua geração e de todo o país: "Ele tinha quase 79 anos, mas nunca nos passou pela cabeça que *el Viejo* pudesse morrer!"

Não o dizia como metáfora ou figura de linguagem, mas como um axioma natural, inerente à natureza do poder e à figura humana que o encarnava.

Isabelita torna-se, então, Presidente da República. Do peronismo, porém, reinstaura apenas o medo, governando entre prisões, seqüestros e assassínios da polícia ou atentados e mortes da guerrilha opositora. Com a voz fina e estridente brotando do corpo frágil, discursava ameaçando dar chicotadas — "*soy la mujer del látigo*", disse de improviso — e governou apenas um ano e oito meses: no final de março de 1976, a direita militar a derrubou e Isabelita foi presa. Tratada como uma dama em férias numa jaula de ouro nas montanhas de Córdoba, mas presa.

E Perón, mesmo morto, outra vez foi proibido e novamente proscrito. Com a proibição, ressuscitou.

## 2

Morei quase 20 anos em Buenos Aires, mas o que sei de Perón aprendi no Brasil mesmo.

Primeiro, eu menino ainda, naquelas imagens em que ele e Evita atiravam dinheiro ao povo, do alto de um palanque, na inauguração da ponte Brasil—Argentina, em 1947, em Uruguaiana, no Rio Grande do Sul. Ele em uniforme de general, ela num casacão de *vison*, o sorriso tinha neles uma expressão de vitória tonitruante, como se a ponte e o rio fossem só deles, só da Argentina, e o Brasil e os brasileiros ali estivessem apenas em visita à fronteira. Junto aos dois, à paisana, o general Eurico Gaspar Dutra, Presidente do Brasil, era a terceira figura no palanque, mas, opaco na sua desconcertada timidez, nos dava uma sensação de vergonha, ou inveja, por não termos no seu lugar alguém que fosse como eles, não pelas cédulas caindo dos dedos mágicos (algo que nos parecia cômico e grotesco), mas pelo sorriso nos lábios e a desenvoltura do aceno das mãos.

Depois, já adulto, soube de Perón pelos argentinos antiperonistas (liberais, socialistas ou comunistas) que entravam pela fronteira do Rio Grande do Sul, na maioria estudantes universitários fugindo daquele poder total em que os manuais de alfabetização ensinavam que ele era "o sol luminoso do despertar" e "a única razão de viver".

Mais tarde, no final de 1955, foi a vez de os peronistas transporem a fronteira e chegarem narrando os fuzilamentos, as torturas e as prisões levadas a cabo pelos militares da direita liberal que, em nome de uma "revolução libertadora", depuseram o Presidente Perón, que se refugiou numa canhoneira paraguaia ancorada no Rio da Prata.

Começa, então, seu exílio de quase 18 anos. Do Paraguai, acaba na República Dominicana, no Caribe, e lá passa quase quatro anos, longe das vistas do novo poder instituído na Argentina. Num dia de 1959, porém, percebe que está isolado naquele ambiente provinciano, tórrido, úmido e fora de mão de Ciudad Trujillo (assim chamada em honra ao ditador seu amigo, que o homiziou) e decide sair de lá e refugiar-se na Espanha.

Perón, no entanto, já não confia em ninguém, pois ninguém confia nele. Teme viajar à vista de todos num vôo comercial convencional, com escalas pelo México ou pela América do Sul, onde terá que descer para trocar de avião e poderão humilhá-lo, interrogá-lo, prendê-lo até. Os militares e o governo argentino não o deixam em paz. Se até o corpo embalsamado de Evita desapareceu em Buenos Aires, num sumiço absoluto, o que poderão tentar fazer com ele ao saberem que estará vivo num aeroporto qualquer?

Decide fretar um avião especial que o leve direto à Espanha. Mas não pode ser da Pan American ou de outra empresa norte-americana, pois os Estados Unidos são, agora, seus inimigos declarados, e ele se lembra da Varig, que é neutra e até pode fazer-lhe um preço melhor por "dever-lhe obrigações". Quando Presidente, ele atropelou toda a burocracia bilateral argentino-brasileira e a autorizou a voar a Buenos Aires.

Faz mais de dez anos, lá por volta de 1949, mas ele recorda muito bem quando, na Casa Rosada, dois jovens deputados estaduais do sul do Brasil lhe entregaram uma carta de Getúlio Vargas pedindo a autorização para a linha aérea. Deposto do governo, Vargas não tinha nenhum cargo executivo, morava num lugarejo na fronteira e lhe escreveu "como amigo e admirador", ainda que nunca se houvessem visto nem conversado. A Varig recebeu autorização imediata para operar em Buenos Aires, e, além disso, o pedido e a visita abriram as portas para que, pouco depois, ele ajudasse diretamente a campanha de Getúlio como candidato presidencial, em 1950: os imensos cartazes coloridos, os pequenos folhetos, tudo da campanha de Vargas foi impresso nas avançadas gráficas argentinas, numa "contribuição espontânea a favor do Brasil", pela qual ele nunca pensou em recompensa. Afinal, a rica Argentina era rica, e o Brasil cheio de riquezas era pobre.

Os dois moços que lhe levaram a carta cresceram em idade e na política — João Goulart, que falava diretamente em nome de Vargas, agora é Vice-Presidente do Brasil, e o outro, Leonel Brizola, governa o Rio Grande do Sul. Mas nem é preciso apelar a nenhum deles: o preço do vôo especial da Varig — 65 mil dólares — é convincente e suficiente para o bolso de Perón.

Em janeiro de 1960, um quadrimotor *Super-Constellation* da Varig é recondicionado em Porto Alegre com dois beliches-dormitórios e voa vazio a Ciudad Trujillo, hoje Santo Domingo. De lá, leva Juan Domingo Perón à Espanha. Uma jovenzinha branquela e tímida o acompanha, junto com uma cadelinha "*poodle*", carregada ao colo como um nenê, além de um secretário e um guarda-costas. Não se está ainda na era do jato, e a viagem é demorada, levando os tripulantes à euforia: transportam um mito, em sigilo, e o simpático Perón retribui com a camaradagem duma intimidade aérea de 15 horas no vôo direto a Sevilha, que entra noite adentro naquele 26 de janeiro de 1960. O comandante do avião pede para bater-lhe fotos e ele concede, inclusive de pijama, pronto para descansar. De fato, Perón não veste pijama, mas uma bata branca comprida, como aquelas roupas dos beduínos no deserto, e não se acanha em mostrar-se e ser retratado assim.

Faz sinais, porém, para que não fotografem a preparação final para deitar-se, aquele momento em que a mocinha branquela, a atenta Isabelita, põe-lhe à cabeça um gorro de algodão branco para que ele não danifique os cabelos durante o sono. E ele se deita sorridente, ajeitando a touca.

Perón dorme assim há anos. O líder dos *descamisados*, capaz de encrespar a fúria de multidões ou fazer reverberar uma montanha, dorme de touca por temor a encrespar os cabelos.

## 3

No exílio de Madri, Perón conhece López Rega, vindo da Argentina pelas mãos de Isabelita, em quem habita um misticismo simplório e puro (mais de santos e velas do que de astros), que o mordomo recém-chegado adorna, pule, dá forma e que "*el general*" recebe com irônicas gargalhadas mas, pouco a pouco, assimila também.

Perón é um materialista pragmático, "quase ateu, graças a Deus", como ele sói ironizar consigo próprio. No seu último ano de governo, atacado pelo arcebispado e pelos integristas católicos, seus adeptos incendiaram templos e queimaram bandeiras amarelo-brancas do Vaticano em plena Praça de Mayo, coração político da Argentina. O confronto foi tão duro que pelo país inteiro se espalhou o boato de que ele fora excomungado pelo Papa Pio XII. No seu isolamento em Madri, no entanto, ele espera um milagre, o milagre da volta ao poder. E o misticismo inato, que o "quase ateu" não conseguiu apagar nem amputar, o leva a ouvir as idéias do mordomo-astrólogo sobre visões mágicas e caminhos secretos.

José López Rega soube dessas trilhas herméticas ainda quando era cabo da polícia federal em Buenos Aires. Depois, em San Tomé, na província de Corrientes, um índio-curandeiro (nascido na outra margem do rio, no lado brasileiro da fronteira) o fez acreditar até mesmo naquilo que não via nem tocava. López Rega nunca chegou a estar com o *pajé*, mas bastava o que dele soubera no Rio Grande do Sul por dois amigos, José María Villone, um argentino que foi morar em Porto Alegre depois da queda de Perón em 1955, e, mais ainda, Claúdio Ferreira, brasileiro de Uruguaiana. Ambos conheciam tudo do índio-mago.

E o índio conhecia uma poção da longa vida, da juventude perene e perpétua, que Cláudio Ferreira não só aprendeu em minúcias quanto desenvolveu e ampliou. Cláudio era um radialista-jornalista da fronteira gaúcha, falastrão, inteligente, cultor do esoterismo e iniciado como rosa-cruz, que devorava livros sobre ciências ocultas e só se interessava por isso na vida, além de chimarrão e, de quando em vez, uma farra com prostitutas. Em janeiro de 1960, em Porto Alegre, logo após a fundação da *Última Hora* gaúcha, Villone — que foi ser chefe de publicidade do jornal — contou-me, com a maior naturalidade, que era *aprendiz* "no laboratório de alquimia" de Cláudio Ferreira, no bairro de Teresópolis, e que, como "pesquisavam" madrugada afora, por isso muitas vezes chegava tarde à reunião que tinha diariamente comigo, às 5:45 da manhã, para planejar o número de páginas da edição que rodava às 13 horas. (Passamos a reunião para as 7 da manhã e ele nunca mais se atrasou.)

Meses depois, Villone saiu do jornal mas permaneceu em Porto Alegre, enquanto Cláudio, sem emprego fixo, viajou à Espanha para conhecer Perón. Ou melhor: Perón e Isabelita é que queriam conhecer esse homem que tinha intimidades com a magia da eterna juventude.

Com a simpatia do sedutor nato e seu excelente espanhol de gaúcho fronteiriço, Cláudio conquistou Perón em menos de um mês. No final da década de 1960, voltou ao Brasil com 15 mil dólares no bolso (na época, uma apreciável pequena fortuna), um generoso empréstimo que *el general* lhe concedia para instalar o laboratório do *tônico da vida*. Tinha levado alguns frascos à Espanha, *el general* havia tomado o xarope licoroso e se sentira "*un pibe*", um guri, revitalizado em força e energia. Numa casa do bairro do Ipiranga, em São Paulo, Cláudio montou o laboratório e trabalhou duro nos meses seguintes. A partir da poção do índio-curandeiro de San Tomé, desenvolveu e sofisticou a fórmula, e, outra vez, Perón em pessoa provou o elixir em Madri. Provou e comprovou os efeitos. Isabelita andava radiante e feliz pela mansão do bairro de Puerta de Hierro e López Rega mais ainda, pois afinal de contas o autor do milagre era o seu "irmão" brasileiro.

No início dos anos 1950, muito antes de ser deposto do poder na Argentina, Perón (como todos os "idosos" cinqüentões) tinha se entusiasmado pelo *soro de Bogomeletz*, que os soviéticos diziam que Stalin tomava e que, por isso, continuava jovem, lúcido e forte. Mas Stalin morreu em março de 1953, e nunca mais se ouviu falar nos milagres do bioquímico Bogomeletz, muito menos nesse invejável soro comunista que a farmacopéia capitalista não ousou sequer imitar. O brasileiro Cláudio Ferreira, no entanto, era muito mais do que bioquímico, pois reunira os poderes ancestrais do *pajé* dos pampas com a alquimia, e os demonstrava numa figura pública como Perón.

Por esse caminho nasceu o "*Per-tônico*", assim chamado em homenagem a *el general*, marca registrada do produto consumido no Brasil, Argentina, Espanha e outros cantos do mundo. Em São Paulo e no Rio de Janeiro, esse tônico da vida e rejuvenescedor permanente atingiu níveis de venda inusitados: em grandes painéis de rua, o próprio Perón aparecia como "garoto-propaganda", sorridente e jovem na foto colorida do cartaz, como prova e evidência de que o *Per-tônico* era capaz de transformar "*el viejo*" e idoso general destronado num quase-menino lépido e fagueiro.

Sim, pois em Madri *el Viejo*, quase sem rugas, estava cada dia mais jovem e recebia outra vez grupos e comissões de argentinos que lhe propunham voltar "do jeito que fosse" e tomar o poder com a intrepidez de um soldado de 20 anos. Pois não era isso o que a foto dos cartazes imensos nas ruas de São Paulo e Rio dava a entender?

A história do *Per-tônico* é o melhor retrato de Perón, ou da intimidade de Perón. Enquanto, na Argentina, velhos e jovens eram presos ou morriam por ele e todos o tratavam como algo celestial, muito além do mundo terreno (os peronistas por venerá-lo como a um Deus; os antiperonistas, por temê-lo como um diabo, um senhor-diabo cheio de poderes), o gaúcho Cláudio Ferreira[1] tinha sobre ele poderes totais. Enquanto na Argentina lhe diziam "*el Viejo*" ("o Velho") para significar "homem imortal", Cláudio o levava a fazer propaganda de um elixir da longa vida e do rejuvenescimento.

Pelas dúvidas, porém, antes de concluir o exílio na Espanha e, finalmente, retornar à Argentina, Perón passou duas semanas na Romênia, na clínica geriátrica da doutora Aslan, que era comunista

[1]Ao voltar do exílio e ser eleito Presidente da República em 1973, Perón concedeu a cidadania argentina a Cláudio Ferreira e o nomeou diretor da sucursal da agência noticiosa estatal Telam, no Rio de Janeiro, cargo modesto para a influência que havia tido. Com o golpe militar de 1976, perdeu até a nova nacionalidade. José María Villone foi secretário de Imprensa da Presidência e figura-chave no governo de Isabelita Perón. No golpe de Estado, estava no Uruguai, onde foi preso a pedido dos militares argentinos.

como o tal de Bogomeletz e dele podia ter herdado alguns segredos que nem o *pajé* de Corrientes, nem o gaúcho Cláudio deveriam conhecer.

Uma coisa, porém, era certa e imutável: o *Per-tônico* só se chamava assim porque era o tônico da longa vida de Perón.

## Epílogo

# O REINO E O CAVALO

*"A horse! A horse! My kingdom for a horse!"*
*("Um cavalo! Um cavalo! Meu reino por um cavalo!")*

WILLIAM SHAKESPEARE,
*nos lábios de Ricardo III.*

### 1

De todas as histórias aqui relatadas, a de Frida Kahlo (que, em verdade, se incorpora ao drama de Leon Trotski) penetrou-me no inconsciente como a indagação infinita de uma novela real que recomeça em cada um de seus desfechos.

O assassínio de Trotski não virou tragédia pela morte em si. A História está cheia desses episódios, e o magnicídio, ou mesmo o homicídio no bar da esquina, é coisa de gente destemida que mata de frente, cara a cara, e até a perversidade pode ter uma pitada de bravura. Na trilha da morte de Trotski, porém, só há engano e simulação, mentira e invencionice, falsidade e fantasia. A coragem do belga Jacques Monard (que o matou) se escudava nisso, e era tão falsa quanto ele próprio, que não era belga nem se chamava assim.

A atual casa-museu onde, pelas costas, a 20 de agosto de 1940 ele estraçalhou o crânio de Trotski com uma pontiaguda picareta de alpinista, é um testemunho mudo do engano transformado em arma. Depois do atentado frustrado de Siqueiros, a casa foi transformada por Trotski numa fortaleza inexpugnável: as janelas para a rua, fechadas com tijolos, os muros de pedra furados e, neles, o cano das metralhadoras vigiando todos os acessos. Stalin tinha logrado aprisionar seu rival na própria casa, mas não havia conseguido matá-lo.

Então, a polícia secreta soviética reconstituiu e modernizou o cavalo de Tróia. Primeiro, ainda na Europa, Monard "apaixonou-se" pela secretária de Trotski, jovem e linda, filha do seu mais íntimo camarada. Depois, "o apaixonado namorado" da pessoa de confiança absoluta entrou na casa já como "um íntimo", pois o amor abre até mesmo as portas que Deus e o diabo fecharam. E na intimidade, matou.

Em 1971, no meu exílio no México, tornei-me amigo do médico Alfonso Quiroz Cuarón, professor de Medicina Legal da Faculdade de Direito, sem saber que ele é que havia desvendado o segredo do assassino de Trotski. Preso, interrogado, julgado e condenado a prisão, o belga Monard sustentou sempre — e com total coerência dos detalhes — que era um trotskista desiludido com o líder, desde que Trotski se tornara "um agente da Inglaterra e dos Estados Unidos". Entre os "indícios" ou "evidências" que apontava, havia o dos guardas de segurança de Trotsky, todos trotskistas vindos dos Estados Unidos...

Como médico legista, Quiroz Cuaron interrogou o belga Monard ao longo de muitas horas após o crime e, durante uma fração de segundos, o ouviu — já exausto — pronunciar pela metade uma brevíssima exclamação em espanhol, com o inimitável sotaque das Astúrias, e intuiu que outra poderia ser a sua nacionalidade. Durante mais de dez anos, o criminologista mexicano pesquisou nos arquivos do seu país, da Bélgica e Espanha, até encontrar em Madri o rastro da verdadeira identidade do assassino: chamava-se Ramón Mercader, era espanhol, e sua mãe fora dirigente do Partido Comunista em Astúrias.

— Até então, tudo o que ele havia fantasiado e mentido sobre o nome e a nacionalidade tinha coerência total e se ajustava a todos os detalhes da sua história de vida! — disse-me Quiroz Cuarón.

O inventado era tão coerente, que a verdade — com seus lapsos e pequenas contradições — parecia fantasia de uma invenção. Mercader era a simulação perfeita. Talvez como Stalin e o stalinismo na busca do poder. Ou como todos os que só se dedicam a buscar o poder.

Mas, o que é o poder se não o simulacro de ser dono do poder?

Em que desvãos da história está, há dezenas de anos, o poder absoluto de Stalin, esse homem de aço? Ou o dos recentes generais-ditadores do Brasil e da América Latina?

## 2

A poderosa fortaleza do poder é frágil.

Abri e termino este livro com uma frase de Shakespeare, posta nos lábios de Ricardo III ao ser derrotado em 1485 na batalha de *Bosworth Field*, que expressa e resume essa debilidade: *My kingdom for a horse*. "Meu reino por um cavalo", transação impossível, pois o rei que pede um cavalo assim, nessa ansiedade de tudo dar, trocando o menor pelo maior, pode ainda ser rei mas já não tem reino, e não impera.

Só lhe resta fugir e é na fuga que está interessado. Não no reino, nem em seus vassalos ou nos súditos que abandona. Ou que se libertam do jugo desse homem que já nem consegue um cavalo, e que perdeu tudo.

Ao iniciar este livro, pensei em dois suicidas, aos quais me vi unido pelo acaso e entre os quais fantasiei ter estabelecido uma ponte. Ao longo da escritura, percebi que do dia 24 de agosto de 1954 ao 11 de setembro de 1973 não há apenas os cadáveres de Getúlio Vargas e Salvador Allende. Há vários golpes de Estado, a começar pelo Brasil, e que, logo, escorreram pela América Latina como o líquido duma arrebentada cloaca de esgoto. E, no profundo da retina, ficou-me a imagem de que, nas minhas conversas no restaurante do hotel em Pequim, naquele dia dos finais de setembro de 1954, Getúlio matou Allende. Sim, porque quando Allende baixou os olhos e pensou em silêncio sobre o que eu lhe contava do suicídio de Getúlio, começou a formar-se o espelho em que ele se mirou, 19 anos mais tarde, na sua manhã última e final, no palácio de La Moneda, em Santiago do Chile.

O que é a vida, senão uma sucessão de espelhos que se interpõem à nossa frente?

## 3

Certa vez, alguém me disse que a tragédia de Allende se definia pela dor da traição. "*Quieres el poder? Te ofrezco mi cadáver!*", poderia ter dito ele à frente de um espelho, como se conversasse com Pinochet, quando se inteirou de que o seu leal comandante do Exército chefiava a sublevação e o golpe de Estado.

Sim, porque no amanhecer de 11 de setembro, ao ser despertado pelas notícias de uma sublevação militar, Allende tinha tido pena de Pinochet:

— Pobre *Pinocho*, a esta hora deve estar preso! — exclamou.

Unicamente sua secretária, *Payita* (em verdade, sua mulher e seu amor, e com quem tinha a intimidade das confissões totais), achou que ele podia estar equivocado: "E se Pinochet estiver à frente dos golpistas?"

Allende sorriu, entre o sarcasmo e a dúvida. O sarcasmo, pela convicção de que estava certo. O poder é coisa de machos, as mulheres sabem de ternura e amor, e nisto sabem muito mais do que os homens, não da decisão de mandar e fazer obedecer. Mas, e a dúvida? E se ela estivesse certa, com aquela capacidade única das mulheres de adivinhar ou fantasiar, que tanto pode ser premonição como ciúme?

Poucas horas depois, soube que ela tinha razão: Pinochet, o general que se dizia íntimo de Fidel Castro por tê-lo acompanhado, anos antes, de norte a sul do Chile, estava à frente dos tanques e comandava o golpe de Estado. Os fados, a coincidência, o inconsciente ou o simples acaso — o agarrar a esmo o que encontrou à frente — fez com que Allende se defendesse do ataque final com a metralhadora que Fidel Castro lhe havia presenteado. E com ela disparou a rajada derradeira, contra si próprio.

Anos antes, em 1954, Getúlio teve traições similares mas o gesto final do suicídio foi outro e diferente. Preparou-se. Havia desenvolvido a idéia ao longo de anos e, nos momentos difíceis, ela lhe vinha sempre à cabeça como tese, tal qual os enxadristas, que sabem de cor a jogada para salvar o rei ameaçado por um cavalo, mas só a utilizam quando não há outra saída. Assimilou a tese. E jogou seu cadáver no rosto dos adversários que não queriam apenas derrubá-lo do poder, mas humilhá-lo na queda.

Só uma mulher pressentiu que algo estava errado e tudo era confuso. Sua filha Alzirinha garantia, por um lado, que havia capacidade e apoio militar para resistir e, por outro, intuiu que ele podia "estar pensando em bobagens". A *bobagem* era o suicídio.

Mas, com o suicídio ele vencia. E os homens, que se curvam sempre ao poder das mulheres — ou que só abdicam disso num sacrifício que os mutila como homens —, buscam vencer mais do que tudo para triunfar sobre as mulheres, mas podem também ir além delas para tentar eternizar-se sem elas.

Como Getúlio e Allende, sem pedir um cavalo em troca do reino.

## 4

Contei de outros temas e outras figuras do poder. Após o suicídio de Getúlio, em ordem cronológica, contei de Lott, Juscelino, Jânio Quadros e João Goulart, que definem as figuras-chave do período democrático que o golpe militar de 1964 quis apagar. Propositadamente, não me retive nos generais da ditadura, não só porque em boa parte desse período estive no exílio, mas, além de tudo, por outra razão: não quis misturar a narração suave de novela com a descrição de uma época em que tudo foi tão abrupto e absurdo — em ambos os lados, inclusive —, que a realidade só pode ser vivida ou sentida como realidade mesmo, seca e bruta.

Dos personagens não-brasileiros mencionados na segunda parte do livro, só convivi mesmo, *vis-à-vis*, com Ernesto *Che* Guevara e David Alfaro Siqueiros. O guerrilheiro encobre todo o mito do desprendimento da chamada violência revolucionária; o pintor encobre o drama de Trotski ou, como penso, a tragédia de Frida Kahlo.

Os demais, apenas vi, como Perón ou De Gaulle, dos quais pude perscrutar os gestos, ou como Lenin e Stalin, que observei imobilizados na morte. Em cada um deles, porém, pretendi entender as visões políticas desse século XX apaixonadamente repleto de personalidades, líderes ou tiranos que moveram todas as paixões. Da reverência amorosa total, submissa e cega, ao ódio absoluto, impermeável e enceguecedor. (O amor e o ódio confluem na cegueira porque as paixões são cegas, com elas nos entregamos para viver no outro.)

Expressamente, me abstive de mencionar a Argentina, onde vivi a minha mais longa experiência como jornalista e fui testemunha de um terror inigualável, em que o poder se diluía no crime. Buenos Aires, a cidade em que mais anos morei em minha vida adulta, foi propositadamente deixada de lado, e os episódios dos dois argentinos citados — Ernesto *Che* Guevara e Juan Domingo Perón — ocorreram fora do país em que nasceram.

A experiência nos anos do poder da ditadura na Argentina foi tão traumática que comporta outro tipo de narração, e não pode mesclar-se com nada mais.

## 5

Aqui deixei o legado da minha experiência de jornalista: aprendi que não há ficção nem sequer na ficção, pois o que se inventa ou se fantasia é sempre muito menos do que aquilo que existe nas profundezas ou nas intimidades da realidade.

Aqui escrevi essas intimidades. Por isso, talvez, o real e o verdadeiro soem novelesco e inventado. A culpa não é da realidade. Lástima que não acreditemos nela, nem nos debrucemos sobre ela para aprender com ela. Infelizmente, só nos convencemos daquilo que a ficção nos conta.

E por isso sabemos que, ao final das contas, nenhum reino vale muito mais do que um cavalo!

# GLOSSÁRIO BÁSICO

**Ação Integralista Brasileira, integralista** — partido da direita nacionalista, criado pelo escritor paulista Plínio Salgado nos anos 1930, auge na Europa do nazi-fascismo, cujos símbolos e atitudes imitava.

**adhemarista** — adepto de Adhemar de Barros, ver PSP.

**CCC** — Comando de Caça aos Comunistas, agrupação terrorista de direita, atua principalmente em São Paulo e Rio. Com o golpe militar de 1964, parte de seus membros se integram às diferentes forças de repressão política.

**CGT** — Comando Geral dos Trabalhadores, reunião das direções sindicais sem ser uma "central operária". Seus líderes foram perseguidos e presos após o golpe militar.

**PCB, comunista** — Partido Comunista do Brasil, legalizado em 1945 e proscrito em 1947. Era o único partido comunista da época, antes da cisão em 1961, quando os "seguidores de Moscou" passam a chamar-se Partido Comunista Brasileiro e os "de Pequim" continuam com a denominação antiga.

**PDC, democrata cristão** — Partido Democrata Cristão, surge em 1945 apoiado na Igreja Católica. Conservador, abriga nos anos 1960, porém, uma expressiva ala avançada de esquerda.

**PSB, socialista** — Partido Socialista Brasileiro, dirigido por João Mangabeira, denominado em 1945 de Esquerda Democrática por haver nascido no seio da União Democrática Nacional (UDN).

**PSD, peessedista ou pessedista** — Partido Social Democrata, fundado por Getúlio Vargas na redemocratização de 1945. Agrupou os conservadores vinculados ao Estado Novo.

**PSP, pessepista ou adhemarista** — Partido Social Progressista, fundado por Adhemar de Barros, médico que se faz político e governa São Paulo várias vezes. Populista de direita, fazia alarde do lema "rouba mas faz".

**PTB, trabalhista** — Partido Trabalhista Brasileiro, fundado em 1945 pelo setor sindical vinculado a Getúlio, de tendência reformista, se inclina pouco a pouco para a esquerda. Nada tem a ver com o atual PTB, formado em 1980 por inspiração dos militares da ditadura.

**UDN, udenista** — União Democrática Nacional, partido político nascido em 1945 da luta contra o autoritarismo do Estado Novo. Liberal avançado ao início, pouco a pouco, no calor da Guerra Fria, se inclina à direita.

**UNE, União Nacional dos Estudantes** — órgão máximo dos estudantes universitários, tinha enorme influência na opinião pública até ser dissolvida pela ditadura militar em 1964.

**Glossário onomástico**

**Chiang Kai-shek** — Chefe do *Kuomintang*, partido nacionalista. Presidente e, depois, ditador da República da China. Instala-se na ilha de Formosa depois que seu governo corrupto é derrubado em 1949 pela revolução comunista.

**Chu En-lai** — Chefe do Governo da República Popular da China, na condição de Primeiro-Ministro. Participou da revolução comunista vitoriosa em 1949.

**Evita, Eva Duarte de Perón** — nasceu a 7.5.1919 como "filha ilegítima" e faleceu, na glória em Buenos Aires no governo de Perón, a 26.7.1952, no mesmo dia que, em Cuba, o jovem Fidel Castro e seus seguidores atacavam o quartel de Moncada e eram presos, num fracassado intento de derrubar o ditador Batista.

**Gorki, Máximo Gorki** — romancista russo, "pai" da literatura realista e social. Comunista, foi amigo de Lenin. Nasceu em 1868 e morreu em Moscou em 1936.

***Izvestia*** — o segundo maior jornal da União Soviética, editado pelos sindicatos, só superado pelo *Pravda*, órgão do PC.

**Mao Tse-tung** — fundou e dirigiu o Partido Comunista da China e comandou o exército popular que, após combater a ocupação japonesa, tomou o poder e criou a República Popular Chinesa, em 1.10.1949.

**Perón, Juan Domingo** — Nasceu a 8.10.1895 e faleceu a 1.7.1974, no nono mês do seu mandato de Presidente da Argentina, para o qual fora eleito após 17 anos de proscrição e exílio.

***Potemkin*** — encouraçado em que os marinheiros se rebelaram na Rússia czarista em 1905, símbolo da rebelião popular que preparou o caminho para a tomada do poder pelos comunistas.

**Soljenitsin, Alexander** — escritor russo, Prêmio Nobel de Literatura. Professor, serviu como oficial do Exército soviético na II Guerra Mundial. Seus anos de prisão na época de Stalin estão retratados em *Arquipélago Gulag* e outros livros.

**Kruschev, Nikita S.** — Primeiro-Ministro da União Soviética e secretário-geral do Partido Comunista de 1955 até 1964, quando foi derrubado. Iniciou o processo de "degelo" ou abertura política e denunciou os crimes da época de Stalin.

# AGRADECIMENTOS

Esbocei e comecei este livro em Porto Alegre em 2001, continuei-o em Buenos Aires em 2002 e, de meados desse ano ao final de 2003, o concluí em Búzios, onde escrevi a sua maior parte. Muitos me ajudaram a levá-lo adiante com idéias, observações, documentos ou lembranças de ocorrências.

Por isso agradeço a José Gomes Talarico e a Gilberto Daudt Zietlow (ou às suas enciclopédicas memórias dos detalhes), a Nilza Almeida Pires, Yara Vargas, Lea Portugal, Eric Nepomuceno, Werner Becker, José Silveira, Harilda S. de Larragoiti e Norma Morandini.

E a Luciana Villas-Boas, que gostou do tema e decidiu publicá-lo sem sequer conhecer os originais.

Este livro foi composto na tipologia Galliard,
em corpo 11/16, e impresso em papel
Chamois Fine 80g/m² no Sistema Cameron
da Divisão Gráfica da Distribuidora Record.